L'APRÈS-MORT

OUVRAGES DE GEORGES BARBARIN

(les titres annotés d'un astérisque sont actuellement édités)

* La clé (Astra) - 1935.
* Le secret de la grande pyramide (Adyar et « J'ai lu ») - 1936.
* Le livre de la mort douce (Dangles) - 1937.
Qu'est-ce que la radiesthésie ? - 1937.
L'invisible et moi - 1938.
La danse sur le volcan - 1938.
Le règne de la bête - 1939.
Le règne de l'Agneau - 1939.
La sorcière (roman) - 1939.
Dieu est-il mathématicien ? - 1942.
Les clés de la santé - 1942.
* Les clés de l'abondance (Dangles) - 1943.
Les clés du bonheur - 1943.
L'initiation sentimentale, 1944.
France, fille aînée de l'esprit - 1945.
* L'énigme du grand sphinx (Adyar et « J'ai lu ») - 1946.
* [Le livre de chevet] L'ami des heures difficiles - 1946.
Les destins occultes de l'humanité - 1946.
Je et Moi - 1947.
L'œil de la tempête - 1947.
Il y a un trésor en toi - 1949.
Demande et tu recevras - 1949.
* Comment vaincre peurs et angoisses [La peur, maladie n° 1] (Dangles) - 1949.
Qui sera le maître du monde ? - 1949.
Affirmez et vous obtiendrez - 1950.
* Le jeu passionnant de la vie (Dangles) - 1950.
Vivre divinement - 1950.
* Comment on soulève les montagnes (Dangles) - 1951.
L'antechrist et les derniers temps du monde - 1951.
La vie commence à 50 ans - 1953.
Sois ton propre médecin - 1953.
La réforme du caractère - 1953.
Petit traité de mysticisme expérimental - 1954.

* L'optimisme créateur (Dangles) - 1954.
* Dieu est-il tout-puissant ? - 1954.
La guérison par la foi - 1955.
Recherche de la Enième dimension - 1955.
Guide spirituel de l'homme moderne - 1955.
Petit catéchisme du succès - 1956.
Réhabilitation de Dieu - 1957.
* La nouvelle clé (Roseau Quebec, diffusion Dervy-Livres) - 1958.
* Le corbeau qui goûta de l'homme, suivi de Vingt histoires de bêtes (disponible chez Mme Feuillet) - 1959.
Les réincarnations de Dora (roman) - 1960.
Le problème de la chair ou l'énigme sexuelle - 1961.
Le Docteur Soi-Même, 1964.
Faites des miracles - 1963.
La fontaine de jouvence - 1963.
* Voyage au bout de la raison (disponible chez Mme Feuillet) - 1962.
Le Seigneur m'a dit... - 1963.
Le calendrier spirituel - 1964.
Le Protecteur inconnu (autobiographie) - 1966.
* J'ai vécu cent vies (disponible chez Mme Feuillet).
Sois un as.
De la rose à l'artichaut - 1926.
L'amour et la mer (roman) - 1926.
Le livre de l'eau - 1927.
Le Père Fou - 1928.
Armie (roman) - 1929.
Le prince vierge (roman) - 1931.
Jesusa de Guipuzcoa (roman) - 1936.
La vie agitée des eaux dormantes - 1936.
A travers les Alpes françaises - 1950.
Apprenez à bien parler - 1950.
Le scandale du pain - 1956.

GEORGES BARBARIN

L'APRÈS-MORT

LE GRAND PROBLÈME DE L'AU-DELÀ

L'Homme et l'Univers

EDITIONS DU ROCHER
JEAN-PAUL BERTRAND
EDITEUR

© Éditions du Rocher, 1990
ISBN 2268 00 924 6

PRÉLIMINAIRES

Ceux de nos lecteurs qui ont bien voulu nous suivre dans notre étude de *L'Avant-Mort et de la Mort Sentimentale*[1] se souviennent de la thèse que nous y avons soutenue, à l'aide de documents nombreux.

« *La mort, disions-nous, est un déroulement harmonieux tant*
« *qu'il est seulement instinctif. Ce déroulement est troublé dès*
« *que l'intelligence prétend l'ordonner et lui assigner des phases*
« *arbitraires...*

« *Quelle que soit la cause de la mort, il n'y a jamais de souf-*
« *france physique dans l'acte même de la mort. Et cette immu-*
« *nité s'étend au moment même de l'agonie.*

« *Quand le moribond donnerait aux autres le spectacle le plus*
« *affreux et multiplierait les signes extérieurs du dernier combat*
« *pour l'existence, nous ne devons considérer ces signes que comme*
« *des manifestations mécaniques auxquelles la conscience du*
« *mourant n'a point de part. Si même le mourant s'en aper-*
« *çoit partiellement, ce débat physiologique lui apparaît comme*
« *extérieur à lui-même et le laisse indifférent...*

---

1. *Le Livre de la mort douce* (Editions Dangles), traduit en allemand, italien, hongrois, finnois et esperanto.

« Nous n'avons pas qualité pour juger le phénomène de la
« mort d'après le phénomène de la vie. Les deux états sont dif-
« férents de toute manière et se succèdent avec un ordre parfait.

« La mort et la vie n'ont que faire de nos conventions philo-
« sophiques ou médicales. Elles sont et se déroulent suivant
« d'immuables lois... »

A l'appui de cette démonstration de la mort indolore et de
la mort douce, nous avions invoqué l'autorité de noms anciens
tels que ceux de Diogène, Cicéron, Sénèque et Planpius. Le poète
italien Leopardi avait chanté cette « douceur de mourir », pressentie par Dominique Cherilli et analysée par Schopenhauer.
Les avis d'auteurs modernes, joints aux témoignages de l'expérience, avaient rendu plus évidente cette méconnaissance de la
mort.

Aussi l'apparition de notre ouvrage, en 1937, souleva une
curiosité unanime, en dépit de la répulsion qu'inspire l'étude
d'un moment particulièrement redouté. La presse d'alors
consacra maint article à la thèse de la Mort Douce et divers
quotidiens de France et de Belgique en reproduisirent, dans leurs
colonnes, les passages essentiels.

Il s'ensuivit pour nous une correspondance dans laquelle figu-
raient de nouveaux témoignages. Loin de heurter le corps médical, notre postulat recueillit l'adhésion de praticiens notoires.
Les contradicteurs demeurèrent, en général, anonymes et peu
nombreux.

Bref, cette hypothèse audacieuse de la mort fut jugée oppor-
tune et consolante, ce qui constituait l'échelon initial vers notre
but essentiel.

* * *

Toutefois, certains émirent, dès l'abord, cette opinion que la
mort physique importe moins que la rupture sentimentale avec
la vie et que l'objet des préoccupations humaines est bien plus
encore l'au-delà que l'en-deçà.

Nous n'en doutions aucunement et, bien que nous nous soyons

interdit, dans Le Livre de la Mort Douce, *toute incursion dans le domaine métaphysique, nous n'en étions pas moins résolu à ne considérer ce premier livre que comme une étape documentaire destinée à faciliter l'accès d'un second.*

Déjà Maurice Magre, dans Le Mercure de France, *avait écrit ces lignes compréhensives :* « *L'auteur se réserve peut-être* « — *et je le souhaite — d'écrire un livre qui serait passionnant* « *et où seraient résumées les données vraisemblables que nous* « *possédons sur l'au-delà.* »

Nous croyons ce moment venu, parce que le problème de la mort est pour nous le problème de la vie et que celle-ci ne nous paraît pas mériter d'être vécue si elle n'a d'autre issue que celle-là.

Voici déjà vingt ans que nous sommes penché sur le grand problème. Nous avons scruté avec honnêteté et persévérance ce que, depuis l'avènement de l'homme, la révélation et la tradition ont enseigné.

Cette étude complexe nous a conduit à rassembler ici l'essentiel des données humaines sur la vie après la mort.

On y trouvera, en conséquence, un ensemble de notions connues ou mal connues dont le principal mérite est leur juxtaposition. Ecartées l'une de l'autre, ces croyances et traditions n'ont d'autre valeur que celle que des fractions séparées du monde pensant leur attribuent. Rapprochées les unes des autres, elles unissent toutes les fractions de l'humanité et en relient tous les âges, si bien qu'un esprit impartial est entraîné par leur seule confrontation.

Il n'est pas possible que tant de peuples, d'institutions, d'écoles, de religions, aient absolument erré dans leur synthèse de la Vie. Ce n'est pas, en tout cas, les « *tenants* » *actuels de l'analyse qui apportent la solution.*

Tout ce que le positivisme moderne nous a offert, en guise d'explication de l'homme et de ses fins réelles, nous frappe par son indigence et sa stérilité.

La science ouverte n'a qu'un pouvoir d'exploratioin limité. Sa lanterne sourde n'éclaire qu'une portion minime de la statue. Limitée au monde objectif, l'investigation scientifique ignore

9

la plus grande partie du monde vivant. Par suite, les conclusions tirées de ses calculs sont frappées d'impuissance congénitale. Seule la science cachée a un pouvoir de vision universel.

C'est donc en dehors du mouvement scientifique exclusivement matériel qu'il faut chercher les données d'une connaissance plus approfondie, sans négliger toutefois ce que la Science formelle, en dépit d'elle-même, est capable de nous donner.

* * *

Mais quel que soit l'intérêt des traditions, illuminations, dogmes, révélations, théologies visés plus haut, nous estimons que cette première partie de l'Après-Mort n'épuise pas la matière et laisse la place pour de nouvelles conclusions.

Malgré leur parallélisme fréquent et leur communauté d'origine, les croyances spiritualistes divergent, en effet, dans les détails. D'accord sur le principe, elles sont en désaccord sur certaines conditions de la survivance.

Dans quelle mesure une étude désintéressée peut-elle les concilier et les unir ?

C'est là, précisément, ce que nous entendons démontrer.

Première partie

L'APRÈS-MORT
selon
la Révélation et l'Occultisme

CHAPITRE PREMIER

L'INDÉRACINABLE IDÉE
DE LA SURVIVANCE

On pense communément que, seuls, les esprits religieux s'occupent de la survivance.

En réalité, les rationalistes modernes sont hautement préoccupés par ce problème que leur conscience d'homme se pose malgré eux. Sans doute ils ne la conçoivent pas à la manière déterminée, et d'ailleurs parfois simpliste, des dévots ou des mystiques, mais la plupart se débattent intérieurement contre ce que Maeterlinck appelle « L'Hôte Inconnu ».

C'est pourquoi tout être conscient d'exister et qui élabore un travail de la pensée a le sentiment inné de sa persistance et de son individualité. Il lui répugne instinctivement de n'être plus et de retourner anonymement au creuset de la terre, dût-il en rejaillir sous forme de pierres précieuses ou de floraisons.

Les animaux n'ont point ce souci et, bien que leur corps

13

soit à la ressemblance du nôtre, n'éprouvent ni émoi métaphysique ni crainte de la dispersion. La faiblesse — mais aussi la grandeur — sentimentale de l'homme, c'est qu'il sait qu'il doit mourir. Il est seul dans la création, parmi les bêtes organisées, à connaître cette première fin.

Pourquoi la pensée impondérable et invisible qui lui permet cette constatation s'arrêterait-elle à l'étape liminaire et n'envisagerait-elle pas l'étape qui suit ?

LE MONDE MODERNE EST HANTÉ

Wietrich[1] a dit : « Nous vivons, sans nous en douter, « dans un passé fabuleux qui nous relance jusque dans nos « institutions que nous croyons nouvelles. Les défunts che- « vauchent les vivants, *la cité moderne est une maison hantée* ; « suivant l'axiome juridique : "le mort saisit le vif." »

Effectivement, tout est imprégné de la survivance des morts : nos lois, nos mœurs, nos connaissances, nos idées et même, dans le domaine objectif, nos inventions, nos cultures, nos édifices, notre alimentation. L'œuvre des morts, la pensée des morts est mêlée à l'œuvre des vivants, à la pensée des vivants. Elle fait intimement partie des existences familiale, nationale, raciale, religieuse, politique, artistique, scientifique, internationale.

Les grandes moissons d'idées, les grands ferments de destruction ou de renaissance naissent du charnier des pourritures et poussent au soleil des morts.

Ce n'est pas seulement leur souvenir ou les conséquences de leurs actes qui permettent aux ancêtres d'envahir leur descendance, c'est aussi l'intervention directe de leur esprit.

Qui ne sent, à présent, dans ce paroxysme de l'histoire où nous sommes, que le monde d'hier tourbillonne dans le monde d'aujourd'hui ?

Tout le futur est enclos dans cette confrontation des

---

1. *L'Enigme de la mort* (Société Parisienne d'Edition).

âges parce que la mort naît de la vie et que la vie naît de la mort.

LE CONCEPT D'IMMORTALITÉ

Ceci nous amène nécessairement à la notion d'âme elle-même, avec son concept d'immortalité.

Le mot *âme* a beaucoup servi et son exploitation ne fut pas toujours désintéressée. Tel que, il évoque la partie impérissable de l'homme, c'est-à-dire le Souffle, l'Esprit.

Cette dualité est le fond même de nous et tous les grands penseurs l'ont entrevue. Elle est la base de toute mystique, mais aussi de toute explication. Pascal disait : « La dupli-« cité de l'homme est si visible qu'il y en a qui ont pensé « que nous avons deux âmes, un sujet simple leur paraissant « incapable de telles et si soudaines variétés. »

C'est ce que nous avons nous-même développé[1] dans l'homme-à-étages, opposition de l'homme Réel ou Total à l'homme partiel ou illusoire ou encore[2] de la Personne à l'Individu.

Une réflexion fort juste a été faite par un protestant, le pasteur Arnal, au cours d'une conférence :

« On a beaucoup dit, il y a une trentaine d'années, qu'il « n'y avait rien de plus dans la vie psychologique que dans « la vie physiologique.

« Ce parallélisme est si peu rigoureux que l'on constate « des cas où l'organisme physique dans un état désespéré « n'entraîne nullement un état psychologique déprimé, mais, « au contraire, s'accompagne d'une vaillance et d'une séré-« nité telles qu'elles semblent dénier à la mort le pouvoir « de les atteindre. Il y a là un fait qui laisse entrevoir que « la mort n'est peut-être pas la même chose pour le corps

---

1. *Les Clés du bonheur* (Editions Astra).
2. *Je et Moi* (Editions Astra).

« dont elle amène la décomposition et pour l'esprit qui sem-
« ble s'élancer vers de nouvelles destinées. »

FRAGILITÉ EXPÉRIMENTALE DU SCEPTICISME

S'il n'existe pas de preuves expérimentales de la survivance au sens où l'entend le savant de laboratoire (et encore
certains faits dûment contrôlés annihilent cette assertion),
l'humanité a réuni un ensemble de preuves spirituelles,
morales, philosophiques, religieuses, traditionnelles, intui-
tives, clairvoyantes et un faisceau touffu d'innombrables pré-
somptions.

On n'en saurait apporter autant à l'appui de la plupart
des constatations scientifiques (même les plus incontestées),
telles que l'univers tourbillonnant de l'atome ou la simple
existence de la planète Mars. Pour l'astronome, cette dernière est un monde sphérique, analogue au nôtre, mais pour
l'immense majorité des hommes, une telle spéculation n'est,
dans le ciel nocturne, qu'un point lumineux. Et la notion,
admise par tous, n'est basée que sur l'interprétation, à travers le télescope, de ce qu'il y a de plus incertain, de plus
faillible, de plus sujet à l'illusion dans le monde de la forme,
c'est-à-dire l'œil humain.

Il y a besoin d'une foi bien moins grande et d'une
confiance beaucoup moins aveugle pour admettre la persistance, au-delà de la mort, de la conscience humaine que pour
croire au système solaire microscopique du proton et de
l'électron.

Si l'objecteur moyen avait coutume d'opposer à l'expérimentation objective la méfiance que celle-ci oppose à l'expérimentation subjective, on n'admettrait pas aujourd'hui le
centième des découvertes dont les savants sont si vains.

D'un côte une extrême crédulité, de l'autre une extrême
incrédulité. Cette double attitude explique les progrès du
scepticisme à la fin de ce XIXᵉ siècle dont on commence
seulement aujourd'hui à mesurer la naïveté.

Et pourtant, le poids de la Science avec un grand S n'a pas réussi à emporter le plateau de la balance. Le sentiment de l'immortalité spirituelle est si puissant chez les hommes que le raz-de-marée scientifique n'a pu le déraciner. Bien loin de là, les logiciens cérébraux et les déducteurs analytiques perdent du terrain à mesure que leurs progrès semblent plus assurés.

Les découvertes mêmes de la science expérimentale — et surtout les plus récentes — acculent celles-ci à une physique inconnue, à une mathématique révolutionnaire[1], à une chimie insoupçonnée, qui mettent à néant les anciennes lois.

A force de tourner le dos au Divin, les savants modernes se retrouvent face à face avec lui, au bout de leurs équations et dans le creux de leurs éprouvettes, si bien que le sentiment de leur présomption envahit les plus audacieux.

Les biologistes, qui sont l'avant-garde de la science de ce temps et se donnent pour mission d'explorer les secrets de la vie, sont submergés par la Vie elle-même, dont la vague emporte leurs échafaudages présomptueux. Une certaine doctrine d'évolution fort répandue estime que l'homme, parti des formes les plus rudimentaires de la vie organique, s'est élevé jusqu'à sa conscience actuelle par le développement progressif de son cerveau et que, par conséquent, l'âme, ou principe divin venu d'en haut, n'a que faire en la matière.

Si ce raisonnement était exact, il ne s'appliquerait pas seulement à l'homme, mais aussi à tous les animaux. Or, certains de ceux-ci nous viennent directement de la préhistoire. C'est ainsi que le crocodile est encore une forme à demi géante des lézards ou dragons antédiluviens. Quelle évolution cependant a réalisé le cerveau du crocodile, au cours d'innombrables millénaires ? *Aucune* et sa bestialité est la même qu'aux premiers temps.

Appliqué à des animaux domestiques, intelligents et émotifs comme le chien, l'argument n'est pas moins valable. Si ces animaux ont évolué moralement, c'est dans la propor-

---

1. Voir *Dieu est-il mathématicien ?* (Editions Astra).

tion où, vivant dans la familiarité de l'homme (et, par conséquent, dans la zone de l'âme humaine), ils se sont eux-mêmes humanisés.

LA SEULE NOTION QUI SURNAGE
A TRAVERS TOUTES LES CIVILISATIONS

De sources infiniment diverses nous viennent les témoignages de survie. Ces témoignages sont de toutes les époques et de tous les lieux.

La Fable et les Ecritures sacrées y font continuellement allusion et l'on peut dire, sans exagération, que le concept de survivance est à la base de toutes les traditions humaines.

On verra, par ce qui va suivre, que la préoccupation de la survie constitue aussi le fondement des mythologies, philosophies, théologies, et, en général, de tous les écrits sacrés.

Que cette fleur de la sagesse humaine ait poussé en vain, voilà ce dont ne nous ont pas encore persuadé les dernières générations scientifiques.

Chaque jour, nous assistons à la naissance et à l'effondrement d'une théorie moderne. Par contre, rien ne réussit à extraire de l'homme le sens de son idéale perpétuation.

Sans doute, une porte semble se fermer à la mort. A la mort le rideau se baisse. Mais ceux qui croient la pièce finie sont infiniment moins nombreux que ceux qui croient à l'entracte de la mort.

Durant qu'on change le décor, aucun des spectateurs ne sait évidemment ce que sera le nouvel acte. Cette cloison étanche entre la mort et la vie provient précisément de ce qu'il nous est, en général, interdit de savoir.

Nous avons dit la douceur, l'harmonie, parfois la volupté de la mort. Cette même douceur, cette même harmonie, cette même volupté peuvent se prolonger au-delà de la mort physique et même atteindre à de très hauts sommets.

C'est pour garder l'homme de la tentation de s'évader pré-maturément, pour le soustraire au besoin de hâter l'avènement

18

de sa véritable vie, que l'Intelligence organisatrice a voulu l'effroi et la répugnance de la mort.

Sans la peur innée de la dispersion, sans l'instinct de la conservation qui fédère ses cellules, l'homme n'aurait jamais le courage d'attendre la dissociation normale de son corps.

C'est une des raisons pour lesquelles les « morts » se manifestent si rarement et pourquoi leurs apparitions causent, en général, de l'épouvante.

Peu d'hommes, en effet, sont jugés assez avancés et assez sages pour être admis, dès cette vie, à connaître les secrets de la mort.

CHAPITRE II

L'ENSEIGNEMENT CACHÉ
DES MYSTÈRES ANTIQUES

Les conceptions mythologiques primitives ne montrent pas la condition des âmes qui survivent sous un jour heureux.

Dans les croyances antiques, il existe, parallèlement à la certitude de la survie, le sentiment qu'en perdant son corps, l'homme a perdu la source principale de sa félicité. Et cette notion élémentaire s'ancrera si profondément dans la race humaine que même des religions de salut, infiniment plus évoluées, envisageront encore, de nos jours, la nécessité d'une résurrection de la chair.

LES MYTHES ANCIENS

Le séjour primitif des morts grecs est placé quelque part, au sein de la terre. Il y règne un jour pâle et diffus. Les ombres, molles et languissantes, y mènent une vie décolorée. Et il ne semble pas qu'il y ait séparation réelle entre mauvais et bons.

Les héros qui ne sont pas devenus des demi-dieux passent leur temps à regretter leur existence charnelle. Un incurable ennui est leur lot pour l'éternité.

Les Champs Elyséens d'Homère, en dépit de leurs prairies semées d'asphodèles, ne constituent qu'un lieu d'exil.

L'Hadès grec, enfer des méchants, n'est pas très différent de la région des âmes bienheureuses. Les tortures de Sisyphe, de Tantale, d'Ixion, des Danaïdes ne s'appliquent qu'à des criminels de marque, souvent ennemis personnels des dieux.

Il faut attendre l'avènement de l'Orphisme pour enregistrer un classement des morts plus rigoureux et plus spectaculaire. Mais, alors même, ni la récompense ni le châtiment ne paraissent très accusés.

Cependant, ce qui vient d'être dit à l'égard des Grecs ne se rapporte qu'à la croyance vulgaire. Derrière ces représentations laissées à la foule, les Mystères envisageaient de plus hautes fins. L'orphisme finit par se dégager de ce que l'on peut appeler l'âme « matérielle », c'est-à-dire celle qui tient encore à la matière par sa consistance et ses appétits.

LES MYSTÈRES GRECS

Le mythe dionysiaque caractérise la nature double de l'homme relié par les Titans à la terre et par Dionysos au divin. Pour se libérer du plan inférieur, l'être humain doit tendre à la pureté de vie, mais ce dégagement est subordonné au sacrement de l'initiation.

Chacun des mystères antiques a ses pratiques et ses supports mystiques particuliers. Mais le but essentiel reste le même et consiste à trouver le chemin direct de la Divinité.

Thassilo de Scheffer l'a fort bien jugé dans ses *Mystères et Oracles helléniques*[1].

Quel que fût leur point de départ symbolique, les Mystères avaient pour objet de révéler aux mystes les relations secrètes existant entre la vie et la mort.

« Ils étaient destinés, dit le même auteur, non seulement
« à instruire, mais encore à consoler et à rassurer, au moyen
« d'une telle science, et à fonder une espérance de la certitude
« d'une vie future, d'une immortalité perpétuelle et d'une
« nouvelle naissance. La conception d'après laquelle la mort
« est un passage menant à une vie nouvelle, le double aspect
« de la fécondité qui est éternelle et dont, en conséquence,
« le rythme est nécessairement changeant, tel est, en résumé,
« l'enseignement principal des Mystères d'Eleusis ; l'appli-
« cation pratique en est l'obligation de mener une vie pure,
« de se montrer digne d'une telle connaissance et de se lais-
« ser ennoblir par elle. »

Plus précisément encore, « une connaissance symbolique
« devait amener les participants à se rendre compte qu'une
« purification *intérieure* pouvait seule les rendre capables de
« comprendre ce qui allait leur être annoncé touchant le cycle
« de l'apparition et de la disparition des êtres, de la généra-
« tion et de la mort. On leur donnait enfin un *aperçu du sens*
« *de l'existence humaine* et enfin *on leur faisait connnaître l'état*
« *qui suit la mort.* »

Sous quelle forme s'effectuait un tel enseignement ? Le secret a été bien gardé, puisqu'on en est encore aujourd'hui réduit aux hypothèses. Les initiés qui en ont écrit ont toujours voilé leurs indications.

Il paraît cependant établi que l'évocation des morts y jouait un rôle et que certaines pratiques spirites modernes ne feraient que perpétuer ces traditions.

Powel en a dit ceci, que recoupent des informations de plusieurs sources :

« Dans les mystères mineurs... célébrés à Agrar, l'ensei-

---

1. Payot, édit. (Traduction André Jundt).

« gnement principal concernait... la vie après la mort. Le
« costume de cérémonie des initiés était la peau d'un faon
« dont l'apparence tachetée était censée représenter les cou-
« leurs d'un corps astral ordinaire. A l'origine, l'instructeur
« produisait... des images représentant ce qui, dans le monde
« astral, est le résultat de certains modes de vie physique.
« Plus tard, les enseignements étaient donnés d'une autre
« manière, au moyen de sortes de drames joués par les prê-
« tres ou encore par des poupées mues mécaniquement.
« Les initiés avaient un certain nombre d'aphorismes...
« par exemple : *"La mort est vie et la vie est mort, ou Celui
« qui recherche les réalités pendant la vie continuera à les recher-
« cher après la mort ; celui qui recherche l'illusion pendant la
« vie continuera à la rechercher après la mort."* »

Selon Ouspensky, le but final des Mystères était de faciliter à l'âme humaine « le terrible moment de transition »
où le monde ancien s'évanouit et où le monde nouveau
commence.

D'autre part, suivant Paul Coroze[1], « au cours des mystè-
« res d'Eleusis, on représentait le mythe de Proserpine. Les
« mythes devaient "contempler en silence", nous disent les
« textes, ce drame ou cette suite de tableaux vivants. En
« d'autres termes, ils méditaient sur les images qu'évoquaient
« les rites du mystère. Elles provoquaient en eux une expé-
« rience intérieure si profonde qu'au dire de ceux qui l'ont
« vécue, et dont les impressions nous ont été transmises, tout
« homme qui avait pris part aux mystères en sortait trans-
« formé ; la vie avait changé d'aspect pour lui.

« C'est en l'honneur d'Artémis, déesse de la mort et de
« la naissance, que se déroulaient les mystères d'Ephèse. »

Les mystères grecs conjugués avec l'Orphisme apportaient
donc au monde, eux aussi, le mythe d'immortalité. Les
mêmes enseignements étaient donnés à des élites religieuses par les mystères d'Isis et de Sérapis, de Mithra et de

---

1. *Un chemin vers l'esprit*, Editions de la Science Spirituelle.

Cybèle, tous prometteurs d'une survivance bienheureuse pour ceux qui veulent s'unir à un dieu renaissant.

Ce sont ces mêmes mystères qui, déflorés, désoccultés, puis répandus à la fin et au commencement des deux ères, permirent l'essor immense des nouvelles religions d'espoir.

CHAPITRE III

LE PÉRIPLE DES DÉFUNTS
D'APRÈS LE LIVRE DES MORTS ÉGYPTIEN

Dans son curieux livre *Toute-Puissance de l'adepte*[1] (Transcription des Hauts-Textes initiatiques de l'Egypte), auquel, dans la suite de ce chapitre, nous ferons un large emprunt, le Dr J.-C. Mardrus a écrit ce qui suit à propos de la mentalité religieuse égyptienne :

« ... Les Egyptiens *ignoraient* totalement la mort telle que
« nous la concevons. Ce que nous nommons de ce mot redou-
« table était, chez eux, une chose à laquelle ils ne cessaient
« pas un instant de penser et de se préparer. La mort était
« pour eux un simple changement de condition, mais en
« beaucoup mieux.

« Un Egyptien de l'Antiquité meurt comme il se marie,
« sans plus, mais il est assuré, d'avance, de ce qui va se pro-
« duire pour lui de merveilleux. Le tout est d'avoir un bon
« officiant pour la cérémonie...

---

1. Bibliothèque Eudiaque, Durville, Ed.

« L'Egyptien mourant a la certitude qu'il ne restera inerte
« que quelques instants après l'arrêt du cœur, juste le temps
« d'être purifié, d'être embaumé, de bénéficier des rites funé-
« raires. Il sait qu'à partir du moment où l'officiant *juste*
« *de voix* aura accompli sur sa Momie la cérémonie de
« l'*Ouverture de la bouche,* une vie nouvelle infiniment plus
« durable et plus souhaitable, tant à l'intérieur de l'hypo-
« gée que dans l'Au-Delà, lui sera à jamais infusée, comme
« elle le fut autrefois au Divin Osiris, le Premier des Res-
« suscités.

« Le mort égyptien est donc un *vrai-vivant.* La région où
« il aborde, hors de l'hypogée, n'est pas le Hadès des Grecs,
« mais le *Pays de Vie...* »

Par ces mots « l'Officiant juste de voix », les Egyptiens
entendaient signifier que le passage de la vie à la mort puis
de la mort à la vie était facilité par certains rites et c'est le
long et minutieux exposé de ces rites qui constitue ce qu'on
a appelé, assez improprement d'ailleurs, le *Livre des Morts.*

On ne connaît pas plus l'origine du Livre des Morts égyptien que celle des chants d'Homère. On présume que ce
rituel contient un ensemble des traditions élaborées au travers des âges successifs.

Le fait qu'on en ait retrouvé des exemplaires dans les sar-
cophages de l'Ancien Empire démontre que son existence
remonte au moins à trois ou quatre mille ans avant Jésus-
Christ.

Mais le texte a subi, au cours des siècles, de nombreuses
modifications, tant par suite des erreurs multiples de copis-
tes ignorants ou distraits qu'en raison de l'évolution religieuse considérable qui mena les Egyptiens jusqu'à la
conception d'Osiris, Dieu Bon.

Le Livre des Morts renferme 165 chapitres, de son
vivant, chaque Egyptien l'apprenait littéralement par cœur,
comme une sorte de catéchisme, afin d'être en mesure de
prononcer exactement les formules, de réciter opportuné-
ment les prières et d'accomplir les rites voulus après sa mort.

C'est pour remédier au manque de mémoire des défunts

que l'on plaçait un exemplaire sur papyrus du Livre des Morts sous les bandelettes des momies, tantôt sur le sein, tantôt sur le bras, tantôt entre les jambes, pour qu'il pût être utilisé à tout moment.

Ces exemplaires, copiés d'avance et en série par les scribes attachés aux temples, comportaient une partie en blanc destinée à recevoir le nom du défunt. Celui-ci était uniformément désigné sous le nom d'Osiris Un Tel[1]. Parfois, cette lacune n'était point comblée. Par contre les rituels funéraires des puissants et des riches étaient d'une plus noble matière et ornés d'illustrations[2].

La pérégrination rituelle de l'âme-Osiris diffère suivant les époques. Il semble qu'une nouvelle ordonnance ait été adoptée à partir des rois de Saïs.

L'OUVERTURE DE LA BOUCHE
ET LES CHAMPS D'AANROU

Dès que l'âme est sortie du corps, elle invoque la Divinité infernale pour qu'on l'accepte dans l'*Amenti*.

Elle passe ensuite à l'*Ouest*, y subit le premier jugement de pureté, entre dans *Khéross* et traverse l'abîme du *Noun*.

Dès son entrée dans la Région inconnue, l'âme est éblouie par la lumière du Soleil Caché. Autrement dit, elle aperçoit la Vérité et se réjouit ou tremble, selon ses mérites ou ses démérites.

Durant le chemin, l'âme est conduite par *Thot, Le Psychopompe* qui, jadis, rendit le même service à Osiris.

---

1. Cette assimilation n'est pas faite en vain. En s'identifiant avec le Dieu Osiris, mort puis ressuscité glorieusement, le défunt Egyptien espérait subir le même sort, c'est-à-dire, avec le concours d'Horus, obtenir la résurrection et la gloire. Il y a là une substitution magique dont le rite est évident.

2. On peut voir, dans la salle funéraire du Musée égyptien du Louvre, un beau rituel de la XVIIIᵉ dynastie.

Ici, semble trouver place l'épreuve du feu, qui doit être franchie sans peur ni défaillance.

C'est seulement après ce passage qu'a lieu l'*Ouverture de la Bouche*, pratiquée par l'officiant terrestre sur la momie à l'aide du *Nou* de feu et qui, libérant l'intelligence et la pensée, éveille le défunt à la vie de l'esprit.

Restent à surmonter les obstacles divers de la Région Infernale : reptiles, larves gigantesques, monstres amphibies qui dévoreraient l'âme du mort si la science magique lui faisait défaut.

L'Osiris Un Tel échappe ensuite au désert de la faim et de la soif, aux dangers de toutes sortes et arrive enfin au seuil de la Première Porte du Ker-neter.

Instruite par la lumière d'En-Haut, l'âme subit plusieurs transformations intérieures et s'identifie avec les symboles divins.

Parvenue au bord du fleuve sacré, elle déjoue les ruses des bateliers infernaux et se fait reconnaître par le véritable nautonnier au cours d'un dialogue allégorique :

— Comment se nomme le piquet d'amarrage de la barque ?

— Seigneur des mondes.

— Quel est le nom de la corde ?

— *Anubis.*

— Celui du maillet ?

— Adversaire d'*Apis.*

Alors s'effectue la traversée, suivie de l'arrivée dans les champs d'Aanrou, où Osiris et les justes récoltent les moissons divines. Mais il reste à suivre les dédales du labyrinthe avant d'accéder au prétoire des quarante-deux juges présidés par Osiris.

Là commence le grand et ultime interrogatoire ; là se pratique la pesée de l'âme. Cette dernière est immédiatement suivie, puis entraînée par la *Dévorante*, s'il y a condamnation.

L'âme du juste est clarifiée, épurée et enfin admise à la seconde vie qui n'aura pas de mort.

Telles sont, très sommairement condensées, les phases apparentes de la vie posthume égyptienne proposée par le Livre des Morts. L'enseignement des derniers chapitres tend à rapprocher l'Homme de Dieu, à l'unir à lui d'une manière plus étroite jusqu'à une aspiration totale par le Divin.

Nous avons excepté à dessein les innombrables instructions magiques disséminées dans le rituel, et qui ont pour but d'éloigner, au moyen de *charmes,* les périls menaçant à la fois l'âme et le *corps* du défunt.

Ces préoccupations dominent tout chez les Egyptiens et le soin qu'ils prenaient d'immerger le corps dans le natron (sel de nitre [azote de potasse]), de l'entourer de milliers de mètres de bandelettes, de le revêtir de pantacles, d'amulettes, de l'envelopper de formules et d'incantations, montre à l'évidence le rôle de premier plan que jouait alors la magie, moyen de contraindre les dieux à subir l'action des vivants.

Là était l'erreur fondamentale des Egyptiens, par ailleurs si avertis des choses cachées, mais qu'une longue pratique de l'occulte avait abusés sur leurs pouvoirs.

Seules les entités d'ordre inférieur obéissent aux ordres magiques, mais ces moyens, à la fin, se retournent contre leurs auteurs.

Le Divin ne se contraint point. Il ne s'attendrit pas davantage. Il n'est perméable qu'à l'Amour.

C'est pourquoi les dieux égyptiens ont péri avec leurs prêtres, leur magie, faute d'avoir placé leur idéal assez haut.

LA DEMEURE CACHÉE

Pourtant, l'ésotérisme égyptien avait atteint certains grands paliers mystiques et nous n'en voulons pour preuve que les commentaires lyriques des Douze Portes, consacrés par le Dr J.-C. Mardrus à la *Demeure Cachée,* l'*Amenti.*

PREMIÈRE PORTE

L'Adepte « sait aussi que la vertu de ce verbe humain ne
« réalisera avec certitude toutes les possibilités sacrées que
« par une justesse indicible de timbre, que par les sons
« *mystiques* [à rapprocher des intonations liturgiques du
« plain-chant chrétien] que va émettre sa propre voix
« humaine.

« Car cette voix est elle-même une note, infinitésimale,
« il est vrai, détachée de la grande voix primordiale du
« Démiurge ordonnateur, maître des sept notes qui, *en un*
« *rire divin,* suscitèrent autrefois la lumière du chaos. »

DEUXIÈME PORTE

Point dans ses filets l'Adepte n'a « capté ces poissons
« divins, les Symboles, ni ces oiseaux de mystère, les For-
« mules... »

Mais, initié au Mystère Majeur, « il connaît le nom secret,
« véridique, des juges divins et le nom ineffable du *Caché*
« *des Cachés, l'Amen des Amen* ».

TROISIÈME PORTE

Le « *Revêtu de Lui* », doué de mains et de lèvres pures,
est appelé à « faire un heureux jour ».

Pour ses narines, « il y a toujours parfums et essences des
« Echelles de l'encens. Il y a guirlandes et lotus jaunes pour
« ses épaules. »

Il célèbre « des millions de panégyries », tandis que « les
dieux jubilent » et que les ancêtres s'ébaudissent. « Il est
uni aux maîtres de l'éternité. »

« ... L'Adepte a définitivement déserté le domaine vulgaire
« du possible et du vraisemblable. Héros léger... il ne se meut
« plus que dans le *Royaume de l'Improbable.* »

30

QUATRIÈME PORTE

« Elle est, entre les Douze Epreuves, la plus difficile à sur-
« monter... Elle est le nœud du Drame Initiatique.
    « C'est là que sont concentrées toutes les formes *négatives*
« de l'Invisible : Spectres de l'Ombre, Faces de Nuit, Habi-
« tants de la Ténèbre, Hôtes de la Putréfaction, Doubles
« Maléfiques, Visages à rebours, Figures Révulsées, Larves
« et Germes Morbides, Pourriture des Cœurs...
    « Nous assistons ici à la lutte éternelle des forces de lumière
« contre l'envoûtement de la ténèbre. »

CINQUIÈME PORTE

« *Le devenir est la grande affaire et l'Eternité est le But...*
« ... La seule réalité est l'Esprit-Saint. C'est lui qui nous
« fait trouver Dieu en nous-mêmes... »

HUITIÈME PORTE

Montant vers « le seigneur de Lumière résidant au sein
« des ténèbres absolues, l'Adepte s'écrie :
    « Je suis rayonnant, je suis stable... J'arrive. Je suis au faîte
« de l'escalier. »

NEUVIÈME PORTE

L'Adepte a « fait le chemin de lumière. Il a traversé les
« horizons de verre, les espaces planétaires, la convexité des
« mondes et la Sainte Constellation *Sakou*. Il vient s'asseoir
« au Pays de Vie, devant le Vigilant de visage... le Souriant
« de son sourire. »
    Il agira « selon ton désir, ô Dieu Bleu... »

ONZIÈME PORTE

L'Adepte a « *communié* », non de la chair, mais de l'Esprit des Dieux.

Il « peut passer la Onzième porte et arriver en triompha-
« teur de sérénité et de pureté. »

DOUZIÈME PORTE

« O Formes d'Eternité, me voici.

« Je suis une parcelle des parcelles de la Grande Ame
« Incandescente, une parcelle des parcelles de la Divinité.

« Avant toute création, Elle existait. Avant toute forme,
« Elle existait.

« Quand il n'y avait rien, Elle était. Quand le rien n'était
« pas nommé, Elle était.

« Quand le Chaos était roi, Elle était. Quand le Chaos
« devint l'ordre, Elle était.

« Elle n'est pas à droite. Elle n'est pas à gauche. Elle n'est
« pas dessus, Elle n'est pas dessous. Elle est dedans. »

Peu de mystiques modernes sont parvenues à cette beauté
d'expression et à cette profondeur initiatique, mais il est juste
de reconnaître que l'interprétation ci-dessus ne pouvait être
effectuée que par *un imprégné chrétien.*

Les échappées splendides des 3e, 5e et 12e Portes sur
l'Amour Divin et leur interprétation ne sont possibles
qu'*après le Christ*, c'est-à-dire au bout d'une évolution spirituelle de plusieurs dizaines de siècles. Mais il est déjà beau
que l'exégèse du Livre des Morts égyptien ait pu leur servir de base et de point de départ.

CHAPITRE IV

LE KARMA BOUDDHISTE
ET LE BARDO TIBÉTAIN

Le bouddhisme et la plupart des mystères de l'hindouisme ont pour base le *karma* et pour pivot *la transmigration* des âmes.

Sans une étude sommaire de ces deux lois, aucune compréhension de l'esprit religieux de l'Inde n'est possible, car elles sont caractéristiques d'un mode spécial de rétribution.

Tout homme est le résultat de ses actions passées, non seulement dans cette vie mais encore dans les existences qui ont précédé. Et ses actions présentes conditionnent ses vies futures suivant une rigoureuse causalité.

Autrement dit, il n'y a pas de jugement individuel après la mort, ni de jugement dernier, ni de sentence quelconque portée par Dieu sur les hommes. La rétribution du bien et du mal se fait automatiquement à travers les existences, chaque cause engendrant nécessairement son effet.

En un mot, *les hommes récoltent ce qu'ils ont semé,* suivant la parole saisissante de l'Evangile et nul ne peut s'en prendre qu'à lui-même de ce qui lui arrive de bon ou de mauvais.

Le *Karma* est ainsi la seule doctrine capable d'expliquer l'inégalité des conditions humaines et l'apparente injustice du monde terrestre, où l'on voit souvent pâtir les justes et trompher les méchants.

Le *Karma* est patient, complet, impersonnel, inéluctable. La multiplicité des vies est destinée à le reconnaître et à l'épuiser. Tant qu'il crée du nouveau Karma, c'est-à-dire de nouvelles responsabilités, l'homme doit se résigner à liquider son passif par une renaissance. Le jour où sa page de débit est vierge, il est dispensé de renaître dans un organisme cellulaire et, par suite, affranchi de la souffrance et de la mort.

Toute mort charnelle donne lieu à un entracte durant lequel l'âme ou *Atman* retrouve la mémoire de ses vies précédentes, additionne ses conquêtes et fait la somme de ses erreurs. Sa réintégration corporelle sera donc amenée par la balance inéluctable de ce bilan et chacun retrouvera une condition déterminée, non point laissée au hasard, mais rigoureusement provoquée par l'enchaînement des causes et des effets.

Le *Bouddha* connaissait la suite interminable des vies qu'il avait vécues. Même au cours de l'existence terrestre, certains hommes, à la veille d'échapper à la Roue des naissances, se remémorent leur passé lointain.

On a fait à la notion de *Karma*, si claire et si équitable par ailleurs, le reproche d'être une doctrine de stagnation sociale, une espèce de fatalisme qui, par crainte d'engendrer de nouveaux effets karmiques, paralyse l'initiative de l'individu.

Cette objection n'est fondée que partiellement, car, parallèlement à la nécessité de ne pas produire de mauvais *Karma*, s'affirme la nécessité de produire de bons *Karma*, si l'on veut se soustraire à la souffrance, à la mort, à la renaissance.

Plus sérieuse est la critique selon laquelle l'application rigoureuse de la loi de *Karma* provoquerait l'insensibilité à l'endroit de la misère humaine et une sorte de rigidité dans l'ordre social.

Selon les théoriciens du *Karma*, chaque homme occupe réellement la place qu'il a méritée et il dépend uniquement de « l'intouchable » de figurer ou non dans la caste privilégiée et du brahmane de renaître ou non dans la condition de paria.

Cette sécheresse du *Karma* est cependant moins paralysante que la notion de la « grâce », ce fluide de salut que la divinité catholique attribue sans tenir compte de l'acquis, même spirituel.

MAYA, MONDE DE L'ILLUSION ET L'ÉCOLE DIVINE DE BHAKTI

Enfin, l'on ne saurait envisager clairement l'après-mort bouddhiste si l'on ne se pénètre de l'idée que la vie sensible est réputée illusion (*Maya*). Tout ce qui tombe sous nos sens est irréalité, donc trompeur et destiné à nous maintenir, par le désir et sa réalisation, dans le monde de l'apparence. Le salut ne peut venir que d'une renonciation à l'acte et à la vie, puisque celle-ci n'est faite que de désirs satisfaits et insatisfaits.

L'âme reste donc, après la mort, entourée d'un « corps de désir » qui le ramène vers la terre, après un stage probatoire plus ou moins long, suivant le détachement de chacun.

Le but suprême est l'anéantissement dans le non-désir et, par suite, dans la non-réalisation, désir comme réalisation étant de conception inférieure et empêchant l'*Atman* de se fondre dans le monde impersonnel.

La croyance au *Karma*[1], à la transmigration, à Maya,

---

1. L'Eglise gnostique chrétienne primitive, interprète du christianisme ésotérique, était en accord avec les enseignements orientaux de la renaissance et du Karma, que l'Eglise ésotérique postérieure répudia au Deuxième Concile de Constantinople, en 553.

n'est pas une découverte ni un monopole du Bouddhisme, celui-ci constituant une frontière perméable à d'autres sectes ou clans religieux. Védisme, Hindouisme, Shivaïsme, Vishnouïsme, etc., inclinent, plus ou moins, vers les mêmes fins générales, tout en différant par leurs systèmes particuliers.

Il existe même une religion de *Bhakti*, débarrassée de tout préjugé de caste, dont l'influence spirituelle est de premier ordre et qui se rapproche singulièrement de l'apport du Christ. C'est l'école du chemin direct vers Dieu (*Râma*) considéré comme le Père-très-clément de tous les hommes, et qui permet, dès cette vie, de s'unir à lui.

Nous mentionnerons seulement l'élan nouveau des spiritualistes de l'Inde et le grand mouvement unitaire qui, de *Ram Mohan Rai,* au XVIIIᵉ siècle, passe par *Râmakrishna, Vivekananda, Shri Aurobindo, Rabîndranâth Tagore* et aboutit à Gândhi.

LE BARDO THODOL

Le *Bardo Thodol,* sous-intitulé « Livre des Morts tibétain » ou « Les expériences d'après la mort dans le plan du *Bardo* », est un des plus extraordinaires ouvrages que nous devions à l'Extrême Asie. L'exemplaire auquel nous nous référons[1] est celui de la version anglaise du lama Kazi Dawa Samdup, traduite par Marguerite La Fuente.

La signification des mots *Bardo Thodol* est la suivante : *Libération par entendement dans le plan qui suit le mort.*

Bardo équivaut donc à « état intermédiaire », autrement dit représente l'état qui va de la mort physique à la renaissance ou à la libération.

M. Jacques Bacot, l'un des Européens les mieux informés des choses tibétaines, estime que ce livre constitue vrai-

---

1. Libr. d'Amérique et d'Orient. Ad. Maisonneuve, édit. Introd. du docteur Evans Wentz.

semblablement « une adaptation bouddhique d'une tradition tibétaine antérieure au VIIe siècle ». Et il fait remarquer, avec beaucoup de pertinence, que ce traité de la mort « aborde avec assurance le problème difficile, la pierre « d'achoppement du Bouddhisme, le point où se ferme, sans « se souder, l'anneau de la connexion causale, où finit un « cycle et où commence le suivant », c'est-à-dire le mécanisme de la transmigration.

«Alors, écrit-il, que des textes plus canoniques font inter-« venir, assez maladroitement, les *Gandharvas*, véritables *Dei* « *ex machina*, le *Bardo Thodol*... détermine, par le jeu des « attractions et répulsions, non seulement les parents, mais « aussi le sexe de l'être qui s'incarne. »

Le *Bardo Thodol* (de même que le Livre des Morts égyptien) est un ensemble de traditions successives, transmises de « bouche à oreille » pendant de nombreuses générations. Ces traditions semblent avoir été réunies et écrites au temps de *Padma Sambhava,* vers le VIIIe siècle de l'ère chrétienne.

LE TRANSFERT DE LA CONSCIENCE

Le *Bardo Thodol* doit être lu, correctement et distinctement, soit par un lama, soit par un « frère de la foi », soit par un ami intime, à l'oreille de l'agonisant, puis du défunt.

Si le corps a disparu, le lecteur évoque le mort dans sa pensée et opère comme s'il était présent devant lui.

La première condition à réaliser est celle du *transfert* de la conscience. En d'autres termes, il convient, durant la période d'agonie, d'alerter sans cesse la conscience de manière à lui permettre de se retrouver intacte après la mort et sans avoir subi d'interruption.

Les lecteurs du *Livre de la mort douce* ont pu voir que la mort était presque toujours précédée par un état d'asphyxie bienfaisante, et les eschatalogues modernes (commentateurs du Bardo compris) sont d'accord, en général, pour admettre qu'une période d'inconscience identique existe après la mort. Dès lors, nous estimons que la discontinuité de la conscience, au moment de la mort, n'a pas autrement d'importance si cette conscience a enregistré nettement, et durant une longue période de vie physique, l'idée de sa survivance après la mort.

PREMIER STADE DU CHIKAI-BARDO OU LA CONFRONTATION AVEC LA LUMIÈRE-QUI-VA-VENIR

Ceci est le moment de la mort. Alors que le souffle va cesser, le lama tourne le mourant du côté droit et comprime le battement des artères du cou, de manière à empêcher le sommeil et pour contraindre la force vitale à gagner le haut de la tête et à sortir par l'ouverture brahmanique.

A cet instant, la mort survient et la connaissance s'évanouit ; l'état de non-perception se prolonge durant trois jours et demi à cinq jours, rarement plus, selon la constitution nerveuse du sujet.

La confrontation avec la Lumière-qui-va-venir a d'ailleurs été facilitée aux derniers instants par le lecteur qui, à mesure qu'elle s'est produite, a signalé au mourant la disparition des consciences successives : terre-sombrant-dans-l'eau, eau-sombrant-dans-le-feu, feu-sombrant-dans-l'air, qui correspondent à la perte du contrôle des muscles, de l'ouïe et de la vue.

On présume que ces données sur l'ordre des phénomènes de la mort ont été révélées à leurs disciples par certains grands lamas agonisants, mais il faut se méfier de ces observations objectives, parce qu'elles sont viciées par l'intelligence, au lieu d'être laissées à leur développement naturel. C'est ainsi que nous jugeons inexacte la survivance de la vue à l'ouïe, ce sens étant généralement le dernier qui fonctionne, et combien subtil, chez les mourants.

C'est au cours de cette période d'inconscience que le mort, en vertu de son propre avancement ou, par suite des objurgations de l'officiant, est en mesure de reconnaître la Vraie lumière, qui n'est autre que sa Conscience Eternelle dégagée des gangues provisoires. S'il y parvient, il est libéré. Faute de quoi, il lui faut aborder le domaine des apparitions karmiques, objet du stade suivant du Bardo.

DEUXIÈME STADE DU CHIKAI-BARDO OU CORPS D'ILLUSION BRILLANT

Quand la lucidité mentale reparaît, le Principe-Conscient s'interroge lui-même et se demande s'il est mort ou non.

Il est alors appelé par le lecteur à reconnaître le *Bardo* et à méditer sur le Seigneur de la Grande Compassion.

Il est peu fréquent de voir la Libération intervenir à cette période de l'après-vie, du moins chez les défunts peu évolués.

Ce que le texte appelle « le Corps d'illusion brillant » revêt le Principe conscient et empêche la Claire Lumière de la Réalité de dissiper l'illusion karmique. Ce corps d'illusion n'est autre que la contrepartie dans l'éther du corps physique refroidi.

C'est pourquoi, le plus souvent, une phase nouvelle met en évidence le « corps-pensée » et le prépare à subir les fantasmagories du Troisième *Bardo*.

LE CHONYID-BARDO OU EXPÉRIENCE DE LA RÉALITÉ

Le Principe-Conscient du défunt n'ayant pu reconnaître ni la Claire Lumière Primordiale ni la Claire Lumière du Second *Bardo*, le rideau se lève sur le grand spectacle karmique.

Des bruits, des lueurs, des ondes l'environnent et lui occasionnent fatigue et terreur.

A l'instant où les plus extravagantes visions vont fondre

sur le voyageur du Bardo, celui-ci est solennellement adjuré et mis en garde par le livre :

« O fils noble, quelque frayeur qui puisse t'assaillir, « n'oublie pas ces mots et, gardant leur signification dans « ton cœur, va de l'avant, en eux se trouve le secret vital « de la connaissance :

« Puissé-je reconnaître que toute apparition *est une réflexion* « *de ma propre conscience* !

« Puissé-je ne pas craindre les troupes des Divinités pai-« sibles et irritées, *qui sont mes propres formes-pensées* ! »

Et le lecteur poursuit :

« Ne sois pas subjugué, ni terrifié, ni craintif. Le corps « que tu as maintenant est appelé tendances-nées-de-l'exis-« tence-sur-la-terre. Depuis que tu n'as plus un corps maté-« riel de chair et de sang, quelque chose qu'il advienne : sons, « lumières ou rayons, aucune de ces choses ne peut te faire « du mal. Tu n'es plus capable de mourir...

« Si tu ne reconnais pas tes propres formes-pensées, les « lueurs te subjugueront, les sons te rempliront de crainte, « les rayons te terrifieront. »

LES SEPT JOURS DES DIVINITÉS PAISIBLES

Après cet avertissement, le défunt va être exposé durant sept jours à l'apparition des Divinités Paisibles.

Ces apparitions n'ont pas de formes précises, mais revêtent l'aspect d'états lumineux.

La luminosité est double et comporte, d'une part, une lueur vive et difficilement soutenable ; d'autre part, une lueur terne vers laquelle on est instinctivement attiré.

Si, à l'une de ces confrontations, le défunt a pu être saisi par le « crochet des rayons de la grâce », il est libéré.

Mais si, terrifié par les lumières majeures qui repoussent, il s'est dirigé vers les rayons mineurs qui sollicitent, il lui faudra supporter la confrontation du sixième jour.

Là finit la confrontation avec les divinités paisibles.

DU HUITIÈME AU QUATORZIÈME JOUR : AUBE DES DIVINITÉS IRRITÉES

Le mort n'ayant pu se libérer au cours des sept précédentes embûches continue à s'enfoncer dans le *Bardo.*

Aussitôt après la disparition des Divinités Paisibles apparaissent les cinquante-huit Divinités entourées de flammes irritées, buveuses de sang.

L'esprit, qui n'a pu résister à la frayeur dans les stades précédents, aura de plus en plus de difficulté à résister à cet assaut imaginaire.

Sans cesse alerté et épouvanté par les lueurs fulgurantes, il descendra vers les régions profondes de l'ignorance et de la peur.

Ces effrayantes apparitions semblent géantes, monstrueuses. En réalité, elles ne sont que « Le Père-Mère Bhagaven Amogha-Siddhi ». Que le défunt les reconnaisse pour telles et issues de son intellect, sur-le-champ il se fondra en elles et trouvera le chemin de la libération.

Car, explique le livre, la personne qui voit une peau de lion et la prend pour un lion éprouve une épouvante indicible, mais si elle reconnaît la peau de lion pour ce qu'elle est réellement, toute appréhension s'évanouit.

Le 13ᵉ jour, les huit Etres Irrités sortant du propre cerveau du mort feront irruption dans sa conscience.

Et, le 14ᵉ jour, les quatre Gardiennes des portes, ayant même origine que les précédentes, viendront accroître la vision. Puis ce seront les trente déités Hérukas et les vingt-huit puissantes déesses aux têtes diverses.

Enfin viennent les cinquante-huit buveuses de sang.

« O fils noble, poursuit l'officiant, quand de telles pen-
« sées se manifesteront, ne sois pas effrayé ni terrifié ; le
« corps que tu possèdes maintenant étant un corps mental
« de tendances, fût-il frappé, taillé en pièces, ne peut mou-
« rir. Parce que ton corps est en réalité de la nature du vide,
« tu ne dois pas avoir peur. Les représentations du Seigneur
« de la Mort sont aussi des émanations, des radiations de

« ton intelligence ; elles ne sont pas constituées de matière ;
« le vide ne peut blesser le vide. Au-delà des émanations de
« tes propres facultés intellectuelles, extérieurement, les Pai-
« sibles, les Irritées, les Buveurs de sang, ceux à têtes diver-
« ses, les lueurs d'arc-en-ciel, les formes terrifiantes du Sei-
« gneur de la Mort *n'existent pas réellement.* »

Ainsi s'achève le *Bardo* des illusions karmiques et l'enseignement tibétain n'a d'autre objet que de dissiper ces illusions chez le défunt. C'est pourquoi le texte insiste sur la
nécessité de reconnaître le *Bardo* dès cette vie.

« Celui, dit-il, qui l'a entendu une fois, même s'il ne l'a
« compris, s'en souviendra dans un état intermédiaire, sans
« en oublier un mot, car alors *l'intelligence est neuf fois plus*
« *lucide...* c'est l'enseignement qui libère par son seul enten-
« dement. »

LE BARDO MOYEN ET LES RAFALES DU KARMA

Voici, par ailleurs, ce que révèle le début du *Sidpa Bardo*
concernant l'état post-mortem des hommes d'évolution
ordinaire.

Après la mort, même chez les infirmes, mutilés, etc., « tous
les sens-organes sont intacts et d'une acuité complète ».

Le mouvement est libre, autrement dit, le corps de matière
grossière est remplacé par un « corps de désir » qui lui permet d'aller instantanément partout où il veut. Seuls lui sont
interdits *Bouddha Gayâ* et le sein d'une mère, car ce
deuxième lieu dépend des conditions de la renaissance que
le défunt subit sans les agir.

Mais la révélation de cette faculté n'est comprise par le
mort qu'au bout d'un temps assez long. Il lui faut d'abord
admettre qu'il est réellement mort à la vie organique et ce
n'est qu'en voyant son ancien milieu et le comportement
de son entourage qu'il soupçonne un changement anormal
dans sa propre condition.

Il parle aux siens ou croit leur parler et ceux-ci ne tiennent aucun compte de sa présence. La communication entre eux n'est pas rompue, mais elle est unilatérale. Le défunt se sent malheureux.

Il sombre alors dans une grise lumière de crépuscule et y demeure durant sept semaines, les sept fois sept jours du *Bardo*. Toutefois, dès le 23e jour, les rafales du karma le poussent et l'entraînent. Il s'imagine être dans une obscurité profonde où retentissent des menaces et des cris affreux.

Mille apparitions désagréables surgissent devant lui. Il est en proie à des hallucinations effrayantes. Tous ses sens concourent à l'orchestration de ce cauchermar monstrueux.

Des précipices s'ouvrent devant lui. « Pourtant, dit le « *Sidpa Bardo*, ce ne sont pas de vrais précipices, ce sont : « la colère, la convoitise, la stupidité. »

LA VIE DANS LE BARDO

Certains morts font un passage rapide dans ce rêve perturbateur, d'autres ne peuvent que difficilement s'en défaire.

Puis les uns, hommes de devoir, éprouvent des plaisirs auxquels ils doivent se soustraire, tandis que d'autres, indifférents et tièdes, errent dans un « climat » incolore et une sorte d'épais ennui.

Quant aux hommes évolués spirituellement, leur séjour demeure dans les régions hautes. Jamais ils n'ont à subir les angoisses et les incertitudes du *Bardo* d'en bas.

Le *Bardo Thodol* n'est d'aucune utilité pour les saints. Il est surtout destiné aux individus ordinaires pour les aider à surmonter les périls que leur propre attitude morale a créés.

La plupart des morts continuent longtemps à errer, de ci, de là, à la recherche du corps qui leur manque. Souvent ils essaient de rentrer dans leur propre cadavre, bien que celui-ci soit déjà en cours de dissolution. La souffrance des errants est grande, à ce moment, à cause de leur impuissance à s'évader des étages inférieurs du *Bardo*.

C'est dans ces conditions que le Jugement se produit. Le

Bon Génie compte les bonnes actions avec des cailoux blancs ; le Mauvais Génie compte les mauvaises actions avec des cailloux noirs. Le Seigneur de la Mort consulte le miroir du karma, où tout se réfléchit avec exactitude. Puis le coupable est livré aux chiens dévorants de ses remords et aux spectres de son imagination.

Pourtant, le *Bardo Thodol* offre, même à ce moment, comme à tout autre stade du *Bardo*, la possibilité de l'Illumination Parfaite. Mais combien peu ont la foi vive et sont dignes de l'obtenir.

D'ailleurs, même privé de son corps, le défunt est accessible à des sentiments fâcheux tels que la concupiscence et la colère. Celle-ci doit être absolument réprimée, ainsi que l'attachement aux biens temporels.

Car la puissance de la pensée se trouve décuplée lorsque celle-ci est soustraite à la geôle organique.

« Ton intellect, présent dans l'état intermédiaire, précise « le texte, ne dépendant d'aucun objet ferme, étant de peu « de poids et en mouvement perpétuel, toute pensée qui te « viendra maintenant — pieuse ou impie — prendra grande « force. Donc, ne pense pas à des choses impies, mais « souviens-toi de n'importe quel exercice de dévotion ; ou, « si tu n'étais pas accoutumé à de tels exercices, montre une « pure affection et une humble foi. »

Si la libération ne peut être obtenue à ce moment-là, le mort est rapidement entraîné vers « les Portes de la Matrice » en vue d'une renaissance. Mais nous réservons cette deuxième partie du *Sidpa Bardo* pour l'étudier au moment voulu.

ILLUSION ET ILLUMINATION

L'enseignement sur lequel est basé le *Bardo Thodol* peut se ramener à ce qui suit :

En réalité, il n'y a pas de lieux, pas d'êtres, pas de choses, mais l'illusion que tout cela existe. Tant que persistera cette illusion, il y aura la souffrance et la mort.

L'existence après la mort n'a pas plus de réalité que l'existence avant la mort. L'une et l'autre sont des résultantes karmiques de nos illusions précédentes, c'est-à-dire agréables pour celui qui pense et agit « bon », désagréables pour celui qui pense et agit « mauvais ».

Aussi longtemps que persiste le désir des objets de la Forme, l'Illumination ne peut être obtenue.

Dès lors, une renaissance s'impose jusqu'à ce que l'homme se soit libéré de l'Illusion.

Le but est le *Nirvâna*, qui est la réalité, c'est-à-dire la fin de la sensation, donc de la mort et de la renaissance.

« Il y a, dit *Bouddha Gautama*, un royaume sans terre, « sans eau, sans feu, sans air. Ce n'est pas l'espace infini, « ni la pensée infinie, ni le néant, ni l'idée, ni l'absence « d'idée. Ni ce monde, ni autre chose. Je ne l'appelle ni une « venue, ni un départ, ni une attitude fixe, ni la mort, ni « la naissance. C'est sans progrès, sans station, c'est la fin « de la douleur. »

CHAPITRE V

L'ABRED ET LE CEUGANT
DES DRUIDES ET DES BARDES

Aucun peuple ne fut, au même degré que les Gaulois, affranchi de la peur de la mort. Les Orientaux les plus résignés se contentent de lui opposer une indifférence passive, alors que nos pères allaient au trépas comme à une fête annonciatrice d'une vie plus haute et d'une libération.

Ce fait était connu de toute l'Antiquité et la crainte que Rome et ses légions avaient des Gaulois, considérés comme leurs ennemis les plus braves, venait de ce que, selon le mot de Lucain, « la terreur de la mort ne les tourmentait pas ». « De là, ajoutait-il, ces cœurs si hardis à courir sur le fer, « ces âmes capables de la mort, cette idée qu'il ne faut pas « épargner une vie qui va revenir. » Horace, Saluste, l'empereur Julien et bien d'autres, avec César, en ont rendu témoignage. Car partout on avait l'effroi de cette race qui n'appréhendait que « la chute du ciel ».

Il fallait donc, pour généraliser cet état d'esprit, une religion extrêmement puissante, et c'est tout à l'honneur du druidisme, qui sut unanimement l'inspirer.

L'Islam l'obtint en partie seulement, et le christianisme échoua dans son exaltation de la survie, puisque, en dépit des théologies paradisiaques, peu de chrétiens envisagent avec joie de quitter cette « vallée de larmes », pour jouir du bonheur des élus. Seuls les martyrs du christianisme primitif ont exprimé collectivement cette ardeur à gagner la patrie céleste et le désir de la mort n'est plus, aujourd'hui, le partage que de mystiques isolés.

LES DÉ-DANANN ET LE TIR-NAN-OG

Par contre, « la marche à l'étoile » était le partage de toute une nation, ardente dans la vie et joyeuse dans la mort même, qui poussait, hors du temps de guerre, vers les tables de sacrifice les plus impatients des Gaulois.

Quelle était cette offre d'immortalité que l'on proposait aux Celtes ? Ici, il convient de distinguer entre l'enseignement public et l'enseignement secret.

Comme tous les peuples primitifs, les Gaulois n'étaient, en général, accessibles qu'aux promesses qu'ils pouvaient comprendre. C'est pourquoi la croyance populaire admettait que les morts retrouvaient de l'autre côté leurs lois, leurs mœurs, leurs familles, leurs habitudes, leurs occupations. Le tout était seulement rendu plus aisé et plus aimable par une personnalité accrue dans un corps d'immortalité

Dans le paradis celtique à l'usage du Gaulois moyen, on ne vieillit plus et l'on passe des jours aussi longs que des siècles à banqueter, se battre et discourir.

Ces conceptions barbares et assorties à la mentalité de peuplades encore grossières exerçaient sur les Gaulois un attrait puissant et immédiat.

MYSTÈRES DRUIDIQUES

Toutefois, l'enseignement ouvert n'eût pas suffi, à lui seul, à inspirer à nos ancêtres cet élan fougueux vers la deuxième vie, si le concept caché des druides ne lui avait servi de support.

Mais la doctrine secrète était réservée strictement aux initiés celtiques, c'est-à-dire aux druides et aux néophytes que ceux-ci préparaient avec soin. Le druidisme était si jaloux de sa connaissance profonde qu'aucun texte initiatique n'était fixé par l'écriture, de peur qu'une indiscrétion ou un oubli ne le livrât à la curiosité du commun. Les initiés devaient apprendre par cœur, et durant des années, le dogme et le rituel druidiques, et l'on verra, plus loin, que cette précaution, destinée à sauvegarder la connaissance, fut précisément ce qui la perdit.

Voyons donc de plus près sur quoi reposaient les « mystères des druides ».

Selon Pomponius Méla, toujours bien informé, *l'éternité* de l'âme constituait leur enseignement fondamental. Nous soulignons le mot éternité, parce qu'il conduit beaucoup plus avant que la conception de l'âme *immortelle*, les druides considérant que l'âme a « une durée indéfinie, en arrière comme en avant ».

Tant des commentaires de César que des textes de Lucain et de Plutarque, il résulte que le druidisme voyait l'âme s'élevant de sphère en sphère, dans le cercle infini d'éternelles migrations.

Mais cela revêt une signification plus haute encore. L'âme, étant directement issue de Dieu, n'a pas de commencement, mais une origine, et retourne nécessairement à Dieu.

Aucune croyance d'aujourd'hui n'atteint à plus de grandeur mystique, et cette opinion était précisément celle des Anciens les plus autorisés.

L'Antiquité distinguait la *religion* (ou pratique du cérémonial) de la *philosophie* (ou art de spéculer sur l'invisible). Sages et théologiens d'il y a deux mille ans nommaient ordi-

48

nairement *philosophes* ceux qui, croyant en un dieu unique, l'adoraient en cœur et en esprit. Diogène Laërte disait qu'Aristote enseignait, dans le *Magique*, que « la philoso-« phie avait commencé chez les *Semnothées* des Celtes et que « la Gaule avait été l'institutrice des Grecs ».

Ce nom de *Semnothées*, ou adorateurs de Dieu, a toujours été celui des druides et l'hostilité païenne, au début de notre ère, englobait dans une même réprobation les mystères des druides et ceux des chrétiens. L'étude attentive des auteurs anciens, et notamment de Polyhistor, d'Ammien Marcellin et de Valère Maxime, permet d'attribuer aux druides l'initiation de Pythagore, qui jugeait les prêtres des Gaulois « les plus éclairés des mortels ». Cette opinion était partagée par plusieurs Pères de l'Eglise et notamment par saint Clément d'Alexandrie.

A quel Dieu croyaient donc les druides ? A un Dieu non anthropomorphe et, mieux, à un Dieu impersonnel. C'est ce Dieu que révélait leur initiation, à ce point dissimulée qu'il n'en transpira jamais rien à leur époque, sinon la doctrine pythagoricienne elle-même, issue du pur druidisme et selon laquelle la cause première n'était ni sensible ni passible, mais invisible, incorruptible et intelligible seulement.

Il ne serait donc rien resté de l'enseignement supérieur des druides celtiques si ces derniers ne s'étaient prolongés par le bardisme, leur seul héritier oral.

BARDISME OU NÉO-DRUIDISME

Pourquoi le druidisme disparut-il ? Parce qu'il portait en lui-même les éléments de sa décadence. Parvenu à la conception la plus élevée de l'autonomie spirituelle des hommes, il n'avait pas su, ou pas osé, unir ceux-ci par l'Amour. La société celtique était égoïste et féroce. Le druidisme n'eût pu se survivre qu'en s'incorporant l'apport du Christ.

Mais christianisme et druidisme se développèrent en frères ennemis et l'infiltration chrétienne ne s'effectua point à travers les Celtes comme elle avait réussi à le faire à travers les Romains d'abord, puis les Francs.

Les derniers druides se réfugièrent dans l'ouest de la Grande-Bretagne et se prolongèrent au moyen des bardes, leurs poètes et leurs chanteurs.

C'est par ceux-ci, et plus spécialement par *Taliésin*, le grand barde du premier millénaire, que nous commençons à recevoir les restes de l'ancien enseignement secret.

Le premier livre du *bardisme* est vraisemblablement contemporain du Xe siècle. Par quelques-unes de ses *Triades*, nous connaissons enfin le cycle druidique de l'après-mort.

Doit-on considérer les Triades bardiques comme une pure tradition druidique ? Nous sommes loin de le prétendre, car ces maximes sacrées portent la marque indéniable de l'esprit chrétien. Si le druidisme du premier siècle avait été envisagé dans cet esprit, le druidisme ne serait pas mort en tant que conception spirituelle. Mais les esprits avertis n'auront pas de mal à reconnaître dans l'originale conception bardique ce qui est d'atmosphère celte et ce qui est d'esprit chrétien.

L'après-mort néo-druidique n'a, en effet, rien de commun avec l'après-mort chrétienne, ainsi qu'il résulte de l'exposé que voici.

LES CERCLES

« La totalité des êtres qu'embrasse la pensée, a écrit Jean
« Reynaud[1], se divisait... en trois cercles.

« Le premier de ces cercles, *Cylch y Ceugant*, cercle de
« l'Immensité, correspondant aux attributs incommunica-
« bles, infinis, n'appartenait qu'à Dieu. C'était proprement
« l'Absolu, et nul, sauf l'Etre ineffable, n'y avait droit.

« Le second cercle, *Cylch yr Abred*, cercle des voyages,

_____
1. *Encyclopédie nouvelle*.

« enveloppait tout l'ordre naturel. C'est là, au fond des abî-
« mes, dans le grand océan, comme dit Taliésin, que com-
« mençait le premier soupir de l'Homme. Placé bientôt entre
« le bien et le mal, il s'exerçait longtemps dans les épreuves
« de ce milieu, sortant de l'une par la mort, reparaissant dans
« une nouvelle par la naissance. Le but proposé à son cou-
« rage était de conquérir ce que l'on nommait le point de
« liberté. C'était le résultat de l'équilibre entre les devoirs
« et les passions ; et, arrivé à ce point si digne de toute âme
« jalouse de se posséder elle-même, l'homme quittait enfin
« le cercle des voyages pour prendre place dans celui du
« bonheur.

« On ne voit jamais qu'il y eût d'enfer. Si l'âme s'était
« dégradée par le développement des mauvaises passions,
« elle retombait simplement à une condition inférieure
« d'existence, plus ou moins basse, plus ou moins tourmen-
« tée. Il y a, en effet, assez de supplices en évidence dans
« le vaste cercle des hommes pour dispenser d'un lieu à part
« pour les punitions. »

D'ABRED A GWENVED

Le commentaire suivant est fourni par l'abrégé du *Bardas* ou *Livre du Bardisme* (traduction Paul Ladmirault).

« Tout vivant traverse le cercle d'Abred, depuis la pro-
« fondeur de l'abîme qui est l'extrême limite inférieure de
« chaque existence animée. Et il monte de l'abîme, de plus
« en plus haut, sur l'échelle de la vie, jusqu'à la condition
« d'homme qui lui permet de pouvoir s'affranchir d'*Abred*.
« Par l'union avec le bien et par la mort, on passe dans le
« Cercle de *Gwenved*, où l'*Abred* mortel finit à jamais. Et
« il n'est plus nécessaire alors de retraverser chaque forme
« d'existence, sinon librement et volontairement.

« Ne va au Gwenved que celui qui, durant sa vie, s'est
« attaché au bien et à la piété, à chaque œuvre de sagesse,
« de justice et d'amour. Quand l'emportent ces mérites sur

« leurs contraires : la déraison, l'injustice et le manque de
« charité, l'homme va au *Gwenved* après sa mort et il ne
« retombe plus en *Abred* parce que le bien a triomphé du
« mal et la vie de la mort en la dominant pour toujours. Il
« s'élèvera alors, de stade en stade, jusqu'aux limites du par-
« fait *Gwenved*[1], où il s'installera pour l'éternité.

« Mais l'homme qui ne s'est attaché à la piété tombe en
« *Abred* à une forme et une espèce d'existence conformes
« à son état, d'où il revient à la condition d'homme comme
« auparavant. Alors, selon qu'il se sera attaché à la piété ou
« à l'impiété, il montera au *Gwenved* ou retombera en *Abred*
« à sa mort. Et il y retombera toujours ainsi jusqu'à ce qu'il
« consente à pratiquer le bien et à s'y maintenir. Alors finira
« l'*Abred* mortel et, avec lui, toute souffrance du mal et de
« la mort. »

LES TRIADES ET L'ÉVOLUTION DES ÊTRES

Comment, à ce propos, ne pas être frappé de certaines
ressemblances entre l'enseignement du *Bardo Thodol* et celui
du *Livre du Bardisme*, de même, entre les mots eux-mêmes :
Bardo et *Bardas* ?

Nous trouvons sur les trois cycles de l'après-mort celtique les nouvelles précisions suivantes tirées des Triades bardiques ou formulaires des Bardes gallois[2].

TRIADE XII. — Il y a trois cercles de l'existence :
Le cercle de la région vide (Ceugant).

---

1. Donc, il y aurait des étages en Gwenved et continuation du perfectionnement et ceci est compatible avec la non-renaissance.
2. Abrégé du Bardas, *op. cit. ; Triades des Bardes de l'île de Bretagne,*
traduction de Jean Le Fustec et Yves Berthou (Bibl. de l'Occident) ;
Sous le Chêne des Druides, par Kaledvoulc'h (Heugel, édit.) ; *Etudes
d'archéologie celtique,* par Henri Martin (Librairie académique Didier
et Cie).

où, excepté Dieu, il n'y a rien de vivant, ni de mort, et nul être que Dieu ne peut le traverser ;

    Le cercle de migration (Abred)
où tout être animé procède de la mort, et l'homme l'a traversé ;

    Le cercle de la félicité (Gwynfyd ou *Gwenved)*
où tout être animé procède de la vie et l'homme le traversera dans le ciel.

TRIADE XIII. — Trois états successifs des êtres animés : l'état d'abaissement dans l'abîme *(Annoufn)*, l'état de liberté dans l'humanité, et l'état de félicité dans le ciel.

TRIADE XIV. — Il y a :
       le commencement dans *Annoufn* ;
       la traversée dans *Abred* ;
       la plénitude dans *Gwenved.*

TRIADE XXV :

L'absence d'effort vers la connaissance	font redescendre sans cesse l'homme dans *Abred*
Le non attachement au bien	
L'attachement au mal	

D'autres triades disent ceci :

EN *ABRED* (immortel)	Il y faut tout souffrir, sans quoi on ne peut acquérir la science complète. Il y faut recueillir la substance et la connaissance de toute chose. 3 nécessités : souffrir, se renouveler, choisir. 3 choses en croissance : lumière, mérite, vie. 3 choses en décroissance : obscurité, mensonge, mort.

EN *GWENVED* (immortel)	3 restitutions	Le Génie primitif L'Amour primitif La Mémoire primitive.

| 3 fondements | Jouir des dons
Etre fortifié par la puissance
Etre dirigé par la science | de Dieu |

| 3 coexistences | L'Amour
L'Harmonie
La Connaissance. |

Il y a trois genres d'êtres : Dieu, les vivants et les morts ; trois bonheurs du ciel : damnation de tout mal, félicité sans cesse renouvelée, vie éternelle ; trois nécessités de mourir ; améliorer la condition en Abred, rénover la vie pour se reposer ensuite sur l'éternité, éprouver chaque état de la vie et des vivants avec ses lois et ses accidents, afin de posséder les genres différents de connaissance.

On voit, par cette brève esquisse, l'élévation du druidisme ésotérique et son apparentement aux systèmes mystiques les plus développés. Il constituait une religion de salut, d'espoir, de connaissance, puisque, en définitive, il professait : *a)* qu'on ne peut voir ni connaître nulle chose sans en souffrir ; *b)* que le paradis est inaccessible si l'on n'a vu et connu toute chose ; *c)* que tout vivant, à la fin, arrivera au paradis.

N'est-ce pas Origène qui a dit (et quel plus bel éloge dans la bouche d'un Père de l'Eglise !) que les Bretons furent préparés à recevoir le christianisme par la doctrine des druides qui leur enseignait l'unité de Dieu ?

CHAPITRE VI

LES REFAI'M DU CHÉOL JUIF ET LE NESCHAMAH DE LA KABBALE

Quand on aborde le sujet de la mort juive, on est frappé de ce fait que l'Ancien Testament ne parle nulle part de l'immortalité de l'âme. Les Ecritures Juives n'envisagent qu'une sorte d'émanation ou survivance du corps.

LE SÉJOUR DE DÉSOLATION

Pour les Chananéens de l'an 2000 avant Jésus-Christ, le lieu de réunion des morts se dénommait Séol ou Chéol, et ressemblait singulièrement à l'Hadès grec par sa lugubre inconsistance.

Les morts étaient appelés Faibles, Débiles (les *refa'im*). Il ne semble pas, d'une manière générale, que ce séjour comportât de la souffrance. On admettait plutôt l'hypothèse d'un demi-sommeil. Les défunts juifs étaient considérés comme étant privés de la majeure partie de leurs facultés après le décès de leur corps terrestre. Les plus évolués attendaient d'une rédemption messianique le retour à une meilleure condition. En somme, ils étaient semblables aux voyageurs de nuit, engourdis dans une salle d'attente, et qui espèrent indéfiniment, sans connaissance aucune de l'horaire, un train chimérique et inconnu.

Cette triste condition était jugée à son prix par les Juifs d'avant notre ère.

La perspective du Chéol effrayait les plus braves d'entre eux.

« Dans le séjour des morts, dit l'Ecclésiaste, il n'y a plus « ni science ni sagesse. »

« Seigneur, renchérit le Psalmiste, sauvez-moi à cause de « votre miséricorde. Celui qui meurt n'a plus souvenir de « vous. Qui vous louera dans le séjour des morts ? Ce ne sont « pas les morts qui loueront l'Eternel, ni aucun de ceux qui « descendent dans le lieu du silence. »

Et Ezéchias : « Je ne verrai plus l'Eternel sur la terre des vivants. Je ne verrai plus les hommes, je serai avec les habi- « tants de l'empire de la Mort. »

Mais c'est surtout de Job que vient la plainte la plus ardente :

« Laissez-moi... pleurer ma douleur, avant que je m'en « aille, pour ne plus revenir, dans la terre des ténèbres et « de l'ombre, de la mort et du chaos, où la lumière même « est semblable à la nuit...

« ... si encore, l'homme une fois mort pouvait revivre ! « Tout le temps de ma station j'attendrais qu'on vînt me « relever... Mais non, l'homme meurt et il perd sa force ; « l'homme expire et alors où est-il ? Les eaux d'un lac s'écou- « lent, le fleuve tarit et se dessèche. Ainsi l'homme se cou- « che et il ne se relève pas ! Tant qu'il y aura des cieux il « ne se relèvera pas et on ne le fera point sortir de son « sommeil. »

Une telle croyance n'était pas seulement désespérée, elle était désespérante. Ce couronnement de la vie matérielle faisait avidement regretter la fin de celle-ci. Dès lors, les Juifs anciens étaient fondés à reculer le plus possible l'inévitable échéance et à tirer de leur existence présente le meilleur profit.

Il sied toutefois de noter que le demi-sommeil du Chéol n'était considéré par les Hébreux que comme un état provisoire auquel mettrait fin la résurrection des corps. Mais ce point spécial mérite une plus ample étude et fera l'objet d'un chapitre général.

On pense, sans en avoir la preuve certaine, que la doctrine de l'immortalité de l'âme naquit, chez les Juifs, du contact des Babyloniens, au cours de la grande captivité sur l'Euphrate. On a même supposé que les Babyloniens tenaient eux-mêmes cette notion des Extrême-Orientaux.

En tout cas, la conception judaïque allait s'élever peu à peu et sortir de cette indigence. C'est vraisemblablement entre le premier siècle précédant l'ère chrétienne et le deuxième siècle de cette ère que les maîtres de la pensée remanièrent cette tradition. L'enseignement rabbinique, comme celui de la plupart des théologies, ne fut pas homogène du premier coup.

LA GÉHENNE

La Bible gardant le silence sur les conditions de l'après-mort, on dut se rabattre sur les livres apocryphes et plus particulièrement sur le Livre d'Hénoch.

Celui-ci place le séjour des morts à l'Occident dans la profondeur d'une montagne et le divise en quatre lieux distincts : celui des justes martyrs, celui des justes ordinaires, celui des pécheurs qui n'ont pas souffert sur la terre, celui des pécheurs qui ont été persécutés par d'autres pécheurs.

Les âmes séjournent là jusqu'au jour du Grand Jugement. Leur état diffère suivant les parties du Livre, car le chapitre XXII dépeint les martyrs comme ne cessant de crier vengeance au ciel du fond de leur demeure alors que le Livre des Paraboles place les Justes dans « un jardin de vie... où demeurent les élus... »

Il ne faut pas chercher à trouver dans le Livre d'Hénoch une disposition cohérente, mais comme, en fait, ce fonds traditionnel (y compris les oracles sybillins, les Psaumes de Salomon et le Livre des Jubilés) a été exploité jusqu'à nos jours par l'imagerie populaire, nous sommes obligés d'en faire mention, tout en soulignant que le judaïsme supérieur s'en est évadé.

L'enfer hébreu, auquel le Christ lui-même fait allusion plusieurs fois, est une réplique de la vallée funèbre de Hinnom, où l'on brûlait les ordures de Jérusalem et qui, dit-on, avait servi jadis aux sacrifices du dieu phénicien *Moloch*, affamé de chair humaine. D'où le nom de *Géhenne* (en hébreu : *Ge Hinnum*) donné à l'enfer juif. Le système de supplices y participe de plusieurs autres. On y utilise le feu et la glace pour le châtiment des damnés. Ceux-ci sont d'abord choisis parmi les Gentils, et les Israélites affranchis des peines sans fin ne subissent leur sort qu'à titre provisoire, alors que les païens coupables subissent le feu éternel.

Plus tard, la punition s'adoucit et tout semble indiquer que le seul péché irrémédiable est l'abandon de Dieu. L'enseignement rabbinique est d'ailleurs très prudent à ce propos et la mystique juive des derniers temps se rapproche de la plupart des mystiques élevées pour qui la punition majeure, sinon éternelle, consiste en l'éloignement de l'âme de son Dieu.

Le Livre d'Hénoch n'insiste d'ailleurs pas outre mesure, sur les conditions de la vie infernale, contrairement aux autres livres qui s'étendent avec plus de complaisance sur la punition des pécheurs que sur la récompense des saints.

LE « PALAIS DE DIEU » VU PAR HENOCH

L'Ancien Testament est muet sur le bonheur des élus et semble ne proposer à Israël que des dons terrestres. Hénoch, au contraire, transporté au ciel, décrit sa vision du palais de Dieu : [1]

« Je vis les fils des anges marcher sur des flammes de feu ;
« leurs vêtements étaient blancs, ainsi que leur tunique et
« leur face resplendissait comme du cristal. Et je vis deux
« fleuves de feu : la lumière de ce feu brillait comme l'hya-
« cinthe et je tombai sur ma face devant le Seigneur des
« Esprits...

« Je vis là, au milieu de cette lumière, comme une maison
« qui était bâtie en blocs de glace, et parmi ces blocs des
« langues de feu vivant... Et autour d'elle, les Séraphins et
« les Chérubins et les Ophanim : ce sont ceux qui ne dor-
« ment pas et qui gardent le trône de sa gloire. Je vis des
« anges innombrables, des milliers de milliers et des myria-
« des de myriades entourer cette maison et Michel, et
« Raphaël, et Phanuel, et une multitude d'anges saints... Et
« avec eux était la Tête des jours ; sa tête était blanche et
« pure comme la laine, ainsi que ses vêtements, qui étaient
« indescriptibles.

« Je tombai sur ma face et tout mon corps fondit. »

Déjà, dans la première partie du Livre, Hénoch avait dit :

« ... Une autre maison... bâtie en langues de feu, et en
« tout si excellente en magnificences, en splendeur, que je
« ne puis vous le dire... Son sol était de feu ; des éclairs et
« le cours des étoiles formaient sa partie supérieure, et son
« toit, lui aussi, était de feu ardent...

« Et je vis... un trône élevé dont l'aspect était celui du
« cristal et dont le pourtour était comme le soleil brillant, et
« la voix des chérubins se faisait entendre. De sous le trône
« sortaient des fleuves de feu ardent et je ne pouvais pas
« regarder.

« La Grande Gloire siégeait sur ce trône et son vêtement
« était plus brillant que le soleil et plus blanc que la neige.

---

1. Texte de François Martin (*Le Livre d'Hénoch*), traduit sur le texte éthiopien (Letouzey et Ané, édit.).

« Pas un ange ne pouvait entrer et voir la face du Glorieux
« et du Magnifique et aucun être de chair ne pouvait le
« regarder... »

LE GAN-EDEN

A partir du second siècle, le paradis juif est définitivement
constitué sous le nom de Jardin d'Eden. La conception en
est plus réaliste.

Il est essentiellement composé de cinq chambres, dont les
deux premières, réservées aux Gentils convertis et aux pénitents, sont en bois de cèdre, avec plafond de cristal ou
d'argent fin ; la troisième est construite d'argent, d'or, de
perles, et parfumée d'épices. L'arbre de vie y abrite les
patriarches. La quatrième, en bois d'olivier, sert de retraite
aux martyrs. La cinquième, toute en métal précieux, est celle
du Messie.

Un commentaire de la fin du premier millénaire de notre
ère admet sept cieux, avec des portes de diamant et six cent
mille anges, au sourire de bienvenue et dont soixante forment l'escorte de chaque bienheureux.

On ne saurait voir, bien entendu, dans cette imagerie, la
tradition de la pensée rabbinique la plus pure.

Dès le troisième siècle, en effet, la déclaration d'Abba
Aréka précise que : « Il n'y a au ciel ni mangeurs, ni buveurs,
« ni cohabitations, ni affaires, ni envie, ni haine ou ambition.
« Mais les justes sont assis avec leurs couronnes sur la tête
« et se délectent de l'éclat dont resplendit la gloire de Dieu. »

ASIAH, BRIAH, JETZIRAT ET AZILUTH

L'ésotérisme hébraïque, disions-nous, s'est depuis longtemps dégagé de la « lettre » ouverte. La Kabbalah n'est
autre que l'interprétation du sens des Ecritures à laquelle
se sont consacrées des générations d'écrivains hébreux.

D'où vient la Kabbalah ? Peut-être de Moïse lui-même, qui passe pour avoir été initié aux mystères par les prêtres de Memphis.

Il est de fait que de nombreux rapprochements peuvent être faits entre l'ésotérisme égyptien et celui de la Kabbale, ce qui confirme, une fois de plus, l'analogie de tous les enseignements secrets.

La Kabbalah divise l'univers en quatre zones : *Asiah*, monde des phénomènes, où les corps sont formés de matière changeante et destructible ; *Briah*, ou Trône de gloire, habité par les âmes sous l'égide de Saphirots ; *Jetzirat*, ou Angélique, qui est le lieu divin qu'habitent les Splendeurs-Lumières et sphère de l'Etre Infini.

Les âmes sont créées dans *Aziluth* et Dieu les laisse choir dans *Asiah* pour y connaître la faim, la soif, la haine, l'égoïsme, le mensonge, la maladie et la mort. Mais aussi pour s'y confronter et découvrir l'innocence, le sacrifice et l'amour.

L'évolution générale de l'âme se poursuit ainsi d'*Asiah* à *Jetzirat*, de *Jetzirat* à *Briah* et de *Briah* à *Aziluth*, où elle retrouve sa source.

La doctrine de la Kabbalah, on le voit, participe d'une haute mystique, en tous points semblable aux doctrines bouddhiques et druidiques, dans ses phases et par ses fins.

Pour la Kabbalah, l'homme est un dieu tombé qui retourne à son origine et l'âme immortelle attend sa véritable patrie durant qu'elle franchit les mondes de transition.

L'HOMME TRIPLE DE LA KABBALE

L'homme se divise en corps *(Nephesha)*, âme *(Ruach)* et esprit *(Neschamah)*.

Si nous en croyons Ernest Bosc[1] dans son chapitre sur l'âme après la mort chez les Hébreux :

« ... La mort s'effectue pendant une période de temps

---

1. *La Doctrine ésotérique*, Chamuel, édit.

« beaucoup plus longue qu'on ne le croit généralement, car
« le *Nephesh,* le *Ruach* et le *Neschmamah* se séparent et se
« dissocient l'un après l'autre.

« C'est dans le cœur que *Ruach* s'attache à la vie maté-
« rielle et c'est dans le cœur qu'il la termine et s'en arrache.

« Les clairvoyants perçoivent très bien l'âme s'échapper de la
« bouche... sous l'aspect d'une flamme agitée, et comme elle
« n'est point encore assez mobile, ni assez confiante pour
« pouvoir et savoir passer à travers les murs, il faut toujours
« avoir soin d'ouvrir une fenêtre dans la chambre du tré-
« passé...

« Une fois *Ruach* parti, l'homme semble mort. Il n'en est
« rien cependant, car *Nephesh,* qui est l'âme de la vie élé-
« mentaire et matérielle, habite encore en lui. C'est *Nephesh*
« qui, arrivé le premier dans l'homme, en part le dernier.

« Il a son siège dans le foie et, à la mort, il se répand dans
« tout le corps ; mais les *Maskins* (mauvais esprits) faisant
« irruption, il est obligé de se retirer du corps. Cependant,
« il ne peut se décider à abandonner complètement sa
« dépouille ; aussi reste-t-il auprès d'elle et ne s'élève-t-il dans
« l'atmosphère... que lorsque survient la putréfaction, qui
« le chasse. Mais même après s'être décidé à partir... il reste
« encore dans le tombeau une partie de lui. C'est cette por-
« tion que la *Kabbalah* appelle le *Habat de garnim* ou *Souf-
« fle des Ossements,* et que les diverses écoles d'occultisme
« dénomment corps astral, périsprit, corps glorieux, corps
« de résurrection. »

LE SOUFFLE DES OSSEMENTS

On conçoit que ce souffle, ou Esprit des Ossements, soit
destiné à jouer un rôle très grand dans l'eschatologie israé-
lite, puisque c'est lui qui, en principe, servira de base à la
résurrection des corps sans laquelle l'après-mort biblique
ne serait qu'un triste sommeil.

Ce souffle est invisible pour les hommes de chair et le

Zohar dit à ce propos que « si nos yeux pouvaient le perce-
« voir, nous verrions, la nuit, quand vient le Sabbat ou à
« la lune nouvelle, les *Dinkim* (fantômes) se dresser dans les
« tombeaux pour louer et glorifier le Seigneur ».

On dénomme *Zelem* l'entité d'ordre spécial qui continue
à subsister après la mort physique et qui comprend trois
éléments : une lumière intérieure et deux lumières d'enve-
loppement. C'est l'image évanescente de cet ensemble qui
produit les apparitions.

Le judaïsme, en effet, admet que l'âme du mort, c'est-à-
dire *Ruach*, peut communiquer avec les vivants, mais la tradition ne juge pas son évocation désirable et la nécromancie était sévèrement proscrite en Israël. On se souvient que
l'ombre de Samuel, évoquée par la pythonisse d'Endor à
la requête du roi Saül, reproche à celui-ci de l'avoir fait
« monter » du séjour des ombres et lui prédit que son fils
et lui viendront la rejoindre le lendemain.

Tant en *Asiah* qu'en *Jetzirath* et en *Briah* le mort continue à se purifier de ses fautes et de ses erreurs passées et
chaque plan lui permet d'évoluer vers le mieux.

« La beauté du *Zelem*, professe encore le *Zohar*, dépend
« des bonnes œuvres accomplies ici-bas. Chez les hommes
« pieux, le *Zelem* est pur et clair ; chez les pêcheurs, il est
« trouble et sombre ».

Comme dans les autres religions, l'après-mort judaïque
évolue entre la récompense et le châtiment.

CHAPITRE VII

DAMNÉS ET BIENHEUREUX
DU CHRISTIANISME

CATHOLICISME

Contrairement à la plupart des religions anciennes, le christianisme ne s'intéressa guère aux circonstances formelles de l'après-mort. Préoccupé de la notion de salut, il ne s'attarda pas aux préliminaires de l'autre vie et, envisageant les fins générales, demeura muet sur le processus de l'âme séparée du corps.

Les Evangiles ne contenaient pas grand-chose au sujet de la condition de l'homme mort. Et sur son sort immédiat ils gardent à peu près le silence, les paroles du Christ sur la vie future se bornant au Jugement de la fin.

On ne trouve donc rien, dans l'eschatologie chrétienne, qui ressemble au *curriculum* des défunts égyptiens, grecs ou tibétains.

L'Eglise admit seulement, au début, le jugement général des hommes, basé sur la venue du Messie à la fin des temps. Que devenaient les morts chrétiens, dans l'attente du Fils de l'Homme ? On ne s'en avisait pas outre mesure, car les fidèles du premier siècle escomptaient le retour du Christ au cours de leur propre génération.

Mais lorsque les siècles s'écoulèrent et que la parole du Christ dut s'interpréter comme une allusion à la génération adamique[1], il parut urgent aux théologiens d'envisager un règlement du sort de l'âme après la mort.

Tout semble indiquer que, dans l'esprit des premiers chrétiens, et par conséquent, des apôtres (qui étaient de race hébraïque), les morts descendaient dans un lieu d'attente singulièrement voisin du Chéol juif. On les en tira pour les soumettre à un jugement individuel et cette formalité, d'abord négligée, revêtit une importance grandissante, au point qu'elle détermine aujourd'hui le sort de l'âme pour l'éternité.

Des conditions de ce jugement, l'Eglise ne souffle mot. Et sa sobriété, à cet égard, rompt avec la prolixité des théologies primitives qui mettent en image la balance de la justice, le tribunal posthume et ses assesseurs.

Le mort chrétien est censé comparaître après la mort devant un Juge qui, dans l'esprit des docteurs, ne peut être que Dieu. Du verdict sans appel découle l'acquittement ou la condamnation, et la récompense comme la peine sont éternelles.

Le Jugement Dernier ne serait donc qu'une formalité spectaculaire si la résurrection générale ne venait associer à la béatitude et au supplice des âmes la béatitude et le supplice des corps.

Par conséquent, aussitôt après la mort, l'âme juste devrait être envoyée au paradis et l'âme coupable en enfer. Toutefois, comme on va le voir, un palier intermédiaire fut imaginé par la suite, non pour le damné, promis d'emblée à

---

1. C'est-à-dire à la sorte d'Humanité qui se reproduit par la chair.

la fournaise, mais pour le juste, non admis d'office au bonheur.

LE CODE DU PÉCHÉ

En effet, la question qui se pose au moment du jugement personnel est celle-ci : l'âme a-t-elle plus ou moins de mérites que de démérites ? L'équité voudrait que vices et vertus fussent évalués en fonction de leur importance intrinsèque. La théologie, bien souvent, ne les considère que par rapport aux dogmes religieux.

Il a donc fallu instituer un véritable code du péché et scinder ce dernier en deux catégories principales : péchés véniels et péchés mortels.

Le péché mortel chrétien est celui qui mène directement à l'enfer si, *in extremis,* le mourant ne se repent point avant le dernier soupir, avec ou sans l'absolution d'un prêtre. Encore l'intervention de celui-ci était-elle jugée indispensable avant l'interprétation plus généreuse de notre temps [1].

Quels sont donc ceux des péchés qui sont considérés comme mortels, c'est-à-dire entraînant la damnation absolue ? Sans doute on y comprend les offenses graves à la morale : violences, luxure, trahison, avarice, en bref, tous les péchés capitaux. Mais il s'y ajoute les offenses à la religion et celles-ci ont toujours présenté une gravité particulière : idolâtrie, blasphème, athéisme, sorcellerie, magie, sacrilège, hérésie, simonie, profanation, etc.

Par conséquent, tout homme mort en état de péché mortel va en enfer aussitôt après le jugement particulier qui suit la mort. Mais ne peuvent être immédiatement dirigés vers le paradis les fauteurs de péchés mortels absous ou repentis

---

1. L'Eglise catholique admet, en effet, que la contrition parfaite suffit, mais que l'attrition ou contrition imparfaite (due à la peur du châtiment plus qu'à l'amour de Dieu) doit être accompagnée d'absolution ou d'extrême-onction.

in extremis, non plus que les fauteurs de péchés véniels redoublés ou les fidèles entachés d'indifférence. L'accès immédiat du paradis catholique n'est permis qu'aux purs et aux saints. Une épuration et une sanctification préalables sont donc nécessaires et c'est ce qui amena l'Eglise à décréter un état intermédiaire ou stade de transition.

INDÉCISION POSTHUME
DES PREMIERS CHRÉTIENS

Pour les Juifs, comme pour les Chrétiens, le Jugement Dernier règle définitivement le sort des âmes. Mais tandis que les Hébreux immobilisaient provisoirement leurs défunts dans la chambre froide et la demi-léthargie du Chéol, les premiers Chrétiens ne savaient pas exactement que faire des âmes en attente du Messie et de la résurrection des corps.

Les raisons qui avaient provoqué l'institution d'un jugement personnel après la mort s'imposaient avec plus de force encore pour justifier le stade intermédiaire, c'est-à-dire la période comprise entre les deux jugements.

Sous peine de priver le Jugement Dernier de son efficacité et de sa substance, le jugement individuel ne pouvait prononcer qu'une condamnation provisoire et de moindre effet. On commença donc par admettre qu'après la mort l'âme n'accédait point directement au Paradis ou à l'Enfer définitifs, mais recevait, à un étage de compromis, le traitement que justifient ses mérites ou ses fautes, sans atteindre ni à l'extrême récompense ni à l'extrême châtiment.

La différence entre justes et injustes n'était pas alors aussi grande qu'elle le devint par la suite, de sorte que les morts d'il y a deux mille ans eurent tout le bénéfice du sursis quand ils étaient chargés de crimes, et toute la déconvenue du retard s'ils étaient emplis de vertus.

« Les âmes pieuses, opine Saint-Justin, occupent une place « meilleure et celles des pervers une place pire... »

En somme, on revient à l'idée grecque d'un *Hadès,* adapté au sentiment chrétien.

Tertullien prononce même tranquillement le mot quand il dit, au IIIᵉ siècle :

« L'âme reçoit consolation et punition dans l'Hadès... par « une certaine anticipation des ténèbres ou de la gloire. » Pour lui, déjà, il s'agit là d'une discipline compensatrice dont ne seront exceptés que les martyrs.

Saint Hippolyte adopte le même vocable et la même localisation, c'est-à-dire un lieu situé sous la terre, où les anges font sentinelle et où justes et injustes attendent la grande résurrection.

Puis le mot Hadès disparaît sous la plume des Pères de l'Eglise et devient, pour les « justes » défunts (ce qui est plus conforme à la Bible) « le sein d'Abraham ».

Saint Augustin, lui aussi, fait allusion à « une retraite « cachée, où l'âme goûte le repos ou endure l'affliction dans « la mesure exacte du mérite qu'elle s'est acquis. »

Mais ces diverses opinions, à mi-chemin de l'enfer et du ciel, ne rencontrèrent pas aussitôt l'adhésion unanime.

LE PURGATOIRE

De plus en plus, au cours des cinq premiers siècles de l'ère chrétienne, s'avère pour les théologiens l'urgence d'un état intermédiaire défini. On commence à envisager l'idée même du Purgatoire, autrement dit d'une condition dans laquelle les âmes seraient « purgées » de leurs péchés.

Cette hypothèse ne rallia pas tout de suite les suffrages et les textes de saint Augustin lui-même reflètent cette incertitude :

« C'est, dit-il, une question à examiner avant d'y répon-« dre par un oui ou par un point d'interrogation. »

Puis la suggestion hésitante fait place à une déclaration précise sur les punitions temporaires :

« Quelques-uns, écrit-il, dans la *Cité de Dieu,* les subis-

« sent seulement dans cette vie, d'autres d'un côté et de
« l'autre de la tombe, mais toujours avant le dernier juge-
« ment, qui est le plus rigoureux. »

La notion catholique romaine du Purgatoire fut dogma-
tisée dès le VIᵉ siècle par le pape Grégoire le Grand. Devenue article de foi, elle s'épanouit jusqu'aux temps modernes
sous la forme que nous indiquons plus haut : les saints vont
directement au ciel, les méchants directement en enfer et
« les vertus imparfaites » sont soumises « au feu purificateur » qui les nettoiera de leurs souillures les moins graves.

L'orthodoxie ne précise pas les conditions de cette purification en nature ou en durée. Seuls les prédicateurs et théologiens y ont fait allusion au cours des âges, précédés en
cela par la croyance populaire, toujours vivement frappée
par les châtiments de l'après-mort.

Le feu purgatorial ressemble étonnamment au feu infer-
nal. Les douleurs qu'il cause paraissent être sensiblement
les mêmes. Toutefois, « il ne punit pas », mais « nettoie »
et les agents d'exécution sont des anges au lieu d'être des
démons.

Le temps que passent les âmes au Purgatoire n'est pas
défini. Certaines ne font que le traverser, d'autres y subissent de longues souffrances. La tradition représente les
« Ames du Purgatoire » comme des ombres en peine qui sollicitent les prières des vivants.

LES INDULGENCES

De là est née la très curieuse institution des Indulgences,
moyen d'abréger, par certaines pratiques, ou d'atténuer les
tourments de l'âme des défunts.

L'Eglise catholique a institué ce qu'elle appelle le *Trésor
des Mérites,* basé sur cette croyance, en faveur au Moyen
Age, que le Christ et la Vierge ayant, au cours de leur vie
terrestre, amassé plus de mérites que n'en comportait la
rédemption du péché originel, l'excédent de ces mérites

demeure à la disposition de l'Eglise, chargée, en vertu de sa mission divine, de les administrer et de les répartir.

Tout fidèle peut donc acquérir un certain nombre d'indulgences et en faire bénéficier les défunts. Le sacrifice de la Messe jouit d'ailleurs de la même vertu, à un plus haut degré encore. Mais tandis que les « offices des morts » sont, en raison de leur cérémonial, d'un usage plus exceptionnel et moins à la portée de quiconque, n'importe quel dévôt peut faire usage des indulgences et cette facilité même engendra divers abus.

On admet toutefois que les « indulgences, pas plus d'ailleurs que la messe, ne lient Dieu dans sa justice et n'ont qu'un caractère de propitiation ».

LA PÉNITENCE

Le dogme du Purgatoire entraînait forcément une évolution identique du sacrement de Pénitence, au moyen duquel l'Eglise, par le ministère de ses prêtres, se réserva la faculté d'absoudre les fautes des pénitents.

Par là, le catholicisme entendait exercer une véritable action sur la juridiction future, en vertu de la parole évangélique : « Ce que vous lierez et délierez sur la terre sera lié et délié dans le ciel. »

L'absolution du confesseur n'influe en rien sur l'expiation des fautes mineures au moyen du feu provisoire, mais elle permet aux pécheurs graves de se soustraire au feu éternel.

Le catholicisme est à peu près la seule religion qui ait développé la notion de purgatoire au point de faire de celui-ci le lieu de quarantaine obligatoire de presque toutes les âmes, c'est-à-dire de celles qui n'appartiennent ni à des monstres ni à des saints.

Il n'existe, en effet, dans les autres cultes, aucune institution de ce genre après la mort et nous verrons bientôt que le protestantisme, rameau cadet de l'arbre chrétien, en répudie généralement l'idée.

Toutefois, sans imaginer d'état intermédiaire, d'autres cultes ont reconnu à l'enfer une existence provisoire ; ce qui équivaut à lui assigner un rôle de « purgation ». Les musulmans estiment que la foi en Allah suffit à tirer les croyants de l'enfer dès que leur purification est achevée. De même, le bouddhisme chinois arrache les âmes au lieu de supplices par la récitation du « Soutra vainqueur de l'enfer ».

Deux des plus grands docteurs de l'Eglise chrétienne, Origène et saint Grégoire de Nysse, estimaient qu'après une ère de punition plus ou moins prolongée, toutes les âmes, sans exception, finiraient par accéder au sein de Dieu.

LAISSEZ VENIR A MOI LES PETITS ENFANTS

Cependant, tout ce qui vient d'être dit, à propos des morts chrétiens, n'a de pertinence que si les défunts ont reçu le sacrement du baptême.

Il ne saurait être question, en effet, d'admettre les non-baptisés au traitement commun.

La catégorie la plus intéressante de ceux-ci est celle des enfants morts avant le baptême et c'est dans la louable idée d'éviter aux innocents ce qui semble une injustice que l'Eglise autorise en cas d'urgence le premier venu à prononcer les paroles sacramentelles en versant de l'eau sur le front.

Ne restât-il qu'un seul nouveau-né mort sans sacrement, la question du sort qui lui est attribué ne s'en pose pas moins devant la théologie. Celle-ci a donc construit de toutes pièces un lieu non expressément prévu par l'Ecriture et destiné à recevoir ceux que rejetaient le ciel et l'enfer des théologiens.

Le nouveau-né est sans culpabilité de son propre chef et, seule, la flétrissure du péché originel le prive des éternelles délices. On admit donc que son séjour était à jamais fixé dans les *Limbes,* sorte de nursery infernale *(infernus puerorum),* que n'ont envisagés ni les Apôtres ni le Christ.

On a reculé devant l'inique châtiment des tout-petits, après l'avoir admis aux premiers siècles, et l'on s'applique aujourd'hui à meubler de sensations heureuses cet enfer puéril.

La seule peine infligée aux enfants non baptisés, articulent les théologiens catholiques, est celle de la privation de Dieu. Mais n'est-ce pas, au fond, la seule qui compte et celle qui, à vrai dire, constitue le pavage de l'enfer ?

LE SORT DES INFIDÈLES

Si l'on songe que le brahmanisme, le bouddhisme, l'islamisme comptent chacun plusieurs centaines de millions d'adeptes et que les autres religions ou croyances éparses sur le globe comprennent plus d'un milliard d'individus, si l'on excepte enfin du christianisme romain les réformés et les orthodoxes, on se demande quel sort est réservé aux non-catholiques dans le système de rétribution de l'après-mort.

La récompense de l'Eglise catholique n'est pas douteuse en ce qui concerne les fidèles écartés de son giron et l'hérésie fut, de tout temps, vouée aux peines éternelles. Il sied d'ailleurs de reconnaître que presque toutes les religions se lancent le même anathème et que, si elles s'ouvrent toutes grandes les portes de leurs enfers réciproques, par contre, elles s'interdisent l'entrée de leurs paradis respectifs.

La question est différente en ce qui concerne les païens ou les infidèles, c'est-à-dire les dizaines de millions d'hommes qui ne connaissent même pas le nom du Christ. Le christianisme des premiers siècles les voua tous indistinctement au tourment et saint Augustin leur refusa le salut, suivi en cela par beaucoup d'autres.

Par la suite, on s'avisa qu'il était plus méritoire pour l'homme d'agir chrétiennement sans connaître le Christ que d'agir anti-chrétiennement en son nom, et cela conduisit à l'admission aux joies célestes des infidèles vertueux par les portes dérobées du « baptême du désir » ou de la « foi implicite ».

Toutefois, la solution continua à être controversée jusqu'à la fin du XIXe siècle, où un pape compréhensif la régla définitivement comme il suit :

« Ceux qui... observant consciencieusement la loi natu-
« relle et ses préceptes gravés par Dieu dans le cœur de
« l'homme, ceux qui... mènent une vie honnête et droite...
« pourront atteindre à la vie éternelle. »

LIMBES DES PATRIARCHES

Faut-il ajouter que l'intransigeance théologique des premiers temps avait adjoint un certain pendant aux Limbes infantiles en aménageant un autre lieu de non-souffrance et même de relative euphorie pour les héros de l'Ancien Testament. Ceux-ci, ayant eu le malheur de naître avant le Christ, n'avaient pu être rachetés par lui et, en conséquence, se trouvaient écartés *de plano* de la Jérusalem céleste.

Mais les patriarches ne pouvaient être éternellement confinés dans le sein d'Abraham et l'on eût considéré l'éviction de Samuel, de Salomon, etc., comme un scandale posthume. Aussi les théologiens ont-ils décrété qu'entre sa mort et sa résurrection, le Christ était descendu aux Enfers, non pour y séjourner, bien entendu, mais pour délivrer les patriarches et les amener au ciel chrétien.

L'ENFER CHRÉTIEN

Les quatre évangélistes sont avares de détails au sujet de l'enfer. Saint Mathieu se montre le plus rigoureux et met dans la bouche du Christ des allusions évidentes à la

Géhenne. Saint Luc, au contraire, apparaît enclin à plus de modération.

Il est hors de doute que le Nouveau Testament fait une mention expresse de la « fournaise de feu », des pleurs et « grincements de dents ». Il parle, en outre, du « châtiment éternel » à propos du Jugement dernier et de la seconde venue du Fils de l'Homme.

Mais nul n'ignore que les textes évangéliques sont les fruits d'une compilation du IIIᵉ siècle, ayant pour objet de fondre et d'unifier plus de quarante versions différentes. Or celles-ci avaient été transmises durant longtemps par la seule tradition orale et avaient subi, en conséquence, de nombreuses déformations.

L'évangile d'amour de saint Jean ne contient aucune allusion au châtiment éternel et la notion d'enfer de feu adoptée par les premiers apôtres se ressent de l'origine hébraïque de ces derniers et constitue un héritage direct du judaïsme.

Saint Paul, la grande autorité des premiers temps, est, en ce qui concerne l'enfer, d'une prudence significative. En tout cas, il ne commet pas la faute où la plupart des théologiens, Origène et Grégoire de Nysse exceptés, tomberont par la suite, de considérer l'enfer comme un *lieu*.

L'apôtre se borne à désigner les « damnés » par la locution « ceux qui périssent » et leur perte est définie expressément par lui comme une « destruction éternelle loin de la face du Seigneur ».

Eternité à part, nous retrouvons dans cette conception hautaine de la privation de Dieu la manière de voir de tous les grands interprétateurs, à quelque religion qu'ils appartiennent, et nous verrons, *in fine*, que l'adoption de plus en plus généralisée de ces vues est tout à l'honneur de notre temps.

C'est seulement à partir du IIᵉ siècle après J.-C. que l'élaboration d'un enfer concret se précise. Saint Ambroise, saint Cyprien, Tertullien surtout, y apportent leur part de combustible, les uns sous une forme immatérielle, les autres sous une forme qui l'est moins.

Origène est le premier à fournir une description mysti-

que de l'enfer : « Chaque pécheur, enseigne-t-il, allume
« pour lui-même la flamme de son propre feu, et il n'est pas
« plongé dans quelque feu qu'un autre aurait allumé pour
« lui. »

Ainsi dépeint-il le châtiment automatique du péché par
les cuisants remords de la conscience. Malheureusement
pour lui, Origène, trop en avance sur son temps, n'assigne
à cet enfer, même intérieur, qu'une durée temporaire.
L'Eglise le taxe aussitôt d'hérésie et proclame l'éternité des
tourments.

Avec saint Chrysostome allait, dès lors, commencer la
peinture détaillée d'une imagerie chrétienne infernale, qui
ne le cède en rien à celle des religions de l'Orient.

En vertu du principe chrysostomien que seule la peur de
l'enfer peut nous gagner le ciel et qu'un état de crainte perpétuelle est salutaire pour les âmes, le célèbre prédicateur
de Byzance nous dépeint l'enfer des dix tourments. Ce point
de vue pessimiste sera partagé par presque tous les auteurs
amenés à décrire l'enfer, bien au-delà du Moyen Age, et Calvin lui-même, en dépit de la rupture avec Rome, fera sien
l'adage de Chrysostome, à savoir que « rien n'est aussi pro-
fitable qu'un entretien sur l'enfer ».

Tel n'est pas cependant l'avis de sainte Thérèse d'Avila,
l'une des plus illustres figures du catholicisme et selon qui
il n'y avait aucun profit à retirer d'une méditation sur
l'enfer.

Saint Augustin ne se soustrait pas entièrement à l'image
des « flammes inextinguibles » mais, du moins, a-t-il le
mérite de souligner que le plus grand châtiment (il n'a pas
osé dire le seul) est d'être exilé de la Cité de Dieu.

A partir de saint Thomas d'Aquin, la théologie orthodoxe
se cristallise autour de l'éternité des peines. Par contre, le
dogme ne localise ni ne définit l'enfer chrétien.

Nous n'insisterons donc pas sur les supplices naïfs imaginés par les théologiens mineurs ou les Apocalypses de Paul
et de Pierre, ni sur les créations fiévreuses de l'imagination
populaire en matière de brasiers et de démons.

LE SÉJOUR DES ÉLUS

Le véritable Paradis chrétien n'est entaché d'aucune allégorie matérielle. Tout au plus, le vulgaire imagine-t-il le guichetier saint Pierre à l'entrée du ciel et l'orphéon de sainte Cécile à l'intérieur. Pour lui, les anges sont munis d'ailes, naturellement, le Père Eternel a la barbe blanche dont le dota Michel-Ange et son trône est de joyaux et d'or.

Cette concession faite à la multitude, le Ciel chrétien revêt une majestueuse grandeur. Même sous la plume des théologiens les plus attardés, le bonheur des élus est d'essence spirituelle. Saint Chrysostome dit d'eux qu'ils seront « dans un état de paix, de contentement et de joie » et toutes choses « dans un état de sérénité et de paix ».

« Tout sera, ajoute-t-il, clarté et lumière. Il y aura la « perpétuelle jouissance de ce privilège : entretenir « commerce avec le Christ dans la compagnie des anges, « des archanges et des hautes puissances. »

Saint Augustin, comme il se doit, se tient à un étage encore plus élevé. La « vision béatifique » de Dieu lui semble la seule récompense désirable et la seule offerte, au surplus, avec plus ou moins d'intensité.

« Considérons, écrit-il, comment les saints se comporte-« ront lorsqu'ils seront revêtus de corps immortels et « que la chair ne vivra plus que d'une manière spiri-« tuelle... Dieu sera tellement proche de nous que nous le « verrons par l'esprit en nous-mêmes, en autrui, en lui-« même... Combien grande sera une telle félicité pure de « toute souillure du mal, riche d'une plénitude de tout bien. »

Cette plénitude n'empêchera d'ailleurs aucunement le bonheur céleste de comporter une différence d'attribution : « Gardons-nous pourtant de douter qu'il doive y avoir des « degrés. En même temps que sa récompense plus grande « ou plus petite chacun recevra ce don supplémentaire « du contentement qui le préservera de désirer plus qu'il « n'a. »

Les autres théologiens ratifient intégralement cette promesse de la vision directe de Dieu. Tous sont d'accord également pour déclarer que la résurrection finale des corps augmentera la félicité comme elle augmentera aussi le supplice.

Saint Grégoire le Grand et saint Thomas d'Aquin, non entièrement satisfaits par la contemplation béatifique, en profitent pour « ajouter » aux joies des élus celle de se réjouir de la souffrance des damnés.

Heureusement, l'autorité papale ramène à une plus haute conception le bonheur suprême et, dès le XIVᵉ siècle, il est décrété que « les âmes de tous les saints voient la Divine Essence par intuition directe et face à face ». Depuis, les grands mystiques catholiques ont tous éprouvé, dès cette terre, la possibilité de leur union intime avec Dieu[1].

PROTESTANTISME

Le christianisme, qu'il soit catholique, orthodoxe ou protestant, est essentiellement basé sur l'amour de Dieu au moyen d'un Christ rédempteur. Il s'ensuit que, dans les grandes lignes, et surtout à l'origine des groupements réformés, ceux-ci professent sur l'Après-Mort des opinions ressemblant beaucoup à celles des catholiques. Une grande partie de ce qui vient d'être dit à propos du catholicisme s'applique donc au protestantisme, branche de l'arbre chrétien.

La Réforme, en ce qui la concerne, n'a rien changé aux conceptions chrétiennes primitives touchant le ciel et l'enfer.

Les prêches des XVIᵉ et XVIIᵉ siècles ont, comme les sermons catholiques, voué les méchants à la flamme, au feu et à l'éternelle damnation. Le calvinisme a été plus loin.

---

1. La résurrection de la chair, partie fondamentale de l'eschatologie religieuse, étant commune à plusieurs religions, fera l'objet du chapitre IX.

Dépassant Chrysostome lui-même, il s'est livré à des peintures terrifiantes d'un enfer exclusivement primitif.

Les théologiens officiels du protestantisme à ses débuts sont aussi intransigeants en ce qui concerne les morts sans baptême. C'est seulement à partir du XIXe siècle, qu'avec des nuances diverses, selon les Eglises et les sectes, le protestantisme adopte des opinions plus libérales en matière de salut.

Il ne faut pas oublier, en effet, que l'universalisme ou l'opinion d'Origène, selon lesquels nul homme ne sera damné éternellement, ont été condamnés aussi bien par les catholiques de tous les temps que par les anglicans de 1553.

Depuis, le protestantisme a beaucoup évolué et, s'il ne s'est pas encore absolument affranchi des liens des anciens dogmes, il s'appuie, comme les autres religions, sur une avant-garde libérale d'une plus grande hauteur d'esprit.

LA RÉFORME ET LE PURGATOIRE

La différence principale existant entre la doctrine catholique et la doctrine protestante relativement au sort de l'âme après la mort réside dans le fait que le protestantisme n'admet pas le Purgatoire et que la résurrection des corps lui est de plus en plus suspecte, ainsi que le Jugement Dernier.

Nul n'ignore que la question des indulgences fut à la base même de la Réforme. Luther, ayant nié celles-ci, écarta ensuite la notion même du Purgatoire, suivi dans cette voie par Calvin.

La profession de foi presbytérienne de Westminster confirme très nettement ce point de vue, de même que les trente-neuf articles de l'Eglise d'Angleterre, qui soulignent, à propos de la conception romaine du Purgatoire, le silence des textes saints.

Toutefois, il convient de remarquer que l'Eglise d'Angleterre a adopté, dans les temps contemporains, une attitude moins formelle et qu'elle ne refuse pas d'admettre, sans le nom, l'idée d'une sorte de purgatoire mitigé. En somme cette conception, qui est aussi celle de l'Eglise orthodoxe grecque, aboutit à admettre un état d'épreuves après la mort. Naturellement, l'appareil pénal a complètement disparu et ce stade de purification n'est plus qu'une période de perfectionnement difficile et méritoire, mais toujours destiné à rapprocher les hommes de Dieu.

Cette attitude correspond à celle du Modernisme, beaucoup plus rapprochée, au surplus, d'un catholicisme libéral que de l'intransigeance protestante des débuts.

Pour conclure et nous résumer, la pensée classique du Protestantisme ne connaît pas les trois « séjours » réservés aux âmes après leur mort ; elle ignore le Purgatoire sous sa forme classique [1] et elle fait du ciel et de l'enfer, plus nettement encore que le catholicisme évolué, non des lieux, mais des états. Le Paradis est la condition de l'âme à qui la Présence de Dieu est assurée, l'Enfer la condition de l'âme à qui elle est refusée, mais non toujours définitivement.

LA PENSÉE PROTESTANTE MODERNE

Parmi les modernes, en effet, beaucoup n'acceptent pas le caractère éternel des peines. Que la souffrance soit un moyen de ramener les âmes à Dieu, ils ne le nient pas. Mais ils estiment qu'une souffrance éternelle est, par définition, une souffrance inutile, puisqu'elle ne ramène pas (ce qui est essentiel) la créature à son Créateur. Plusieurs vont encore plus loin et n'admettent qu'une prédestination au salut, ce qui fut la conception de Grégoire de Nysse et d'Origène.

Pour ce qui est du Jugement Dernier, l'essentiel de la question est contenu dans la parabole de Matthieu (XXV 31-46). Les côtés eschatologiques forment un plan individuel der-

---

1. L'idée d'une « éducation d'outre-tombe » n'en est pas moins fort répandue dans les milieux évangéliques d'aujourd'hui.

rière l'aspect général : l'homme sera jugé sur son attitude envers le Christ, non seulement en paroles mais en actes, c'est-à-dire, en définitive, sur sa vie et sur sa foi.

La résurrection des corps n'est généralement pas conçue comme la revivification d'un cadavre, malgré une certaine tendance littéraliste qui se fait jour actuellement. Elle est entendue dans le sens spirituel indiqué magistralement par Paul dans la 1re Epître aux Corinthiens, dont nous donnerons plus loin le commentaire.

Le Ciel protestant n'est pas concret, mais abstrait. Aucune imagerie, si ce n'est celle des psaumes, ne l'encombre. Selon la parole d'un théologien, il n'est cependant pas « statique », mais « dynamique », autrement dit en état de continuel accroissement.

Ce postulat de croissance spirituelle indéfinie n'est pas spécial au protestantisme moderne, loin de là, ni même aux religions établies. Toute religion personnelle est capable des mêmes espérances et des mêmes réalisations.

On n'en voit pas moins, par ce qui précède, que toute croyance renferme de hautes possibilités et que l'interprétation mystique de l'après-vie suit de près l'évolution de la conscience et du sentiment[1].

---

1. Nous n'avons pas cru devoir consacrer de paragraphe spécial à l'Eglise Orthodoxe d'Orient dont les croyances sur l'Après-Mort ne diffèrent pas sensiblement de celles des autres Eglises chrétiennes.

CHAPITRE VIII

LE PARADIS POUR HOMMES
DES CROYANTS DE L'ISLAM

Entièrement positifs nous apparaissent d'abord les cieux de l'islamisme.

Ils ressemblent à ceux de l'exotérisme gaulois ou aux enfers germains. Mais l'imagination orientale et le lyrisme verbal du Coran leur donnent des couleurs séduisantes, bien faites pour convenir à la morale simpliste de peuples guerriers.

Toutefois le Livre musulman a, d'emblée, cette supériorité sur la Bible, c'est qu'il établit formellement l'immortalité de l'âme, d'où s'ensuit la description d'un lieu pour les bons et d'un lieu pour les méchants.

Si nous examinons d'abord ce dernier, nous verrons qu'il est situé immédiatement au-dessous d'un pont que doivent traverser les âmes. Ce pont, mince comme un cheveu, est effilé comme le tranchant d'un sabre. Aussi les vrais croyants, que n'alourdit pas le poids de leurs fautes, le parcourent légèrement et avec la vitesse d'un éclair. Par contre, les mécréants, accablés sous le faix de crimes sans nombre, tombent infailliblement dans le gouffre de douleur et de feu.

LE FEU A LA 70ᵉ PUISSANCE

En dépit de leur prodigalité verbale, les Orientaux n'ont rien innové dans l'enfer musulman. On y trouve un vent brûlant, de l'eau bouillante, des tourbillons de fumée épaisse, des flammes, des feux pareils à ceux du Tartare, bref tous les tourments du brasier.

A la vérité, les serpents infernaux seront noirs comme le cou d'un chameau et les scorpions grands comme des mules, tandis que la boisson des incroyants sera de cuivre fondu. Le feu de punition s'avérera, d'autre part, 70 fois plus brûlant que n'importe quel feu de notre monde. Et ceci n'a rien de surprenant quand on sait qu'après avoir été allumé par la colère divine, il fut mille ans avant de passer au rouge, mille ans avant de passer au blanc, mille ans avant de passer au noir. Car la flamme de l'enfer est une épaisse ténèbre. Et l'arbre Zacoum aura pour fruits des démons, nourriture des réprouvés.

« Jamais la rigueur des tourments de l'impie ne s'adoucira », menace le Coran. Par conséquent, la punition est éternelle. Il n'en fallait pas moins pour maintenir des hommes rudes dans le devoir.

LES JARDINS DE DÉLICES

Beaucoup plus prolixe s'avère le Coran dans la peinture des jardins de délices, parmi les nabc sans épines, les épais feuillages, les eaux jaillissantes et les multitudes de fruits délicieux.

« Les anges diront aux justes, après avoir tranché le fil
« de leurs jours : "La Paix soit avec vous ! Entrez dans le
« paradis, digne de vos œuvres..."»

« Parés de bracelets d'or, vêtus d'habits tissés d'or et de
« soie, rayonnants de gloire, ils reposeront sur le lit nup-
« tial, prix fortuné du séjour de délices... près de leurs épou-
« ses. La paix habitera en eux...
« Ils boiront à longs traits la coupe du bonheur. Tous leurs
« désirs seront comblés. »

Ils connaîtront des vins exquis et la chair des oiseaux rares,
sans parler des rivières de vin, de miel et de lait qui coulent
dans l'Eden.

Partout, à la disposition des croyants sont des jeunes filles « aux grands yeux d'hyacinthe... Pareilles à la perle
cachée... » et que nul homme et nul génie n'approcha.

Tel est, conclut le Coran, ce « lieu délectable, abondant
en jardins, en vergers, en vignes, en filles aux seins d'albâ-
tre », celles qu'Allah, parlant aux justes, appelle les vierges
« aux yeux violets ».

Mahomet lui-même a été dépassé dans son énumération
paradisiaque. Des traditions vulgaires et plus récentes dotent
chaque locataire du jardin fortuné de 80 000 esclaves et
72 femmes, sans compter les houris de toute beauté.

La femme, dans l'islamisme, comptait pour si peu de chose
que Mahomet ne s'aperçut pas que son Eden (le mot fut
écrit par un érudit musulman) était presque entièrement mas-
culin. Le sexe féminin n'y est pas introduit pour lui-même,
mais uniquement pour la commodité des croyants. Le pro-
phète perdit complètement de vue « les croyantes » et ne
se préoccupa nullement de leur béatitude au paradis.

DE MAHOMET AU MADHI

Seul, le guerrier importait, parce qu'il était l'instrument
de la conquête et, par suite, de la diffusion. L'Arabe, au
surplus, n'est pas raisonneur ni homme de pensée. On lui
proposait un Dieu unique, ce qui représentait une notion
nouvelle et c'était assez. Comment l'Oriental sensuel, bel-
liqueux et avide de butin, tantôt fanatique et exalté, tantôt

résigné et apathique, ne se serait-il pas accommodé de ces perspectives qui flattaient ses rêves et ses instincts ? Cela seul suffit à expliquer la propagation foudroyante de l'Islam, en Asie et même en Afrique, dans des populations encore primitives et qu'enchantait, par conséquent, la musique verbale du Coran.

On a dit, et il est exact, que là où l'islamisme a progressé, nulle autre religion n'aurait pu le faire et la preuve, c'est que le prosélytisme chrétien, par exemple, n'a aucune action sur les musulmans.

L'idéal musulman est exactement adapté à la vie orientale. Il est l'ennemi de toute théologie, de toute discussion abstraite sur les mots. La conception d'un dieu fastueux et tout-puissant dans un univers pré-organisé favorise son inertie. Le croyant accepte d'avance ce qui vient de lui. Dès lors, pourquoi se tourmenter, ou réfléchir à propos de la vie future ? Il n'arrivera (Inch Allah !) que ce qui était écrit.

L'islamisme ne s'intéresse donc que médiocrement au processus qui suit la mort et aux conditions philosophiques de la survie. Tout au plus envisage-t-il un jour de la Sentence dans l'attente duquel les mahométans adoptent une sorte de messianisme mitigé.

A peu près comme le monde chrétien, le monde musulman du dernier temps enregistrera la Grande Détresse, les guerres, les révolutions, l'Antéchrist et même le Christ Jésus. Mais c'est à l'ultime instant qu'apparaîtra le *Madhi*, véritable sauveur islamique et Messie des musulmans. La terre et ses habitants trembleront. Les corps seront éveillés par la trompette et les âmes seront pesées, à un grain de moutarde près.

Les frustes notions rappelées ci-dessus ont été treize siècles durant prises à la lettre par la multitude et même par certains commentateurs orthodoxes, préoccupés de la chair plus que de l'esprit.

Mais, avant même la fin du premier millénaire, des êtres élevés apparurent qui, sans répudier la plupart des textes coraniques, en admirent une explication transcendante, très au-dessus des bonheurs matériels.

Pour un mystique comme El-Ghazali, le ciel n'est autre que la vision bienheureuse d'Allah, ce qui lui permet de conclure : « Aucun délice n'est comparable à celui de l'approche de Dieu. »

Le Coran n'est d'ailleurs pas dépourvu de passages destinés aux consciences plus hautes. N'est-ce pas lui qui dit que la paix du paradis ne sera atteinte par nulle peine et que les croyants n'entendront rien qui rappelle le péché. N'est-ce pas lui aussi qui, marquant la félicité suprême, a déclaré : « La Grâce émanant de Dieu, voilà la suprême félicité. »

Ce thème, dès le XIIᵉ siècle, est repris en grand par les soufis, ces purs mystiques islamiques. Pour eux, le seul devoir est de méditer sur l'Unité. Unité de Dieu d'abord, puis union du Créateur avec les créatures, celle-ci étant réalisée dès la libération du corps charnel.

Pour les soufis, toute religion conduit à Dieu. L'islamisme est seulement la route la plus simple et la plus directe. Leur but essentiel est l'extase, ou la fusion en Allah.

CHAPITRE IX

LA RÉSURRECTION DE LA CHAIR

Contrairement à ce que pensent la plupart des chrétiens, la doctrine de la résurrection des corps, promue à l'état de dogme par l'Eglise catholique romaine, n'est pas le monopole du christianisme, car celui-ci l'a recueillie du judaïsme avec la notion de Messie et celle de Jugement Dernier.

Mais les Juifs n'étaient pas eux-mêmes les premiers à avoir conçu cette espérance. L'*Avesta* des Perses mentionne expressément la résurrection de la chair. Les *Parsis* de l'Inde, qui constituent le dernier groupement religieux issu de la pensée de Zoroastre, en font, encore aujourd'hui, une base de leur credo.

Le mazdéisme enseigne que, lorsque le sauveur Saoshyant viendra, à la fin du monde, « les morts se lèveront, recouvreront leur souffle et la vie réintègrera leur corps ».

La filiation de la doctrine de la résurrection est d'autant plus apparente qu'avec elle le mazdéisme a légué au judaïsme, qui les a passées au christianisme, les doctrines concomitantes de rédempteur et de jugement final.

Aucune religion, en dehors des trois que nous indiquons ci-dessus, n'a rassemblé ces notions jumelles. Nous allons voir, en ce qui concerne le peuple de Moïse, comment l'idée de la résurrection organique y prit corps.

CONCEPTION ISRAÉLITE

L'attente de la résurrection paraît naturelle chez les Hébreux, qui n'avaient, pour ainsi dire, aucune notion de l'âme et ne s'intéressaient qu'à leur avenir temporel. Ainsi qu'il a été expliqué précédemment, les Israélites croyaient si peu à la possibilité d'une existence sans le corps qu'en attendant la résurrection de celui-ci, à la fin des temps, ils mettaient ce qui restait de leurs morts, bons ou mauvais, dans une sorte de « chambre obscure » qu'ils appelaient le *Chéol*. Pour eux, la vie posthume ne valait donc d'être vécue qu'à partir de la venue du Messie et de la résurrection.

Cette indifférence des Hébreux à l'égard de leurs défunts, jetés dans la fosse de l'oubli dès qu'ils n'étaient plus en état de vivre d'une vie corporelle, s'autorise de l'indifférence non moins grande que le Dieu de la Bible manifestait à l'endroit des Hébreux morts.

Le « Peuple de Jéhovah » était, avant tout, un peuple vivant que ses conducteurs menaient au moyen de récompenses tangibles et de châtiments matériels.

Comme on l'a fait observer souvent, Jéhovah n'avait d'intérêt que pour la nation et non pour l'individu, car la nation seule pouvait imposer aux autres nations adoratrices d'idoles le culte d'un Dieu Jaloux.

Il n'y avait donc pour les Hébreux qu'une sorte de vie admissible : celle qu'on vivait avec son corps. De même, la vie future, privée de corps, n'avait pas de sens. C'est pourquoi ils n'espéraient véritablement revivre qu'au moyen de corps organiques.

Le christianisme naissant, encore tout imprégné de judaïsme, recueillit en partie cette notion qui, par la suite, devait s'infiltrer dans la religion de Mahomet. On sait que ce dernier a puisé une partie de ses conceptions dans la Bible et dans l'Evangile.

LA CROYANCE JUIVE
ET L'ENSEIGNEMENT DE JÉSUS

Lors du ministère de Jésus, la croyance en la résurrection était fort répandue en Palestine, surtout après qu'elle eût été érigée en une sorte de dogme par les Pharisiens. Surtout les Juifs du Ier siècle en étaient imprégnés, au point qu'on discutait ouvertement des conditions de cette renaissance, que certains disaient s'opérer à partir de l'os dit *sacrum*. Les avis étaient naturellement partagés ; le vulgaire envisageait le retour pur et simple d'un corps semblable au corps dispersé, c'est-à-dire qui permît l'usage habituel des membres et les sensations grossières ; les docteurs, au contraire, imaginaient un corps plus subtil.

Le Christ et ses apôtres (on l'oublie trop aisément) étaient des Juifs de ce même siècle, imbus les uns et les autres des idées admises et qui passaient pour « article de foi ». Jésus fait sans cesse allusion à la Loi, aux Ecritures. Comment aurait-il pu se faire entendre de ses compatriotes et coreligionnaires s'il n'avait parlé cette langue-là ?

Tout le monde n'était cependant pas d'accord sur le principe même de la résurrection générale, que les Sadducéens niaient ou qu'ils représentaient sous une forme grossière.

Lorsque ceux-ci posent à Jésus la question perfide : « Maître, il y avait parmi nous sept frères. Le premier se « maria et mourut ; et, comme il n'avait pas d'enfants, il « laissa sa femme à son frère. Il en fut de même du second, « puis du troisième jusqu'au septième. Après eux tous, la « femme mourut aussi. A la résurrection, duquel des sept « sera-t-elle donc la femme ?

Jésus leur répondit aussitôt :

« Vous êtes dans l'erreur, parce que vous ne comprenez

« ni les Ecritures, ni la puissance de Dieu. Car, à la résur-
« rection, les hommes ne prendront point de femme, ni les
« femmes de maris, mais ils seront comme les anges de Dieu
« dans le ciel. »

JÉSUS LE RESSUSCITÉ

Le thème de la résurrection était donc traditionnel et le christianisme le retrouvait jusque dans la foi égyptienne, basée en grande partie sur la résurrection du corps d'Osiris.

Mais tandis que, pour toutes les religions à Sauveur, la résurrection constituait un simple mythe, la vie même et la mort du Christ devaient imprimer un autre relief au réveil chrétien du corps.

Jésus n'est pas le Dieu mort. Il est le Dieu ressuscité. Et le témoignage de cette résurrection ne s'appuie plus sur une fable ou une allégorie, mais forme la conclusion biographique des quatre évangiles, avec l'authentification des apôtres et des saintes femmes comme témoins.

La pierre du tombeau est renversée, puis Jésus lui-même apparaît à ses disciples.

Dès lors, Jésus est le « préfigurateur » de la résurrection générale. Dès le IIᵉ siècle, le Credo Apostolique mentionne expressément « *carnis resurrectio* ». Aussi l'enseignement chrétien, contrairement à son processus d'évolution pour les autres dogmes, ne varie-t-il jamais en pareille matière jusqu'aux siècles contemporains.

LA RÉSURRECTION CHRÉTIENNE

Le principe de la résurrection du corps étant sauf, les théologiens se sont exercés à en définir la nature. Le corps ressuscité sera-t-il semblable à l'ancien ? Oui et non.

Les uns tiennent que, non seulement le corps de chair sera ressuscité, mais encore qu'il contiendra les mêmes éléments que lors de sa première vie, fût-il digéré par les fauves ou dissous par les flammes du bûcher. Les autres ne voient pas d'inconvénient à ce que le *nouveau* corps comprenne de *nouveaux* atomes, pourvu que la forme ancienne soit respectée et aussi le comportement. Cette opinion s'appuie sur le fait scientifique que, de son vivant, le corps se renouvelle maintes fois par échange de ses cellules et que le corps du vieillard n'a physiquement plus rien du corps de l'enfant. En outre, le bossu doit-il rester bossu et l'aveugle renaître aveugle ? On pourvoit à cette injustice en ouvrant les yeux de celui-ci et en redressant celui-là. D'autres enfin admettent un corps éthéré (théologiquement corps glorieux) non soumis à la pesanteur ni à la maladie, sorte de fantôme apparent, compatible avec la vie de l'esprit.

Dès l'origine, cependant, le débat est orienté par la déclaration de saint Paul dans la première lettre aux Corinthiens :

« Mais quelqu'un dira : Comment les morts ressuscitent-
« ils et avec quel corps reviennent-ils ? Insensé ! Ce que tu
« sèmes ne reprend point vie, s'il ne meurt. Et ce que tu
« sèmes, ce n'est pas le corps qui naîtra ; c'est un simple
« grain, de blé peut-être, ou de quelque autre semence ; puis
« Dieu lui donne un corps comme il lui plaît, et à chaque
« semence il donne un corps qui lui est propre.

« Ainsi en est-il de la résurrection des morts. Le corps est
« semé corruptible, il ressuscite incorruptible ; il est né
« méprisable, il ressuscite glorieux ; il est semé infirme, il
« ressuscite plein de force ; il est semé corps animal, il res-
« suscite corps spirituel...

« Ce que je dis... c'est que la chair et le sang ne peuvent
« hériter le royaume de Dieu, et que la corruption n'hérite
« pas l'incorruptibilité.

« Voici, je vous dis, un mystère : nous ne mourrons pas
« tous, mais tous nous serons changés, en un instant, en un
« clin d'œil, à la dernière trompette. La trompette sonnera
« et les morts ressusciteront incorruptibles, et nous, nous
« serons changés. Car il faut que ce corps corruptible revête

« l'incorruptibilité, et que ce corps mortel revête l'immor-
« talité. »

Ce passage célèbre de l'apôtre sert de base première aux
« résurrecteurs » les plus modernes. Quand il stipule que
« la chair et le sang ne peuvent hériter le royaume de Dieu »,
il est en opposition littérale avec le Credo, qui vise « la
« résurrection de la chair ».

CORPS COMPLET OU CORPS SUBTIL

Mais que pensent les divers auteurs sur ce point spécial ?

Le néo-platonicien Tatien dit « Le souverain Dieu resti-
« tuera en son état primitif, quand il lui plaira, la substance
« qui est visible pour Lui seul » ; Athénagore : « Dieu réu-
« nira les éléments des corps décomposés » ; Tertullien : « La
« chair.. ressuscitera elle-même... elle-toute et intacte... non
« pas une autre chair quoique ayant assumé une autre appa-
« rence » ; Saint Grégoire de Nysse : « ... le corps qui de
« nouveau englobera l'âme sera le même corps qu'aupara-
« vant, composé des mêmes atomes... Cette enveloppe cor-
« porelle... tissée de nouveau avec les mêmes fils, non évi-
« demment pour former cet organisme d'un tissu grossier
« et lourd, mais pour composer par une juxtaposition
« nouvelle quelque chose de plus subtil et de plus éthéré... » ;
Saint Hilaire de Poitiers : « ... Le corps que (Dieu) élèvera
« ne sera pas un autre corps, mais le même, élevé à d'autres
« conditions », etc.

Des opinions extrêmes se font jour : de vulgaires comme
celle de saint Jérôme qui opte en faveur d'une résurrection
littérale, avec chair, membres, os, sang et même avec
diversité du sexe ; de nobles, comme celle d'Origène, qui
admet la « transmutation » du corps animal en corps spirituel.

Une fois de plus, ce dernier auteur voit de haut et son
opinion se raccorde aussi bien à celle de saint Paul du premier siècle qu'à celle des théologiens les plus libéraux du

XXᵉ. Il substitue, en effet, la notion de qualité à celle de quantité.

Saint Augustin fait le point et concilie, dans une certaine mesure, les deux tendances : « L'âme, écrit-il, ne peut exister « absolument séparée d'une espèce quelconque de corps ; « parce que exister sans corps appartient à Dieu seul », ce qui revient à conférer un corps, fût-il éthéré, aux plus purs des anges.

Sur cette condition, qui cadre parfaitement avec le *Ka* des Egyptiens entre autres, le périsprit des spirites et les corps supérieurs des théosophes, il dit expressément ce que voici : « Jamais la matière terrestre dont se compose le corps mortel « de l'homme ne périt ; mais quoiqu'il puisse être réduit « en poudre ou dissous en vapeurs ou exhalaisons... ou trans-« formé en la substance d'autres corps, ou dispersé dans les « éléments, quoiqu'il puisse devenir aliment pour des « animaux ou des hommes et changé en leur chair[1], un « moment vient où il retourne à cette âme humaine qu'il « anima d'abord. »

RÉSURRECTION AVEC OU SANS SEXE

Lui aussi croit à la distinction du sexe, ce qui est peut-être légitime, bien que, d'après lui, ce sexe « ne doive plus « servir aux anciens usages, parce qu'il est adapté désormais « à ceux d'une nouvelle beauté ». Le grand théologien ne craint pas d'ajouter que le corps ressuscité pourra manger une nourriture matérielle, bien que naturellement libéré de l'obligation de se nourrir.

Et comme la question s'est posée de définir sous quelle apparence le corps renaîtrait, celui d'un homme normal ayant évolué, en son vivant, de l'extrême fraîcheur à l'extrême flétrissure, saint Augustin précise que les ressus-

---

1. Ce qui rend la récupération humainement (sinon divinement) impossible en cas d'anthropophagies successives.

cités seront jeunes et que, par la transformation de la chair et du sang, ils deviendront « corps célestes et angéliques... « corps et non pas âmes... corps spirituels, quoiqu'ils soient « corps et non pas esprit. »

Les théologiens des âges suivants, saint Thomas d'Aquin compris, ne changeront rien à l'interprétation augustinienne et s'emploieront seulement, par un rapprochement avec la conception du peuple, à préciser que la résurrection portera également sur les entrailles, les ongles et les cheveux. Toutefois, la reconstitution intégrale des corps ne comportera le besoin ni d'engendrer, ni de dormir, ni de manger, ni de boire. Le nouveau corps incorruptible et immortel sera doué, à la fois, de *légèreté et d'ubiquité*. Autrement dit, le « corps de gloire » se transportera instantanément où il voudra.

L'AME PEUT-ELLE SE PASSER DU CORPS ?

Quant à la manière dont cette transformation aura lieu, tous les docteurs se rallient à saint Augustin quand il dit : « Nous ne pouvons que la conjecturer timidement, mais nous « la comprendrons quand nous en serons témoins. »

Les protestants de vieille souche et les orthodoxes grecs n'ont pas adopté des vues différentes. Leurs déclarations officielles se bornent à confirmer les dires énoncés plus haut.

Les non-chrétiens ne se sont pas laissé persuader aussi aisément et l'argument de Tertullien suivant lequel Dieu peut refaire ce qu'il a fait est sans poids dans l'esprit moderne.

Aussi a-t-on imaginé diverses réponses aux objecteurs de la résurrection... Le corps, dit-on, a participé au vice et à la vertu. Il est donc juste qu'on l'associe à la peine ou à la récompense. Mais cette réponse n'a que la valeur d'un sophisme, car la punition n'atteint jamais (fût-ce à travers le corps) que le principe conscient. Non seulement malheur ou bonheur peuvent être procurés à l'esprit en l'absence du corps, mais encore il est infiniment vraisemblable que, sans le corps, récompense ou châtiment sont d'intensité décuple ou centuple. Au surplus, et pour prendre un exemple objectif, le changement de veston et de chapeau n'empêche pas les juges terrestres de condamner un criminel sous une autre apparence que celle sous laquelle le crime fut commis.

Autrement forte est l'autre réponse, avec ses prolongements philosophiques. L'homme complet, dit-on, est à la fois corps et âme. C'est un assemblage, un composé. Susciter l'âme sans ressusciter le corps serait un déni à la création divine. Si l'âme continuait à exister seule après la mort du corps, l'homme ne serait plus un homme, mais un être différent. Ou encore : l'âme non unie au corps représente une vie imparfaite, car le corps est fait pour l'existence en commun avec l'âme et l'âme pour l'existence en commun avec le corps.

Cette opinion n'est pas uniquement un argument chrétien ; elle constitue d'abord un argument judaïque. L'abbé Favre d'Envieu l'a souligné dans son ouvrage sur le Livre de Daniel (éditions Thorin) :

« La croyance juive à un état d'affaiblissement propre aux
« âmes des morts implique une vraie connaissance de l'âme
« humaine. Séparée de son corps, cette âme peut, par l'intel-
« ligence, vivre et se mouvoir dans la vérité... Mais... quoique
« d'une nature immatérielle, elle n'est pas faite pour être
« tout à fait dégagée de la matière ; elle n'est pas constituée
« pour vivre à l'état d'un pur esprit. Il est de son essence
« d'être unie à un corps. La sensitivité (au moyen de laquelle
« elle fait fonctionner les cinq sens corporels) est essentielle
« à l'âme humaine. D'un autre côté, il est nécessaire que
« cette faculté soit toujours en acte... Or, elle ne peut être
« en acte qu'en saisissant un corps qui lui soit intimement
« uni. La nature de l'âme humaine l'exige et c'est même là
« une des raisons qui appuient la croyance à la résurrection
« des corps... Dans le *chéol*, les âmes des morts, dépourvues
« de leur corps, ne pouvaient donc avoir le plein exercice
« de leurs facultés vitales, sensitives et intellectuelles. Ces

« âmes ne possédaient que tout juste ce qui leur était
« absolument nécessaire pour se maintenir en possession de
« leurs actes essentiels. Le cadavre peut se décomposer dans
« le cercueil, *l'âme en a emporté et en détient quelques éléments*
« qui sont comme les pierres d'attente de tout l'édifice. Les
« Anciens n'ont donc pas erré en pensant *qu'une partie subtile*
« *du corps reste unie à l'âme humaine.* Ce n'est pas sans raison
« non plus qu'ils se sont représenté ce corps (ou survivance
« de corps) comme une *ombre* chez les Romains, comme une
« *image* chez les Grecs... C'est cette ombre que les Egyptiens
« appelaient *Ka,* un double, un second exemplaire du corps
« composé d'une matière moins matérielle. Mais ils avaient
« le tort de donner la vie à ce "double" et de l'unir au
« cadavre. Ils supposaient, en effet, que la momie et le double
« restaient dans le tombeau, tandis que l'âme allait... dans
« l'*Ament.* »

CONCORDANCE DE LA THÉOLOGIE
ET DE L'OCCULTISME

On ne saurait mieux dire que ce professeur de Sorbonne
du XIXe siècle. Et sa thèse est à rapprocher, en un point,
de celle du commentateur du Bardo tibétain. Celui-ci estime
possible, en effet, que les éléments inférieurs du défunt soient
séparés des éléments supérieurs et servent à l'incarnation
dans des corps animaux, sous-humains ou dans des plantes,
puis, au bout d'une période atteignant jusqu'à trois mille
années, soient recueillis intégralement par l'âme qui s'en
construit un corps identique à son précédent corps humain.

Les dires du théologien Fabre d'Envieu ne concordent pas
moins, et à son insu, avec la conception des doubles spirite
et théosophique, mais l'exégète de Daniel n'en a que plus
de mérite à souligner l'erreur fondamentale du concept
égyptien.

En dépit de toute leur science occulte — et probablement
à cause d'elle — les Egyptiens, nous l'avons indiqué, étaient

hantés par la magie et n'avaient pas atteint la pure spiritualité. La preuve, c'est qu'ils s'acharnaient à conserver le cadavre par l'embaumement et à tenir le *Ka* rivé au cadavre, contrairement aux lois normales du dégagement. En faisant de la momie le support du *Ka*, les prêtres cherchaient à la fois à la protéger du vampirisme[1] et à déclencher des phénomènes ultra-physiques capables de subjuguer les dieux. C'était voir le problème par le petit bout et se fermer la porte des hautes réalisations spirituelles. Malgré les interprétations les plus lyriques, le rituel secret de l'Egypte n'est qu'une longue incantation.

LE « COMPOSÉ HUMAIN »

Mais revenons à l'opinion chrétienne de la résurrection des morts et, plus spécialement, à l'explication catholique. Celle-ci a été renouvelée, avec l'appui d'une formation scientifique, par un prêtre astronome du XXᵉ siècle, M. l'abbé Moreux. Le livre de ce savant : *Que deviendrons-nous après la mort ?* apporte d'abord une déception aux lecteurs des douze premiers chapitres, en ce sens qu'à travers des considérations pertinentes et fréquemment ingénieuses, il n'aborde aucun des problèmes véritables de l'après-mort. Seuls, les deux derniers chapitres offrent un intérêt qui, on en jugera, n'est pas mince, bien qu'ils n'aient trait qu'à la résurrection du corps.

« Non seulement, écrit l'auteur, ce corps qui nous a appar-
« tenu, qui a fait partie du moi, sera de nouveau *informé*
« par notre âme, mais ce qui constitue notre matière spéciale,
« celle qui est à nous en propre et non à notre frère ou à
« notre voisin, nous appartiendra encore et viendra, par la
« toute-puissance de Dieu, se remettre sous la domination
« de notre âme...
« L'homme... n'est pas une intelligence servie par des

---

1. Ou utilisation du corps sans âme par des éléments dépravés.

« organes, ce n'est pas davantage un pur esprit rivé momen-
« tanément à des éléments matériels ; la fusion est plus
« complète : il y a union substantielle entre notre âme et
« la matière qu'elle actualise, en un mot, pour nous servir
« de l'expression des philosophes, l'homme tout entier, c'est
« le "composé humain".

« La scission imposée par la mort n'est donc pas normale,
« elle n'a jamais été voulue par Dieu et, seule, la faute du
« premier homme a dérangé le plan divin. »

LE CORPS GLORIEUX DU CHRIST

Avant le Christ, on n'avait enregistré que des « ressusci-
tations » mystiques, mais non des résurrections formelles.

La mort du Christ au Calvaire et sa sortie du tombeau
constituent le plus authentique exemple du Ressuscité. Selon
la parole de l'apôtre Paul aux Corinthiens : « Il est apparu
à plus de cinq cents frères à la fois, dont la plupart sont
vivants... »

Rarement témoignage fut porté par tant de bouches humaines. Et ceux qui attestaient le Christ étaient parmi les plus
honnêtes et les plus purs.

Or, quels sont les détails de cette résurrection ? Sous quelle
apparence d'outre-tombe Jésus s'offre-t-il aux sens et à l'intelligence des hommes ?

Les Evangiles de saint Luc et de saint Jean nous propo-
sent leurs deux réponses, d'autant plus significatives qu'elles
se complètent mutuellement. Marie de Magdala ayant trouvé
le sépulcre vide, « se retourna et elle vit Jésus debout ; *mais*
« *elle ne savait pas que c'était Jésus.* Jésus lui dit : "Femme,
« pourquoi pleures-tu ? Qui cherches-tu ?" Elle, *pensant que*
« *c'était le jardinier,* lui dit : "Seigneur, si c'est toi qui l'as
« emporté, dis-moi où tu l'as mis et je le prendrai." Jésus
« lui dit : "Marie !" Elle se retourna, et lui dit en hébreu :
"Rabbouni ! c'est-à-dire Maître !" Jésus lui dit : "*Ne me*
« *touchez pas, car je ne suis pas encore monté vers mon Père.*

« Mais va trouver mes frères et dis-leur que *je monte vers*
« *mon Père et votre Père*, vers mon Dieu et votre Dieu...”

« Ce même jour, deux disciples allaient vers un village
« nommé Emmaüs... Pendant qu'ils parlaient, Jésus s'appro-
« cha et fit route avec eux. *Mais leurs yeux étaient empêchés*
« *de le reconnaître.*

« Jésus leur parle et ils lui répondent comme à un étranger.

« Lorsqu'ils furent près du village où ils allaient, il parut
« vouloir aller plus loin. Mais ils le pressèrent, en disant :
« Reste avec nous... Et il entra pour rester avec eux ; *il prit*
« *le pain* ; et, après avoir rendu grâce, *il le rompit et le leur*
« *donna. Alors leurs yeux s'ouvrirent et ils le reconnurent : mais*
« *il disparut devant eux.* »

Les deux disciples reviennent à Jérusalem et racontent
l'apparition du Seigneur aux onze assemblés dans une salle.

« Le soir de ce même jour, *les portes du lieu* où se trouvaient
« les disciples *étant fermées*, à cause de la crainte qu'ils avaient
« des juifs, Jésus lui-même *se présenta au milieu d'eux* et leur
« dit : “La Paix soit avec vous !” Saisis de frayeur et d'épou-
« vante, *ils croyaient voir un esprit.* Mais il leur dit : “*Voyez*
« *mes mains et mes pieds, c'est bien moi ; touchez-moi, et*
« *voyez : un esprit n'a ni chair ni os, comme vous voyez que*
« *j'ai...*” Comme, dans leur joie, ils ne croyaient pas encore
« et qu'ils étaient dans l'étonnement, il leur dit : “Avez-vous
« ici *quelque chose à manger ?*” Ils lui présentèrent du poisson
« rôti et un rayon de miel. *Il en prit et il mangea devant eux.* »

Thomas Didyme, absent, n'ayant pas cru le récit des onze,
trouve de nouveau son Maître :

« Huit jours après... Jésus vint, les portes étant fermées,
« se présenta au milieu d'eux et dit... à Thomas : “*Avance*
« *ici ton doigt et regarde mes mains ; avance aussi ta main et*
« *mets-la dans mon côté...*” »

Ensuite... « Il les conduisit jusque vers Béthanie, et, ayant
« levé les mains, il les bénit. *Pendant qu'il les bénissait, il*
« *se sépara d'eux et fut enlevé au ciel.* »

Il n'est pas possible de séparer les diverses particularités
du texte évangélique. Toutes concourent à l'édification d'une

notion précise de l'apparence comme de la réalité d'après-mort.

Jésus ressuscité est à la fois visible et tangible. Toutefois, on ne le reconnaît point d'abord et sa vue ne suffit pas à l'identifier près de ses familiers. Donc, il est différent en restant le même. Il peut manger, se faire toucher, parler. Cela ne l'empêche pas de passer à travers les portes fermées et de disparaître instantanément. Selon sa propre déclaration, il a une chair, des os, des membres, des possibilités digestives, et cependant il y a en lui quelque chose qui cause de l'étonnement et de la frayeur. En un mot, les disciples sentent l'inhabituel auquel ils ne sont pas accoutumés. L'apparition du Christ ne les réjouit pas seulement, elle les trouble, comme le défi aux lois naturelles des manifestations spirites, avec quoi les métapsychistes modernes sont familiarisés.

Donc Jésus apparaît « à cheval » sur deux plans, ce qui est bien plus étonnant que sur deux mondes. Il reste d'abord dans un état intermédiaire, alors que « *n'étant pas encore monté* » chez « son Père », il ne peut être « touché ».

Voilà pourquoi l'Eglise catholique reste obstinément sur ses positions en ce qui touche la résurrection future. Beaucoup de protestants, moins attachés à la lettre, interprètent à cet égard, de plus en plus largement, les Ecrits Saints. Quant au judaïsme réformé, tel qu'il existe en Amérique, par exemple, la résurrection des corps lui semble devoir être écartée de la thèse d'immortalité.

CHAPITRE X

LE MONDE DES « ESPRITS »
CHEZ LES SPIRITES

Alors que les autres mouvements religieux ou philosophiques n'assoient leur conviction de l'au-delà que sur la révélation, la tradition, l'intuition, c'est-à-dire sur des bases subjectives, les spirites invoquent à l'appui de leur croyance un ensemble imposant de témoignages objectifs.

Le spiritisme est double, en effet, et s'attache sous deux aspects au problème de l'être et de la destinée : 1°) par sa doctrine ; 2°) par son expérimentation.

C'est généralement sous cette dernière forme que le public se représente le spiritisme, avec tout son appareil de médiums et de manifestations. Pourtant, cette partie objective du spiritisme n'est pas le but, mais le moyen. Elle constitue, en quelque sorte, l'exotérisme de la religion nouvelle, par opposition à l'initiation des mystères antiques où l'ésotérisme (enseignement caché) reposait en partie sur l'évocation des morts.

GRANDEUR ET MISÈRE DU SPIRITISME

Le spiritisme est du mystère désocculté et mis à la portée de tout le monde. Il en résulte quelques avantages et beaucoup d'inconvénients. Chez les Anciens, n'étaient admis à certaines initiations que les esprits évolués, d'une haute moralité et d'une sagesse affirmée. Aujourd'hui, n'importe quel homme, vicieux ou vulgaire, a la faculté de s'ébrouer dans l'astral. D'où le danger et le discrédit d'une force livrée aux indignes, alors qu'elle devrait être le monopole des intelligents et des purs.

La doctrine, basée sur l'expérimentation, déborde celle-ci de toute manière.

Etant donné la vulgarité et l'ineptie de la plupart des communications médianimiques, on eût pu craindre que la conception spirite de l'après-mort ne s'en ressentît. Il faut croire que de hautes interventions ont annihilé les possibilités des mauvaises, puisque la doctrine spirite est essentiellement basée sur l'amour de Dieu et du prochain. En somme, elle ressemble, dans sa forme la plus élevée, au christianisme primitif, avant que celui-ci ne fût entravé par les dogmes, et l'absence de hiérarchie laisse à chacun, comme au fidèle du premier siècle, sa faculté d'interprétation.

Sous le bénéfice de ces observations, il convient de remarquer que le mouvement spirite n'eût pas été possible ni viable, si ses animateurs se s'étaient basés sur ce qu'ils appellent l'enseignement des « esprits ».

On peut contester la légitimité de l'évocation des morts, que prohibait la Bible judaïque, déplorer l'intervention du vulgaire dans les terres réservées de « l'Astral », réprouver même l'expérimentation spirite, en raison des dangers multiples qu'elle présente pour la plupart des âmes, mais il est difficile aujourd'hui de refuser à certaines « entités » communicantes la qualité de « désincarnés ».

Beaucoup de soi-disant « esprits » des morts ne sont, sans doute, que des extériorisations du médium, ou des assistants, ou de tiers inconnus encore vivants, ou d'on ne sait quelle conscience collective. Par contre, telles manifestations, entourées du plus grand sérieux et soumises à un strict contrôle, paraissent bien ne pouvoir émaner que de défunts.

Les spirites avertis écartent les « instructeurs » à nom éclatant, de Moïse à Napoléon, en passant par Jésus, Jeanne d'Arc et Lacordaire, dont les communications médiocres authentifieraient la déchéance intellectuelle que les Juifs conféraient aux hôtes du Chéol. D'autres interventions plus modestes révèlent, par contre, des particularités de « l'autre monde » et c'est de leur comparaison que l'eschatologie spirite tire son interprétation de la vie post-mortem.

LE « TROUBLE » DES DÉSINCARNÉS

Nous ne saurions mieux faire que de livrer à nos lecteurs une des descriptions les plus conformes à la moyenne des communications spirites et qui serait due précisément à un « esprit » manifesté sous le nom du Père Henri[1].

« ... l'instant suprême, que chacun redoute en son for « intérieur, c'est-à-dire le moment où l'âme glisse dans le « gouffre, n'est jamais accompagné d'une sensation pénible ; « et ceci envers et contre toutes les apparences... ; l'âme, « faiblement reliée à la forme physique durant la maladie, « est, de suite, indépendante. Ce déclic rapide de la sépara-« tion se produit donc sans heurt ; cependant, cela ne signifie « pas que la connaissance de ce qui se passe autour de vous « soit immédiate ; en général, il y a un moment de surprise, « où l'on réalise mal ce qui vient de se passer ! Les pleurs, « le chagrin de ceux qui vous entourent ne peuvent rien vous « apprendre, parce qu'ils ne sont pas perçus.

« La sagesse prévoyante... permet alors que s'interposent, « entre ceux que nous laissons et notre nouvelle forme, les « êtres de l'Au-delà, qui guettent notre arrivée et qui créent

---

1. *Nos devenirs*, par le Père Henri (Oliven, édit.).

« de suite cette atmosphère de paix et de sécurité destinée
« à nous faire comprendre qu'il y a quelque chose de tota-
« lement changé en nous et autour de nous.

« C'est... aux infirmiers de l'Au-delà... qu'incombe la tâche
« d'entourer les nouveaux arrivés et de leur faire franchir...
« la région désignée par les occultistes sous le nom d'*Astral.*
« Cet Astral a une assez sinistre réputation chez ces mêmes
« occultistes. Selon eux, les nouveaux désincarnés ne peu-
« vent éviter ni la sensation du froid en traversant cette
« région, ni la vue de toutes les formes de vie, qui sont ici
« à l'état d'ébauche : larves innombrables, êtres rampants,
« volants, monde grouillant — parfaitement inoffensif —
« mais dont la rencontre serait évidemment pénible...[1] Mais
« heureusement, l'engourdissement appelé "trouble"[2]
« commence aussi son œuvre.

« Cet engourdissement... n'est pas toujours total ; le désir
« impérieux de savoir, de reconnaître où l'on est, crée des
« demi-réveils, des demi-souvenirs. Rien de précis ne se fait
« jour, mais l'on sent bien quand même qu'une vie nouvelle
« vous enserre, vie que l'on ne comprend ni ne définit, mais
« qui diffère entièrement de celle que l'on vient de quitter.
« Et, à vouloir sonder *maladroitement* ce mystère, un peu
« de lassitude nous vient et c'est alors que, raisonnablement,
« on se laisse aller au sommeil...

« La longueur de la phase de repos est variable selon les
« cas. Il y a des sommeils qui peuvent durer des mois, voire
« même des années ; d'autres, au contraire, qui n'emprun-
« tent au temps que quelques jours... Le cas le plus fréquent
« en ce siècle est la période correspondant à trois mois
« de notre calendrier. C'est, en général, le laps de temps assi-
« gné à tous ceux qui ont vécu intensément, beaucoup
« souffert et travaillé...

« Chez les êtres très avertis des questions spirituelles, la
« période de sommeil est courte et ce sommeil n'arrive pas

---

1. A rapprocher de l'état du Bardo.
2. Certains spirites nomment cet état le « gris ».

« à être assez suivi pour que l'on perde la notion de l'état
« dans lequel on se trouve...
    « Et le temps s'écoule ainsi sans souffrance, sans inquié-
« tude. Pour la plupart, cela ressemble à un profond
« sommeil ; pour d'autres, à un état demi-conscient et, pour
« tous ceux qui ne sont hantés ni par le remords, ni par les
« regrets, c'est toujours un état bienfaisant.

LE RÉVEIL

    « Puis, tout à coup, le réveil dans la mémoire fidèle de
« ce que l'on a laissé et la compréhension de ce que l'on
« va trouver. Alors, sans transition, survient la sensation
« d'allègement absolu, de libération complète... Le corps a
« vraiment cessé ses méfaits ; son règne tyrannique est
« terminé et cette chose impossible à comprendre pendant
« l'incarnation (la vie sans corps) est devenue une réalité.
« On veut alors éprouver jusqu'à quel point tout cela est
« vrai, si ce n'est pas un mirage. Timidement, on s'essaye
« aux premiers pas dans le nouveau domaine. Imman-
« quablement, un vertige guette vos débuts. Cette immen-
« sité lumineuse, où il n'y a ni sol, ni haut, ni bas, ni
« milieu, déconcerte et c'est à peine si l'on ose s'y aven-
« turer.
    « A ce moment, des bras fluidiques complaisants s'offrent
« à vous. Des courants équilibrants remettent votre forme
« dans l'axe voulu et, la hardiesse venant, on s'élance enfin
« à travers les espaces... Cette joie de la délivrance étourdit
« bien un peu... mais voici des visages connus, aimés, (qui)
« se groupent autour de vous et cette douceur-là est encore
« supérieure aux autres... »
    Tel est le tableau habituel que nous présente le spiritisme
des conditions de l'Après-mort pour l'homme moyen. On
conviendra qu'il ne diffère pas sensiblement de celui qui
nous est offert par les initiations antiques et les tendances
les plus libérales de nos vieilles religions.

Tout autre est le sort du criminel et du jouisseur endurci dont l'état de gris ou de trouble est infiniment pénible et qui se trouve confronté, comme le pèlerin du Bardo, avec les horreurs de l'Astral. Une succession de cauchemars s'offrent à eux et leurs fautes les attachent à la terre où ils veulent éperdument revenir.

Ces errants ne se résignent pas à la perte de leur corps. Ils tournent longtemps autour de leur propre cadavre, puis, lorsque celui-ci s'effrite dans la tombe, ils recherchent, dans les mauvais lieux ou à proximité de leurs anciennes habitudes, le moyen de retrouver leurs grossières et redoutables sensations. De là cette obstination à se réincarner dans un organisme privé de contrôle, tel que celui d'un dément, d'un ivrogne, d'un débile mental. De là aussi leur acharnement à tourbillonner autour des médiums en transe dans l'espoir de se manifester au moyen d'eux.

LE PÉRISPRIT

Cette vie à mi-chemin du corps et de l'esprit pur serait d'ailleurs impossible sans la division de l'homme qu'enseignent les spirites.

Selon eux, l'être humain est composé de trois éléments dont les deux extrêmes, corps et esprit, sont unis par un élément intermédiaire appelé le *périsprit*.

« Le périsprit, ou corps fluidique, tient à la fois de l'âme
« et du corps, de l'esprit et de la chair et les soude, en
« quelque sorte, l'un à l'autre. Le mot lui-même veut dire
« qui est autour de l'esprit. De même que le fruit est entouré
« d'une enveloppe très mince, appelée périsperme, l'esprit
« est environné de ce corps subtil. Le périsprit unit la
« chair à l'esprit en les pénétrant et en leur permettant
« une pénétration réciproque. Il communique avec l'âme
« par des courants magnétiques et avec le corps par le moyen
« du fluide vital et du système nerveux, qui lui sert, en
« quelque sorte, de transmetteur. L'âme ne se sépare point

« du périsprit quand elle se sépare du corps ; car le
« périsprit précède la vie présente et survit à la mort. C'est
« lui qui permet aux esprits désincarnés de se matérialiser,
« c'est-à-dire d'apparaître aux vivants, de leur parler, comme
« cela arrive parfois dans les réunions spirites. Car le
« périsprit est un organisme fluidique complet, c'est le vrai
« corps, la véritable forme humaine, celle qui ne change pas
« dans son essence. Notre corps matériel se renouvelle à
« chaque instant, ses atomes se succèdent et se reforment ;
« notre visage se transforme avec l'âge ; le corps fluidique,
« lui, ne se modifie pas matériellement ; il est notre vraie
« physionomie spirituelle, le principe permanent de notre
« identité et de notre stabilité personnelle. Il a puisé sa subs-
« tance dans le fluide universel, c'est-à-dire dans la force
« primordiale, éthérée ; chaque monde a son fluide spécial,
« chaque esprit a son fluide personnel, en harmonie avec celui
« du monde qu'il habite et son propre état d'avancement[1]. »

LES MONDES HABITÉS

Selon le même auteur, considéré comme l'apôtre du spiritisme français, il n'y a ni ciel ni enfer localisés, mais « ciel
« et enfer sont dans la conscience de chacun de nous ; toute
« âme porte en soi et avec soi sa joie ou sa peine, sa gloire
« ou sa misère, suivant ses mérites ou ses démérites. Il faut
« faire le bien et éviter le mal, non pas dans le but égoïste
« d'une récompense ni dans la crainte servile d'un châtiment,
« mais uniquement parce que c'est la loi de notre destinée et
« la condition nécessaire de notre avancement. »
Il existerait cinq sortes de mondes habités :
1) Les mondes rudimentaires ou inférieurs, séjour des
âmes nouvelles où la vie est primitive et correspond à celle
des anciens Inferi ;

---

1. Définition de Léon Denis dans *La Grande Enigme* (Leymarie,
éditeur).

2) Les mondes expiatoires, où le bien et le mal sont en lutte et parmi lesquels se trouve la Terre d'à-présent ;

3) Les mondes régénérateurs, où séjournent la Vérité et la Justice. Ce sera le lot des hommes de demain ;

4) Les mondes heureux, dans lesquels les esprits évolués goûtent déjà les bienfaits de l'amour et de l'harmonie ;

5) Les mondes divins, séjour des esprits élevés et purs.

Dieu est l'esprit créateur et incréé, Cause éternelle et ordonnatrice où converge tout ce qui est bon, noble et beau. C'est le « foyer éternel de lumière et d'amour auquel vien-« nent s'illuminer toutes les Intelligences ».

LA VIE DES « ESPRITS » DANS L'ESPACE

Si les esprits hauts vivent d'une vie uniquement éthérée, c'est-à-dire dégagée de toute matière inférieure, et occupent les plans supérieurs, les esprits grossiers demeurent enlisés dans leurs désirs matériels et ne peuvent sortir des sphères les plus basses tant qu'ils n'auront pas libéré leur périsprit de ses fluides épais.

Ce sont les plus obstinés de ces derniers qui, hantés par les appétits terrestres, rôdent constamment autour des hommes vivants qui leur ressemblent et provoquent les phénomènes d'obsession et de possession.

Ces esprits pervers correspondent aux démons chrétiens, aux asuras perses, aux génies orientaux, aux lutins et farfadets celtiques. Ce sont eux qui troublent les séances spirites par des manifestations triviales ou obscènes et qui se matérialisent dans les maisons hantées sous le nom d'esprits frappeurs.

Mais, en dehors des mauvais esprits, combien d'esprits inoffensifs et simplement attardés dans l'immense peuple invisible ! Et combien aussi de bons esprits ! Ceux-ci correspondent aux bons génies d'autrefois et aux anges gardiens du christianisme. Ces esprits-guides ou protecteurs jouent un très grand rôle dans la foi spirite et l'on considère que chaque vivant est accompagné et protégé par un ou plusieurs esprits avancés.

SENSATIONS DES « ESPRITS »

Nécessairement, l'interprétation spirite n'est pas toujours celle des meilleurs. Et la foule des spirites légers ou ignorants a tenté de revêtir la vie de l'Au-delà d'apparences formelles.

Certains auteurs ayant insisté sur la persistance des désirs et de l'imagination post-mortem, on en est venu à supposer que par le seul pouvoir de la pensée, les esprits élémentaires reconstituaient autour d'eux le décor de leur passé. Les propriétaires se reconstruisent des maisons, les buveurs se refont une cave, les hommes d'affaires impénitents regroupent leurs bureaux.

Ces vulgarités, que ne partage point l'immense majorité des spirites, sont pourtant basées sur divers travaux émanant de spiritualistes expérimentés.

On a vu que le périsprit est le corps intermédiaire que l'âme édifie à travers son ou ses existences[1]. Il est le fruit d'acquisitions innombrables. Il est, en quelque sorte, le support réel de l'homme impérissable et sert de base à toute son évolution.

Sa matière, si l'on peut dire, est une quintessence. La fréquence de ses vibrations est telle qu'elle dépasse en rapidité et en puissance celle de la lumière elle-même, si bien que le périsprit traverse aisément les corps opaques et se meut avec instantanéité.

Rien ne ressemble autant au « corps glorieux ou subtil » des théologiens chrétiens que le périsprit des spirites. Il est doué de la même nature, des mêmes propriétés, des mêmes possibilités. La seule différence est que le périsprit se super-

----

1. La réincarnation, comme il sera dit plus loin, n'est pas admise, en général, par les spirites américains.

pose au corps, dont il diffère absolument, bien qu'intimement lié à lui pendant la vie, et qu'à la mort physique il s'en sépare définitivement. Le « corps glorieux », au contraire, ne sera donné aux hommes qu'après la résurrection générale et le Jugement Dernier, en remplacement du corps organique. A cela près, rien qui ne soit identique dans l'être périsprital et l'être subtil.

C'est par le moyen du périsprit des défunts, uni à celui des médiums, que se réaliseraient les combinaisons cellulaires, grâce auxquelles moulages, écritures directes, formations ectoplasmiques et autres phénomènes de même ordre sont produits.

Il résulte d'expériences de dédoublement [1] effectuées sur des sujets endormis que le double extériorisé étant envoyé dans une chambre séparée de celle où reste le corps en transe, est capable de lire, d'entendre le tic-tac d'une montre, de sentir des odeurs, de percevoir le goût des aliments et de transmettre à distance les impressions de vue, d'ouïe, d'odorat, de goût au sujet. En cas d'hypnose profonde, celui-ci ressent les piqûres faites à son double éloigné de lui, alors qu'il ne ressent pas les piqûres faites à sa matière organique. Ceci démontrerait que la vie réelle se trouve, avec la sensibilité, dans le périsprit.

D'où la possibilité pour les défunts d'assurer encore certaines fonctions sensorielles, toutes choses en accord parfait avec ce qui a été lu plus haut touchant la vie *post-resurrectionem* de Jésus.

Disons, avant d'en terminer sur ce point, que, suivant les déclarations des esprits eux-mêmes, « la force humaine (dont « le périsprit est le support formel) est celle de tous les esprits « incarnés ou désincarnés vivant dans l'univers ».

Ceci correspond exactement aux récits des mythologies et de la Bible qui, avec ailes ou non, dotent les dieux et les anges d'un corps de formes semblables à celles du corps humain.

---

1. *Le Fantôme des vivants*, par H. Durville (Librairie du Magnétisme).

SPIRITISME SUPÉRIEUR

Nous n'avons pas à juger la thèse spirite en soi, ni les moyens expérimentaux sur lesquels elle s'appuie. Des savants illustres, comme William Crookes, Russel Wallace, Camille Flammarion, Charles Richet, les professeurs Hyslop, Myers, Hodgson, Lombroso, etc., en ont dit exactement ce qu'il faut.

Nous nous contenterons de faire remarquer que presque rien de l'après-mort spirite (réincarnation à part) n'est en contradiction ouverte avec l'enseignement des autres religions, bien que les terminologies soient différentes.

Comme dans le judaïsme, le catholicisme, le protestantisme, il existe dans le spiritisme, pourtant de fraîche date, une élite spirituelle qui a évolué.

D'après celle-ci, le périsprit lui-même n'alourdirait pas toujours l'esprit pur et le monde astral ne serait qu'une sorte de purgatoire d'où, par le détachement de ses personnalités provisoires, l'âme s'envolerait définitivement vers l'Absolu.

CHAPITRE XI

LE CORPS DE DÉSIR ET LE DEVACHAN DES THÉOSOPHES

La théosophie est considérée comme une sorte de néobouddhisme. Il est de fait qu'elle a emprunté une grande part de sa phraséologie au vocabulaire hindou. En même temps, elle adoptait, dans ses grandes lignes, la conception des vies successives.

Cela n'a pas été sans lui attirer l'adhésion de nombreux étudiants désireux de se pencher, à travers elle, sur les philosophies asiatiques, ni sans écarter d'elle ceux qui répugnent à une systématisation outrancière, fût-elle d'Extrême-Orient.

Mais la théosophie a puisé à d'autres sources occultes et le fait expérimental spirite n'a pas été sans influer sur son évolution. L'interprétation philosophique de l'après-mort représente un ensemble cohérent, de beaucoup le plus étudié et le plus poussé de tous ceux qui furent proposés à l'homme. C'est même cet excès de plans, ce luxe de détails et cette organisation intelligente qui mettent les chercheurs en garde après les avoir d'abord séduits.

Alors que la conception spirite est tout d'une pièce et se présente sous une forme élémentaire, avec ses trois éléments de l'homme, son trouble, son sommeil, puis son élévation vers les plans supérieurs, la conception des théosophes embrasse un vaste système du monde, dont l'organisation, en quelque sorte administrative, a tout prévu et tout réglé.

L'étude des plans, sous-plans, ordres, degrés, principes, types, véhicules est pratiquée avec le même formalisme minutieux que celle de la botanique par Linné.

Essayons donc de dégager de cette « intellectualisation » l'essentiel de la croyance théosophique. Elle en mérite la peine, car, du fait qu'elle est la plus récente, elle fait la part de tous les résultats acquis. Le principal mérite de cet enseignement n'est d'ailleurs pas d'avoir réuni, sous l'étiquette théosophique, une quantité énorme de connaissances, mais de les proposer aux chercheurs comme un point de départ, une base de libre discussion ou d'études et non comme un article de foi.

LA RUPTURE DU CORDON ÉTHÉRIQUE

L'homme enseigne la théosophie, participe des sept degrés de la matière physique.

Par son corps le plus bas, il appartient aux ordres solide, liquide et gazeux ; par son corps immédiatement supérieur aux ordres éthérique, super-éthérique, sous-atomique et atomique.

Nous verrons, par la suite, que l'homme théosophique possède, en sus, un corps astral (ou du désir), un corps mental (ou de l'intelligence), un corps causal (ou de l'idéation).

Le noyau immortel et définitif de toutes ces enveloppes est l'ego ou monade divine.

L'Ego des théosophes est l'âme essentielle, l'Individualité profonde de l'homme qui ne se manifeste jamais que partiellement dans la chair.

Que se passe-t-il donc au moment de la mort physique ?

Le double éthérique se retire définitivement du corps dense sous la forme, parfois visible, d'un halo violet. Celui-ci se condense en dehors du mourant sous forme de silhouette humaine et n'est plus relié au corps que par un fil brillant magnétique ; à l'instant de la mort réelle celui-ci se rompt.

Le retrait du double entraîne celui du courant vital et les cellules, privées de direction, quoique encore vivantes, sombrent aussitôt dans l'anarchie[1] et amorcent la désagrégation.

COMPORTEMENT DU DOUBLE

Une fois séparé du corps cellulaire, le double éthérique flotte ordinairement au-dessus de lui. Ce sont ses manifestations à ce stade qui donneraient lieu parfois aux apparitions de fantômes ou de spectres.

Durant que le double éthérique, à demi-conscient, se recueille et se repose, l'Ego individuel, au sommet de l'échelle de vie, passe en revue toute l'existence qui vient de s'écouler. De cet examen lucide se dégage une conclusion générale qui déterminera le sens et l'orientation de toute l'existence d'après-mort.

L'inconscience des enveloppes inférieures est de règle en ce moment. Certains morts se débarrassent en quelques heures du double éthérique, d'autres ne s'en libèrent qu'après des jours ou des semaines.

Il arrive même fréquemment que les défunts exagérément attachés à l'existence physique se réveillent de la période d'inconscience encore investis de matières éthériques et ne réussissent pas du tout à libérer leur corps astral. Dès lors, privés de leurs moyens physiques et de leurs moyens astraux,

---

1. Le cancer serait dû à un retrait partiel du double.

ces défunts errent lamentablement entre deux modes de vie, jusqu'à ce que la gangue éthérique s'use d'elle-même et que prenne fin leur tourment.

LE CORPS ASTRAL

Le corps astral est formé d'une matière si subtile qu'elle interpénètre les atomes et même les particules de l'éther.

Chez l'homme grossier, il déborde à peine de la surface du corps, mais, au fur et à mesure du développement intellectuel et moral de chaque individu, il s'étend successivement à 25, 50, 75 centimètres et forme une vaste *aura* (ou brouillard lumineux) d'une toujours plus grande intensité. On dit que l'aura de Bouddha avait un diamètre de deux à trois lieues. Ceci concorderait avec la zone d'influence des grands êtres et expliquerait leur puissance de rayonnement.

Comme le double éthérique, le corps astral a la forme du corps humain. Lorsqu'un membre du corps physique est tranché, le membre astral reste indemne. Et c'est la raison pour laquelle les amputés ressentent parfois des démangeaisons ou des douleurs à leur membre absent. Cette sensation, dite d'intégrité, est connue de tous les chirurgiens, mais ceux-ci en donnent une explication différente.

L'ÉLÉMENT DU DÉSIR

L'Ego s'étant délivré du corps physique, puis du corps éthérique, va vivre, durant un temps variable, mais qui peut être assez long, dans le monde astral.

L'état de conscience aiguisée (qui précède la mort, même chez les déments) se reconstitue aussitôt après pour permettre la révision méticuleuse et rapide de toute la vie et fait place à une brève période d'inconscience, dont on émerge assez rapidement.

Ici se place une des hypothèses les plus ingénieuses de

la théosophie. Durant que la conscience de l'homme s'efforce de gravir l'échelle des vies, depuis le minéral jusqu'au divin, l'élémental du désir, ou essence astrale élémentaire qui forme à ce moment l'enveloppe de l'homme, est contraint de descendre cette même échelle, car son rôle est de s'incorporer dans le règne le plus bas. Il en résulte un double mouvement en sens opposé, l'homme cherchant à se dégager le plus rapidement qu'il peut de l'emprise astrale et l'élémental du désir s'accrochant, au contraire, à l'homme dans le but de retarder sa descente et de prolonger sa vie dans l'astral.

L'un agit consciemment et l'autre inconsciemment. C'est pourquoi l'être humain spirituellement évolué se soustrait au désir élémentaire, tandis que l'être humain non développé se laisse enchaîner par l'instinct.

LES COQUES

Si le défunt n'a ni le courage, ni la force de s'opposer à la réorganisation de l'élémental, celui-ci dispose la matière astrale autour du mort en enveloppes concentriques dont la plus dure et la plus grossière est à l'extérieur.

. Le corps astral ainsi épaissi devient un corps de souffrance dans lequel l'homme est en quelque sorte enfermé. A partir de ce moment il ne lui est plus possible de recevoir les impressions supérieures et il est presque uniquement accessible aux impressions du monde inférieur.

Néanmoins, au bout d'une période dont la durée varie avec les possibilités de l'individu, cette espèce de « coque » astrale se désagrège partiellement et l'homme devient perméable aux vibrations plus subtiles. Quand, enfin, il a réussi à s'extraire de la coque, celle-ci, encore imprégnée d'un reste de conscience, continue à vivre quelque temps d'une vie indépendante et constitue un des plus redoutables véhicules des pouvoirs mauvais.

Les méfaits dont cette enveloppe peut être l'instrument seraient imputables, selon plusieurs théosophes, à l'homme qui les a construites, puis abandonnées dans l'Astral. Ainsi, la jurisprudence terrestre, écho de la jurisprudence karmique, rend l'automobiliste responsable des dommages que sa voiture abandonnée peut occasionner.

Bien entendu, toute élévation d'âme chez le défunt s'oppose radicalement à l'emprise de la force élémentale, qui peut être dissociée par la seule puissance de la volonté.

LA VIE DANS L'ASTRAL

Le passage du physique à l'astral ne modifie en rien le caractère du défunt. Celui-ci évolue d'un état à l'autre avec ses vertus et ses vices, sa foi ou son scepticisme, ses clartés et ses erreurs.

Bien loin d'égaliser les hommes, comme l'indique la croyance populaire, la mort ne fait qu'accentuer leurs inégalités.

Tout se traduisant en dehors des sens, les émotions y sont beaucoup plus promptes et plus vives, de sorte que les élans et les désirs se trouvent infiniment plus accentués.

Un homme de génie est encore plus génial. Un imbécile est encore plus imbécile, mais les réactions qu'il provoque finiront par le déniaiser.

La première particularité de la vie astrale réside dans le fait que le mort, bien souvent, ne se rend pas compte de son nouvel état. Il n'est même pas certain qu'il est mort, en dépit de la différence des deux vies. Cette impression paradoxale serait le lot des matérialistes, assurés d'aboutir au néant final.

Les théosophes assurent que les morts, de l'astral, peuvent encore voir, entendre, sentir, penser. On se demande avec quoi, puisqu'ils n'ont plus de cerveau, d'yeux, de nerfs ni d'oreilles. Mais cette question, avec bien d'autres, sera débattue ultérieurement.

Le mort cherche à communiquer avec ses parents ou ses amis. Mais ceux-ci semblent l'ignorer, car la réciproque est

116

impossible. Toutefois, le défunt est extrêmement sensible aux pensées des hommes vivants.

La théosophie nomme *Kamaloka*, ou Monde du désir, l'état dans lequel se trouvent alors les êtres. Cet état n'est pas seulement celui des désincarnés, mais aussi celui d'une foule d'autres organismes vivant dans l'astral. La plupart, d'ailleurs, se croisent ou s'interpénètrent sans même s'en apercevoir, tellement leurs plans de conscience sont différents.

L'unique souffrance subie par les morts, durant leur vie astrale, provient de leur confrontation avec les formes-pensées qu'ils ont eux-mêmes générées, tandis qu'ils vivaient dans le monde corporel. Lorsque ces formes-pensées sont celles de toute une religion (comme la croyance aux châtiments infernaux, au diable, à la damnation éternelle), les défunts se trouvent aux prises avec la représentation effrayante de ces pensées et s'affranchissent malaisément de leur terreur.

Si la vie dans l'astral est courte et fugitive pour l'homme aux sentiments élevés et si, au contraire, elle est longue et pénible pour ceux qui s'y confrontent avec leur conscience, l'existence astrale est plutôt aisée et agréable pour le mort moyen.

Celui-ci est libre de faire ce qu'il veut et, lorsqu'il s'est adapté à sa nouvelle condition, il lui trouve à ce point des possibilités et des charmes que le principal danger pour lui consiste à n'en point sortir.

Telle n'est cependant point sa leçon ni l'orientation définitive qui lui est destinée. A mesure que le temps s'écoule, les derniers reflets du monde physique disparaissent de sa conscience et les premiers échos du monde céleste parviennent à son intellect.

Il est temps pour lui de se débarrasser de son corps astral pour passer à un mode supérieur d'existence. La région céleste des théosophes a pour nom le *Dévachan*[1].

_____

1. Le souci d'être plus explicites à propos des conditions de la vie *post-mortem* a conduit quelques théosophes à la description détaillée

On ne peut manquer d'être frappé par la similitude qu'il y a entre le Purgatoire des chrétiens et l'Astral des spirites et des théosophes. L'un et l'autre constituent l'état de règlement intermédiaire où les hommes s'épurent avant de passer au ciel.

En quoi consiste donc exactement ce *Dévachan,* qui est, non pas le septième ciel, mais l'un des sous-ciels théosophiques ?

Nous ne pouvons donner de meilleure réponse que celle des Maîtres de la théosophie. Voici ce que disent, à ce propos, les *Lettres des Mahatmas :*

« Le *Deva-Chan,* ou pays de *Sukhavati,* a été décrit allé-« goriquement par le Bouddha lui-même.

« A bien des milliers de myriades de systèmes de monde « au-delà de celui-ci, il existe une région de béatitude appe-« lée *Sukhavati.* Cette région est encerclée de sept rangées « de palissades, de sept rangées d'immenses rideaux, de sept « rangées d'arbres qui se balancent au vent ; cette sainte « demeure des *Arahats* est gouvernée par les *Tathagatas* « *(Dyans Chohans)* et possédée par les *Bodhisattvas* ; elle « renferme sept lacs précieux au milieu desquels s'étendent « des eaux cristallines dont les propriétés ou qualités dis-« tinctives sont sept et un (les sept principes émanant de « l'Un). Ceux qui naissent dans la région bénie sont vrai-« ment fortunés ; pour eux, *dans ce cycle,* plus de peine ni « de chagrin... D'innombrables esprits *(Lha)* vont s'y repo-« ser, puis *retournent à leurs propres régions.* » (Extrait de *Shan-Mun-Yi-Tung.)*

Sauf que la durée de l'existence au *Deva-Chan* est limitée, cette condition ressemble fort au ciel de la religion cou-

---

de cette vie. Cela n'est pas sans engendrer un certain nombre de précisions ridicules et nous croyons servir la théosophie en n'en faisant pas mention.

rante (en écartant les idées anthropomorphiques qu'on se fait de Dieu)...

« Qui va au *Deva-Chan* ? L'Ego personnel, naturellement, « mais béatifié, purifié, saint... »

Bien entendu, c'est là un état et un état pour ainsi dire d'égoïsme, pendant lequel l'Ego recueille la récompense de l'altruisme pratiqué sur la Terre. Il s'absorbe complètement dans la joie de toutes ses affections, préférences et pensées personnelles et terrestres et récolte le fruit de ses actions méritoires. Aucune souffrance, aucun chagrin, pas même l'ombre d'une tristesse ne viennent assombrir l'horizon lumineux de son bonheur sans mélange, car c'est un état de *perpétuelle Maya*. La perception consciente de la personnalité ici-bas n'étant qu'un rêve fugitif, se traduira de même en *Deva-Chan* par un rêve, mais d'une intensité centuple ; si bien que, dans sa béatitude, l'Ego est incapable de percevoir, à travers le voile, les maux, soucis, misères qui peut-être s'étendent sur les personnes qu'il aime sur la Terre. Dans son doux songe il vit avec les êtres chéris, que ceux-ci l'aient devancé ou qu'ils soient encore sur la Terre ; il les a auprès de lui, aussi heureux, joyeux, innocents que le rêveur désincarné lui-même...

« Les états dévachaniques présentent de nombreuses « variétés, autant qu'il existe sur la terre de degrés dans la « perception et dans l'aptitude à goûter une telle récompense. « C'est un paradis [1] créé mentalement par l'Ego lui-même « et par lui rempli des paysages, des incidents multiples, des « personnages nombreux qu'il s'attendait à rencontrer dans « un semblable état de béatitude compensatrice... Aucun « souvenir sensuel, matériel ou profane ne peut suivre « dans la région du bonheur la mémoire purifiée de l'Ego. »

---

1. Paradis provisoire, puisque, d'après les théosophes, après un stage au Dévachan, il faut renaître avec le karma mauvais, mis en réserve et qui doit être épuisé.

L'ÉTAT DÉVACHANIQUE

« L'état de conscience dévachanique, précise la doctrine
« occulte, est purement subjectif et totalement conditionné
« par les aspirations spirituelles, désir de bonheur pour
« autrui, tout ce qui est amour sous quelque forme que ce
« soit... Dans cet état, ce qui durant la vie terrestre
« n'avait été qu'aspirations, tendances vers le Bien, vers le
« Beau, prend forme et devient réalité vécue avec une inten-
« sité centuple de nos réalités objectives. De la cacophonie
« assourdissante où la vie (terrestre) s'est déroulée, nulle
« discordance ne franchit le seuil du Dévachan ; seule y règne
« l'harmonie *dont chaque âme individuelle a su être l'instru-*
« *ment sur terre.*

« L'état dévachanique représente donc, pour chaque Ego
« humain, le summum absolu de félicité dont il soit
« capable de jouir ; summum extrêmement variable de
« l'un à l'autre, mais, pour chacun, complet (à rapprocher
« de la conception catholique). Nulle cause de souffrance
« ne peut l'altérer, car il n'offre aucune prise à la souffrance,
« étant uniquement tissé de ce qui est l'essence même du
« bonheur... »

Mais le bonheur dévachanique, contrairement au bonheur
des autres religions hiérarchiques, a un terme inévitable.

La durée du séjour en Dévachan est, en effet, condition-
née à la fois par la valeur spirituelle de l'être et par la longueur de sa vie terrestre. Un enfant mort à dix ans ne peut
avoir acquis le développement d'un adulte mort à soixante,
sauf cas exceptionnel.

Tablant sur la moyenne, Jinarajadasa a dressé un barème
(aussi minutieux que celui d'une compagnie d'assurances)
pour le calcul des probabilités de séjour en Dévachan.

Il indique une période allant de cinq à cinquante ans pour
les âmes non développées, de deux à trois siècles pour les
âmes ordinaires, de mille à deux mille ans pour les âmes
cultivées en tenant compte de l'acquisition d'une force spirituelle suffisante durant une vie de soixante ans.

Cette singulière comptabilité ne doit d'ailleurs pas nous abuser sur la portée véritable des spéculations théosophiques. Le même Jinarajadasa ne dit-il pas admirablement, dans son *Evolution occulte* : « Comprendre pleinement l'évo-« lution de la conscience, c'est pénétrer le mystère de la « nature de Dieu. Mais étant donné que toute vie est Lui-« même, et que nous sommes aussi des fragments de Lui, « à mesure que nous croissons en conscience, nous le décou-« vrons et en même temps nous croissons vers sa ressem-« blance. Et cependant, alors que nous le découvrons, c'est « nous-mêmes que nous découvrons. »

Nous arrêterons là notre exposé de l'après-mort théosophique, non que celle-ci ne comporte d'autres prolongements de divers ordres, mais parce que le principal de ceux-ci est examiné plus loin avec le problème entier des réincarnations.

CHAPITRE XII

L'AUTRE MONDE VU PAR LES INITIÉS ILLUMINÉS ET GRANDS VISIONNAIRES

Ce qui nous reste de Pythagore métaphysicien est peu de chose et nous est venu par des tiers.

Pour Pythagore et son école, l'âme était d'origine divine et son insertion temporaire dans la chair constituait l'expiation d'on ne sait quelle faute des temps premiers.

A l'état de félicité primitive aurait succédé la douleur de l'existence présente, spécialement voulue pour châtier l'âme de son péché.

La purification, la progression, l'initiation étaient liées, en outre, à la transmigration des âmes sous d'autres formes avant la définitive ascension.

LES PYTHAGORICIENS

La doctrine pythagoricienne, selon Macrobe, estimait que « les âmes attirées et alourdies par les désirs terrestres

« traversent, en s'abaissant, les zones planétaires et élémen-
« taires, en se revêtant dans chacune d'elle d'une nouvelle
« couche éthérique jusqu'à ce qu'enfin elles s'unissent au
« corps terrestre...

« L'âme, en descendant, perd sa forme sphérique, qui est
« celle de la nature divine, pour s'allonger et s'évaser en cône.
« C'est comme le point qui devient une ligne et perd en se
« prolongeant son caractère d'individualité. »

Mais il ne semble pas que l'école de Pythagore ait envisagé, autrement que dans sa participation aux Mystères, les
conditions de la survie et en ait fait un objet précis de son
enseignement.

Les Pythagoriciens, comme les Platoniciens, n'ont traité
dans ceux de leurs ouvrages qui nous sont parvenus, que
de l'aboutissement supérieur de la destinée, c'est-à-dire de
la fusion terminale de l'homme avec la Divinité.

L'ÂME DE PLATON
ET L'INTELLECT ACTIF D'ARISTOTE

Platon, le plus grand philosophe de tous les temps, s'évade
des conceptions élémentaires. Il conçoit l'âme non seulement immortelle, mais éternelle, comme la Divinité dont
elle sort. L'incarnation, pour lui, est une captivité. L'âme
est emprisonnée dans le corps ainsi qu'une perle dans sa
coquille. « L'âme, dit-il, est à l'exacte image du divin, de
« l'immortel, de l'uniforme, de l'indissoluble, de l'innom-
« brable ; le corps, à l'image exacte de l'humain, du
« mortel, du multiforme, de ce qui se dissout... Quand la
« mort saisit l'homme, la partie mortelle peut mourir, mais
« sa partie non mortelle se retire, à l'approche de la mort,
« et subsiste saine et sauve. L'âme indivisible accède au
« divin, à l'immortel... »

L'« intellect actif » d'Aristote, qui procède de l'héritage
platonicien, est la partie de l'esprit humain indestructible
et éternelle.

Toutefois, le précepteur d'Alexandre ne lui attribue pas l'individualité immortelle, mais en fait une idéale abstraction. Les néo-platoniciens accentuent, en la proposant, l'interprétation de leur maître et leur influence est évidente dans le plus pur dogme des chrétiens.

Le christianisme actuel, en effet, si étrange que cela paraisse, est fils, non pas tant de l'hébraïsme, auquel sa conception de la destinée humaine l'oppose, que du néoplatonisme qu'il continue philosophiquement.

L'EXTASIS DE PLOTIN

Aussi éloigné des préoccupations formelles est le processus animique de Plotin. Les philosophes sont nécessairement plus abstraits que les voyants et traduisent en idées au lieu d'interpréter en images.

Selon Krakowski, l'âme plotinienne, moment du grand courant spirituel, « participe de son élan, résiste à la chute « dans la matière... et puise dans son origine le désir d'y « retourner... Elle peut toujours s'élever du niveau qu'elle « occupe à un niveau supérieur... »

« Chacun de nous, dit Plotin, est un monde intelligible ; « liés aux choses inférieures par le corps, nous touchons aux « choses supérieures par l'essence supérieure de notre être. »

« L'âme-remous ou tourbillonnement de la vie spirituelle « peut remonter vers l'Unité, sa source, ou descendre de plus « en plus bas, vers la matière à laquelle son corps s'unit. « Elle peut donc s'abaisser de plus en plus mais aussi « s'élever toujours davantage... Elle finit par atteindre Dieu... « A ce moment, elle est totalement intuitive, passive, récep- « tive... Dans sa pleine intensité spirituelle, l'âme se « dépouille de tous ses caractères individuels qui paraissaient « la constituer. »

En dehors du temps, du raisonnement, de la sensibilité, elle n'est plus qu'une extase pure.

L'INFERNO ET LE PARADISO DE DANTE

Il nous faut maintenant descendre jusqu'au XIVe siècle pour trouver un grand visionnaire des choses infernales ou célestes.

La Divine Comédie, de Dante, supplée à la carence des siècles précédents. Loin que les précisions sur la vie future fassent défaut, elles abondent à ce point dans le célèbre poème que l'imagination est soulevée, puis submergée sous le lyrisme du détail.

L'Inferno est cette cité des pleurs qui porte à son fronton : « Vous qui entrez, laissez toute espérance... »

On y pénètre à travers un vent de colère, de honte, de ténèbre et de douleur. La fantaisie orientale n'a rien trouvé de mieux que la plume du poète occidental. Les horreurs de l'enfer chrétien se mêlent à celles des enfers antiques et la symphonie diabolique gagne, de cercle en cercle, les degrés les plus bas de l'horreur.

Mais à quoi bon s'attarder aux supplices particuliers qui frappent les grands criminels de l'histoire ? Plus effroyable encore est cette succession d'*atmosphères* désolées que sont les « rouges fosses bouillantes où les brûlés poussent des cris », la chute lente sur les chairs des « flocons de feu », la danse des « mèches de flamme », les mares « d'excréments » où sont plongées les courtisanes, « les crevasses remplies de poix fumante », les « amas de reptiles », « les faces grimaçantes, les yeux hagards, les bouches tordues », bref tout l'appareil rythmé d'une poétique Inquisition.

Il faut reconnaître que Dante n'a point tari les ressources de sa langue dans la peinture de l'enfer et que, à l'opposé de tant de descriptions indigentes des célestes délices, le grand poète italien a su trouver des accents neufs pour chanter son Paradis.

Le *Paradiso,* plus hiérarchisé encore que l'au-delà théosophique, comporte neuf cieux concentriques, correspondant aux neuf chœurs des anges qui sont en perpétuelle révolution autour de la terre qu'ils investissent de toutes parts. A leur tour, les neuf séjours d'en haut se voient encerclés par l'Empyrée, sans limite, immuable, incorporel, incréé.

C'est en ce dernier lieu que vit la Rose mystique, éternelle, « éployée en gradins et exhalant un parfum de louanges au « soleil qui engendre un perpétuel printemps ».

Cette « pure rose blanche » est la « sainte milice du Christ », fille du sang crucifié. En face d'elle, s'enflamme l'ardeur de la cohorte angélique. Et le fourmillement de tant d'ailes donne lieu au poème inégalé.

« L'armée des anges, en volant », chante la gloire de Celui « qui l'aime... Comme un essaim d'abeilles qui, tantôt se « plonge dans les fleurs, tantôt retourne à la saveur de son « travail. Et tous descendaient dans la grande fleur qui « s'orne de tant de feuilles et de là remontaient à l'habita-« tion de leur amour. Leurs faces étaient de flamme vive, « leurs ailes d'or, et le reste d'une telle blancheur qu'il « n'est point de neige qui l'égale. Lorsque vers la fleur ils « descendaient de siège en siège, ils y versaient de la paix, « et aussi de cette ardeur qu'ils produisent en agitant leurs « ailes. Le vol d'une si grande multitude, interposée entre « la Rose et ce qui est au-dessus, ne voilait ni la vue ni la « splendeur, car la lumière divine pénètre dans l'Univers... « sans obstacles... Pleins de sécurité et de joie, l'ancien « et le nouveau peuples tiennent leur vue fixée sur... la « trine lumière qui est vraie en soi. »

LE RAYON VIVANT

Mais ce tableau ardent de la Rose mystique ne détourne pas le Poëte-Visionnaire de la suprême contemplation :

« Si vive fut en moi l'impression du vivant rayon que « je me serais égaré si j'avais détourné les yeux. Et je me « souviens de l'avoir supportée avec d'autant plus de cou-« rage que je tins ma vue plus étroitement attachée à la « Vertu Infinie...

126

« Mon esprit fasciné regardait fixement... et plus il re-
« gardait, plus il brûlait... Et cette Lumière est de telle
« sorte qu'il est impossible de s'en détourner. »

Dante aurait voulu décrire l'élan fougueux de son esprit, mais les mots restent impuissants à en proposer seulement l'image.

Il ne faut qu'adorer et ruminer dans son cœur.

Et, peu à peu, s'élève et bouillonne en lui cet « Amour qui meut le soleil et les étoiles ».

LE DIALOGUE DE SAINTE CATHERINE DE SIENNE

La religieuse italienne prête les révélations qui suivent au Père Eternel :

« Il y a aussi dans l'enfer quatre supplices principaux, d'où
« découlent les autres tourments. Le premier, c'est que les
« damnés sont privés de ma vision. Ce leur est une si grande
« peine que s'il leur était possible, ils choisiraient d'endurer
« le feu, les tortures et les tourments en jouissant de ma vue,
« plutôt que d'être délivrés de leurs souffrances sans me voir.

« Cette peine est encore aggravée par la seconde, celle du
« ver de la conscience qui les ronge sans cesse et sans cesse
« leur fait entendre que c'est par leur faute qu'ils sont privés
« de ma vue et de la société des anges et qu'ils ont mérité
« d'être placés dans la compagnie des démons pour se
« repaître de leur vision.

« Cette vue du démon, qui est la troisième peine, redouble
« toutes leurs souffrances... Car en le voyant ils se connais-
« sent mieux eux-mêmes et comprennent mieux que c'est par
« leur faute qu'ils ont mérité ces châtiments... Ce qui fait
« encore leur peine plus grande, c'est qu'ils le voient dans sa
« propre figure, qui est si horrible qu'il n'est pas un cœur
« d'homme qui la puisse imaginer.

« Le quatrième tourment... est le feu. Ce feu brûle et ne
« consume pas. L'être de l'âme ne peut se consumer, parce

« qu'elle n'est pas une chose matérielle qui puisse être dé-
« truite par le feu. Mais moi, par divine justice, je permets
« que ce feu les brûle douloureusement, qu'il les afflige sans
« les détruire, qu'il les châtie de peines très grandes et de
« différentes manières, suivant la diversité de leurs péchés... »

Comme on le voit, le Dieu de sainte Catherine est un Dieu
théologien, parfaitement au courant de la scholastique de
cette époque et dont la justice infernale est d'une orthodoxie
sans défaut.

Mais, voyons les révélations de Catherine de Sienne à propos des bienheureux :

« C'est dans l'amour que mes élus jouissent de mon éter-
« nelle vision, et qu'ils participent à ce bien que j'ai en moi-
« même et que je communique à chacun selon sa mesure ;
« cette mesure, c'est le degré d'amour qu'ils avaient en
« venant à moi. »

Il n'y a rien à dire à cette définition, qui correspond à
la plus haute conception d'une religion libérale. N'était
l'esprit d'inquisition des Pères de l'Eglise, on pense que
l'enfer de Catherine se fût borné à la privation de l'Amour
Divin. De même, le Paradis eût été seulement « la joie et
l'allégresse des anges ». Mais le Paradis du Moyen Age ne
pouvait pas être exclusivement celui de l'Amour.

La volonté des Bienheureux, continue l'interlocuteur divin
de sainte Catherine, « est si unie à la mienne que si un père,
« une mère, voit son fils en enfer, si un fils voit en enfer son
« père et sa mère, ils n'en éprouvent aucun souci, ils sont
« même contents de les voir punis parce que ce sont mes
« ennemis ».

Cette assertion, toute dominicaine, n'empêche nullement
la béatitude des corps, même teintée de masochisme.

« Quelles délices pour eux de me voir, moi, le Bien absolu !
« Que te dire du bonheur que recevront les corps glorifiés,
« de l'humanité glorifiée de mon Fils Unique ? Ils tressailli-
« ront d'allégresse à la vue de ses plaies toujours fraîches,
« de ses blessures toujours ouvertes dans sa chair... »

LES MONDES SPIRITUELS DE SWEDENBORG

Il nous faut à présent passer au XVIIIe siècle pour trouver le grand illuminé suédois. Le monde spirituel de celui-ci est d'une complexité étrange. Les vues les plus élevées s'y mêlent aux plus vulgaires concepts.

L'au-delà de Swedenborg est uniquement habité par l'espèce humaine. Les anges, purs esprits, de création divine directe, n'y figurent pas. L'homme est le but suprême du Créateur, qui le fit pour réaliser son royaume céleste après une terrestre évolution.

L'homme est, dès sa naissance, un ange ou un démon en puissance. Il réalisera l'un ou l'autre ou les deux en même temps. Mais un état finira nécessairement par l'emporter, de manière que soient peuplés les trois étages de l'autre vie : monde du ciel, monde des esprits, monde de l'enfer.

Nous empruntons à Martin Lamm (de son ouvrage *Swedenborg*) les précisions suivantes :

« Les esprits n'ont aucune idée de temps et d'espace. Car
« l'évolution dans le temps et l'espace n'est pour eux qu'une
« modification d'états... Lorsqu'un esprit recherche un autre
« esprit, il le voit immédiatement apparaître à ses yeux...

« Dans le ciel, les choses existent par Dieu, c'est-à-dire par
« suite de leur correspondance avec la vie intérieure des anges
« [ange est pris ici dans le sens d'homme transfiguré]. Elles
« sont donc des représentations des sentiments et des pensées
« et, du fait qu'elles changent constamment avec ces senti-
« ments et ces pensées, elles reçoivent le nom d'appa-
« rences...

« Notre corps matériel n'est que l'enveloppe du corps sub-
« stantiel, qui a, lui aussi, forme humaine et persiste après
« la mort...

« Il s'ensuit que les anges ont tous les caractères de l'hom-
« me : un visage, des oreilles, des mains, des pieds, etc.
« Ils portent également des vêtements, sauf les anges du plus
« profond des cieux qui sont nus. L'éclat de leurs vêtements
« correspond au degré de leur raison...

« Les habitants des séjours célestes se meuvent dans un
« cadre qui reproduit, sous une forme sensible, leur propre
« monde imaginaire. »

LES « CORRESPONDANCES » SWEDENBORGIENNES

« Les esprits continuent à exercer la même profession que
« sur la terre, à être répartis en confessions et en peuples.
« Ils habitent des pays correspondant à ceux qu'ils occu-
« paient de leur vivant. Il existe un autre Londres où se
« groupent les Anglais après leur mort... La Bourse y figure
« avec son gouverneur... Les esprits hésitants résident dans
« les quartiers de l'Ouest, les meilleurs dans ceux de l'Est,
« les intelligents dans ceux du Sud... Habitations, costumes,
« nourriture, sont les mêmes qu'avant la mort physique... »

Il existe même, quelque part, une Jérusalem des esprits,
où les Juifs pratiquent le commerce des pierres précieuses
et, vraisemblablement, l'usure. Le voyant suédois n'est d'ailleurs pas tendre pour ses propres concitoyens. Les Suédois
sont les pires Européens du monde des esprits, après les
Italiens et les Russes.

A côté de ces enfantillages apparents, voici des vues profondes sur la psychologie spirituelle !

Peu de défunts sont assez bons pour gagner aussitôt le
ciel ou assez mauvais pour être précipités de suite en enfer.
Le lieu des esprits rassemble la plupart des hommes.

« Chez eux, il existe, au cours de la vie terrestre, une dis-
« cordance entre l'homme extérieur et l'homme intérieur,
« discordance qui doit être supprimée avant qu'ils trouvent
« leur véritable place...

« Visage et voix se modifient progressivement et l'homme
« finit par avoir le visage et la voix qui correspondent à son
« être intérieur, c'est-à-dire à son amour dominant. Par-là,
« l'homme devient incapable de simuler des sentiments
« autres que ceux qu'il éprouve réellement. Il se trouve

« contraint de parler comme il pense, sa mimique reflète
« désormais ses états d'âme réels. Grâce à cette transfor-
« mation, l'homme révèle un être véritable, non seulement
« aux autres esprits, mais encore à son propre esprit... »

AMOR REGNANS

« C'est donc exclusivement l'Amour qui détermine le sort
« de l'homme dans l'autre monde. C'est l'amour *regnans* qui
« demeure dans l'homme et ne change pas de toute éternité...
« L'homme est, dans son ensemble, ce qu'il est dans sa vo-
« lonté et, par suite, dans sa pensée, en sorte qu'un méchant
« est à lui-même son propre mal et un homme de bien son
« propre bien...
« ... Les justes reçoivent, dans le monde des esprits, un
« enseignement qui les prépare à la vie céleste. Et ceux qui se
« sont endurcis dans les mensonges sont soumis à une sorte
« de purgatoire ou *terre inférieure*, dont Swedenborg déclare
« avoir trouvé l'indication dans Ezéchiel...
« L'homme se crée lui-même par le jeu de son libre-arbitre
« et par l'amour qu'il choisit comme conducteur de sa vie.
« Le Seigneur n'exclut personne du royaume des cieux...
« Mais les méchants prononcent leur propre condamnation...
« L'homme qui vit dans le mal n'a d'autre désir que de par-
« venir dans le lieu où se trouve son péché...
« ... Les esprits mauvais sont donc, en enfer, dans leur pro-
« pre milieu. Ils jouissent du feu de l'enfer, de sa puanteur,
« de ses immondices, et lorsqu'un rayon de lumière divine
« pénètre jusqu'à eux, ils cherchent à s'y dérober. »
Cette conception étonnante de l'enfer est suivie, chez Swedenborg, d'une conception du ciel non moins inattendue.
Pour lui, la béatitude céleste ne « consiste point en une
« jouissance perpétuelle, car toute jouissance, même d'une
« essence supérieure, entraîne, à la longue, la satiété. »
Dans son introduction au *De Amore Conjugiali*, Swedenborg raconte qu'un ange ayant demandé aux sages chrétiens

131

du monde entier leur opinion sur la béatitude céleste, ceux-ci ne furent d'accord que sur sa pérennité. Mais l'ange les introduisit dans des cercles spirituels où se trouvait réalisée cette jouissance ininterrompue et ils virent que les bénéficiaires de ces lieux étaient las de leur bonheur et n'aspiraient qu'à en sortir.

« La béatitude céleste, dit Swedenborg, ne consiste pas « seulement dans la glorification de Dieu par une élévation « permanente de l'âme, mais encore et surtout dans l'accom- « plissement "d'œuvres utiles à soi-même et à autrui". »

Les bienheureux ont donc, en réalité, toutes sortes de tâches. Ils travaillent sans cesse, même intellectuellement, à l'harmonie de l'Univers. Les uns éduquent les enfants et d'autres les hommes. Ceux-ci sont envoyés dans le monde des esprits pour « protéger les nouveaux venus contre les esprits malfaisants ». Ceux-là assurent la police de l'enfer ou telles missions éloignées. Les arts, en outre, sont poussés, dans le ciel, à leur degré majeur.

A la vérité, dans son désir d'enrégimenter le ciel pour des fins pratiques et raisonnables, Swedenborg verse, sans s'en apercevoir, dans un utilitarisme trivial. Son institution des orphéons publics, ses jeux de garçons et de filles, ses sports, ses représentations théâtrales nous font redescendre de « plusieurs ciels ».

MARIAGES CÉLESTES

Encore plus singulière est la conception swedenborgienne de l'amour conjugal dans l'au-delà. Le visionnaire, pour l'étayer, ruse avec la parole évangélique, selon laquelle, à la résurrection des morts, on ne prendra ni femme ni mari.

Swedenborg passe outre, après un essai d'interprétation, et décrit son mariage céleste, sorte d'union semi-mystique que révèrent d'ailleurs plusieurs Pères de l'Eglise et quelques théologiens protestants.

« A la longue, dit Martin Lamm, il ne peut se dérober aux

« exigences de la logique. Du moment qu'il a reconnu aux
« anges un corps doué de toutes les fonctions physiologiques,
« il faut admettre que l'amour conjugal entre les anges ait
« un caractère sensuel. »

Swedenborg l'admet ainsi : « Après la mort, l'homme reste
« un homme et la femme reste une femme. Les époux conti-
« nuent à avoir entre eux les mêmes relations conjugales que
« sur la terre. Mais elles sont plus parfaites et plus pures. »

Une fois engagé dans cette voie, Swedenborg ne voit pas
d'inconvénient à ce que les cieux enregistrent de nouveaux
hymens.

« C'est donc, dit Lamm, dans l'esprit de Swedenborg,
« l'amour conjugal qui donne à l'amour céleste toute sa
« poésie. Et c'est grâce à lui que les anges vivent dans des
« Champs-Elysées perpétuellement ensoleillés, qu'ils s'appa-
« raissent mutuellement comme des jeunes gens et des vi-
« sages à la fleur de l'âge et qu'ils sont entourés de jardins
« délicieux. »

Ce retour au paradis de Mahomet n'est pourtant (comme
chez Mahomet peut-être) qu'une apparence.

« Car toutes choses n'y sont que des représentations, des
« états d'âmes des habitants. Ces sites merveilleux, ces beaux
« adolescents et ces belles vierges apparaissent ou dispa-
« raissent, dans la mesure où se modifient les pensées et les
« sentiments des anges. »

Swedenborg conclut d'ailleurs, dans *De Coelo,* par cette
phrase admirable :

« *Quiconque devient un ange porte en soi son propre ciel.* »

LE MONDE PLANÉTAIRE DE RUDOLF STEINER

Une des eschatologies modernes les plus accusées est celle
de l'anthroposophe allemand Rudolf Steiner.

Le début de l'enseignement de celui-ci ne diffère guère
des autres enseignements spiritualistes. Il a fait seulement
observer que les forces de la Nature ne sont pas constructi-

ves (du moins quant à l'homme) puisque, dès que le corps humain leur est abandonné, elles en commencent aussitôt la désagrégation. Il faut donc qu'il y ait dans l'homme vivant une force extra-naturelle et c'est ce qui fait dire à Rudolf Steiner qu'à travers la mort l'homme s'arrache à la terre et que « nous le voyons, non pas mourir, mais ressusciter de « son corps ».

A partir de là, « ce qui était précédemment son monde « intérieur devient son monde extérieur ». Et lui-même pénètre dans un univers rempli de pensées cosmiques.

« Nous ne rencontrons, tout d'abord, dans ce vaste espace, « aucun être, ni dieux ni hommes, mais partout viennent « à nous les pensées des mondes. »

Celle de ses pensées qui s'impose par-dessus les autres est celle de la dernière existence que l'on a vécue. Le tableau en subsiste durant quelques jours, puis l'homme sombre dans l'évanouissement cosmique.

A son réveil, l'esprit du mort doit dépasser le stade de l'imagination pour entrer dans celui de l'inspiration. A l'audition spirituelle succédera ensuite la vision intuitive. C'est alors qu'après avoir confusément perçu la présence des Entités des mondes, les Etoiles lui apparaissent. Non plus sous l'aspect simpliste de points lumineux, mais pour ce qu'elles sont réellement, « des colonies spirituelles ».

Le premier voyage de l'esprit réveillé a lieu dans la Lune, planète des instructeurs originels. Il y rencontre des êtres cosmiques réels, d'ailleurs semblables à lui et avec lesquels il fut parfois uni sur la terre.

LE MONDE A L'ENVERS DES ANTHROPOSOPHES

Toutefois, les impressions qu'il enregistre apparaissent à l'inverse de celles qu'il enregistrait dans le corporel. Celui qui a frappé son semblable, ici-bas, n'éprouve que sa propre émotion et non l'émotion de celui qu'il frappe. Les rôles

134

dans la Lune sont renversés et l'ex-frappeur a les sensations de l'ex-frappé.

Durant une période de temps qui correspond au tiers de la vie terrestre, « l'homme revit tout ce qu'il a fait et pensé sur la terre, mais comme les autres êtres l'ont ressenti ».

En outre, cette révision s'effectue à rebours, autrement dit l'esprit du défunt commence à revivre à partir de ses derniers instants et remonte successivement toute sa vie jusqu'à sa naissance, sans que rien, dans ce karma à l'envers, soit oublié.

Lorsque l'homme a compris le mécanisme de ce redressement, qu'il s'y est soumis et en a épuisé les conséquences, il est admis à sortir de ce Purgatoire intérieur.

Il est mûr pour l'étape qui suit et qui le conduit à Mercure en attendant qu'il gagne les sphères de Vénus et du Soleil.

L'hypothèse de Rudolf Steiner se fait, à ce stade précis, plus originale que les autres.

D'après lui, la matière *non physique* de la tête humaine, d'abord transportée dans la Lune, y a laissé la presque totalité de sa substance, si le Karma est chargé. Car, toutes les fois que le mort effectue un paiement karmique, il abandonne une part constitutive de lui-même et se trouve de plus en plus diminué.

Or, la diminution ne suffit pas. Il est indispensable qu'en contrepartie, l'être s'augmente de tout le bien qu'il a fait. Faute de cet accroissement, il lui est impossible de sortir du stade lunaire. S'il y parvient, il arrive à Mercure presque sans tête et avec un corps mutilé par les *remboursements*.

Dans Mercure, le mort est affranchi de ses souillures morales, mais non des résultats spirituels de ses maladies terrestres qui seront lavés avant qu'il n'aille plus loin. Sous un aspect inattendu, il y a là une thèse de la douleur qui ne semble pas sans mérite.

Dans Vénus, on passe de la Sagesse à l'Amour, non point à ce pâle reflet qui traîne sur la terre, mais à l'Amour d'en haut tel que le professent de neuves Entités.

Puis c'est la contemplation des mystères du Soleil où règnent les hiérarchies élevées, où tout est Beauté lumineuse et rayonnante Bonté.

LE NIRVANA DES LIVRES

« Je me souviens, dit Krishnamurti, d'un conte écrit par
« un Norvégien. Le héros de cette histoire, à la recherche
« de la liberté et du bonheur, adopte successivement plu-
« sieurs religions, adore tel dieu après tel autre, pratique dif-
« férents cultes et pourtant ne peut trouver ce qu'il cher-
« che. Finalement, il se fait bouddhiste, quitte son corps
« et entre en Nirvana. Il entre dans le Nirvana des livres,
« et là, il aperçoit les dieux de toutes les religions, assis et
« causant entre eux. Ils lui offrent un siège libre. Le héros
« se présente sous la forme d'une flamme, n'a pas envie de
« se laisser prendre et, pendant que tous les dieux essaient
« de le saisir, il disparaît. Les dieux, en effet, ne peuvent
« le suivre, car les dieux mêmes sont liés. »

L'AU-DELÀ DE SEDIR

« Je dirai aux catholiques que Dieu ne s'irrite jamais, ne
« punit jamais, ne condamne jamais définitivement. Quand
« les hommes s'obstinent dans le mal, il laisse aller les cho-
« ses et ce sont les choses en retour que nous appelons faus-
« sement la colère divine.

« Je dirai aux catholiques qu'il y a en effet, dans la créa-
« tion, un enfer et un paradis, comme il y a un nadir et un
« zénith ; l'un et l'autre sont perpétuels ; les êtres passent
« de l'un à l'autre, selon leurs travaux et leurs besoins, mais
« ils n'y restent jamais perpétuellement. Partout où l'on tra-
« vaille, où l'on souffre, c'est une forme de l'enfer ; partout
« où l'on se repose, c'est une forme du paradis. »

CHAPITRE XIII

LE MONDE ASTRAL DES OCCULTISTES

L'occultisme a, de tous temps, considéré la mort comme la porte de la vie et ses conceptions ont précédé celles de toutes les religions existantes dont lui-même est la base et le fondement.

Mais, contrairement aux religions, l'occultisme n'a pas de dogmes ni de hiérarchie. Ses degrés se mesurent à la connaissance des instructeurs. Les occultistes comprennent des hommes bons et des hommes mauvais, selon qu'ils sont mus par le désir d'un avancement spirituel ou qu'ils obéissent à des calculs sans noblesse.

LA CHEVILLE OUVRIÈRE DE FULCANELLI

Fulcanelli a décrit ce qu'il tient pour la mort de l'adepte.

« C'est au moment où se déclare l'inertie corporelle, à
« l'heure où la Nature termine son labeur, que le Sage com-
« mence le sien. Penchons-nous donc sur l'abîme, scrutons-

« en la profondeur, fouillons les ténèbres qui le couvrent
« et le néant nous instruira. La naissance apprend peu de
« chose, mais la Mort, d'où naît la Vie, peut tout nous
« révéler.

« Elle seule détient les clés du laboratoire de la Nature,
« elle seule délivre l'esprit empoisonné au centre du corps
« matériel.

« Pour l'adepte, la Mort est simplement la *cheville ouvrière*
« qui joint le plan matériel au plan divin. C'est la porte ter-
« restre ouverte sur le ciel, le trait d'union entre la Nature
« et la Divinité, c'est la chaîne reliant ceux qui sont encore
« à ceux qui ne sont plus. Et si l'évolution humaine, ou son
« activité physique, peut à son gré disposer du passé et du
« présent, c'est à la Mort seule qu'appartient l'avenir.

« En conséquence, loin d'inspirer au sage un sentiment
« d'horreur ou de répulsion, la Mort, instrument de salut,
« lui apparaît-elle utile et nécessaire... On comprend ainsi
« pourquoi les adeptes insistent tant sur la nécessité absolue
« de la mort matérielle. C'est par elle que l'Esprit impéris-
« sable et toujours agissant, brasse, crible, sépare, nettoie
« et purifie le corps. C'est d'elle qu'il tient les possibilités
« d'en assembler les parties *mondées*, de construire avec elle
« son nouveau logis, de transmettre enfin à la forme régé-
« nérée une énergie qu'elle ne possède pas. »

LE BUCHER INTÉRIEUR D'ELIPHAS LEVI

« Les corps, a écrit Eliphas Lévi, ne sont que des écorces
« temporaires et dont les âmes doivent être délivrées ; mais
« ceux qui obéissent au corps dans cette vie se font un corps
« intérieur ou écorce fluidique qui devient leur prison et leur
« supplice après la mort, jusqu'au moment où ils parvien-
« nent à la fondre dans la chaleur de la lumière divine où
« leur pesanteur les empêche de monter ; ils n'y arrivent
« qu'avec des efforts infinis et le secours des justes qui leur
« tendent la main, et pendant ce temps ils sont dévorés par

« l'activité intérieure de l'esprit captif comme dans une four-
« naise ardente. Ceux qui parviennent au bûcher de l'expia-
« tion s'y brûlent comme Hercule sur le mont Œta et se
« délivrent ainsi... mais le plus grand nombre manque de
« courage devant cette dernière épreuve qui leur semble une
« mort plus affreuse que la "première". »

Eliphas Lévi a dit encore :
« L'homme est un être intelligent et corporel fait à l'image
« de Dieu et du monde, *un* en essence, *triple* en substance,
« immortel et mortel. »

L'ÉQUIPAGE DE PAPUS

Le docteur Papus, reprenant cette comparaison, voyait
allégoriquement dans l'homme : 1° la voiture; 2° le cheval
qui la tire; 3° le cocher qui la conduit.

La voiture, qui demeure inerte tant que le cheval ne la
tire pas, représente le corps, le cadavre. Le cocher symbo-
lise l'âme, et le cheval le corps astral. De même que, sans
le cheval, le cocher ne peut faire démarrer son véhicule, de
même, sans le corps astral, l'âme ne peut mouvoir le corps.

Le cheval emporté montre ce que peut devenir l'homme
livré à une passion violente. L'âme-cocher est incapable de
le maîtriser et d'empêcher le corps-voiture de se briser contre
le mur... Privés de véhicule corporel, l'âme et le cheval s'éloignent ensemble et baignent dans une zone immatérielle, elle-
même emplie de millions de formes du même plan.

C'est là, dans une atmosphère chargée de fluides psychiques, que flottent ceux que leur densité empêche de gagner
les hauteurs.

LE LIEN FLUIDIQUE VITAL DE BOSC

Les occultistes modernes sont beaucoup plus explicites
que les anciens dont la connaissance était tenue cachée et
qui ne la libéraient que par symboles et à mots couverts.

Voici ce que dit Ernest Bosc pour résumer les observations de la clairvoyance, à l'instant même de la mort :

« ... Le cerveau devient brillant, il illumine même la tête
« du moribond, car la vie s'est retirée jusqu'au cou; elle
« réside alors tout entière dans la tête, en l'atmosphère flui-
« dique de laquelle nous voyons un volume d'*aura* considé-
« rable. De cette *aura* se forme une autre tête qui, d'abord
« très nuageuse, devient, peu à peu, plus nette, plus distincte,
« d'un dessin enfin très précis, et au fur et à mesure que
« cette tête se condense, l'éclat lumineux de la tête du mori-
« bond disparaît de plus en plus et, bientôt, à la nouvelle
« tête ainsi formée, s'ajoutent un cou, des épaules, un tronc,
« des jambes, en un mot un fantôme complet, qui plane au-
« dessus du corps *dans une position horizontale.*

« Evidemment, tout ce qui était vie a passé dans ce fan-
« tôme et l'anime; quant à lui, il est relié au futur cadavre
« par le lien fluidique vital. En effet, tant que celui-ci n'est
« pas coupé, le corps n'est pas mort.

« Suivant que ce lien se coupe, se rompt plus ou moins
« loin du corps, la décomposition est plus ou moins lente,
« car c'est cette portion du lien fluidique qui en empêche
« la dissolution...

« Nous sommes tout à fait convaincu que le principe vital
« s'échappe par la glande pinéale. Tous les clairvoyants affir-
« ment [comme les Extrême-Orientaux] que l'âme ou l'esprit
« s'échappe du sommet du crâne. »[1]

LA GAMME DE DISSOCIATION

Raoul Montandon, analysant les phases du dégagement
de l'homme *total*[2] reproduit, d'après Ed. Arnaud, l'ingé-
nieuse comparaison suivante :

---

1. N'était-ce pas la raison pour laquelle tant de squelettes préhisto-
riques portent la marque d'une trépanation, afin de favoriser la sortie
du double ?

2. *Aux écoutes du monde invisible.*

« Si nous adoptons les sept notes de la gamme pour repré-
« senter les éléments : solides, liquides, gazeux et éthériques
« dont se compose le corps physique, nous pourrons dire
« que *do, ré, mi* figurent les trois premiers, alors que *fa, sol,*
« *la, si* se rapportent respectivement aux quatre éthers « dif-
« férents du double éthérique (éther chimique, éther vital,
« éther lumière, éther réflecteur).

« Lorsque survient la crise de la mort, les éléments gros-
« siers : *do, ré, mi,* retournent (par dissolution) au monde
« physique. Le corps éthérique dans sa quadruple constitu-
« tion : *fa, sol, la, si,* abandonne alors les éléments inférieurs
« (solides, liquides et gazeux) emportant avec lui dans le
« monde suprasensible les éléments supérieurs de l'indi-
« dividu. »

L'homme, en effet, est intimement relié à tout l'Univers,
et c'est ce qui amène Raoul Montandon à cette constatation d'évidence :

« Faire de l'homme un isolé, sans rapports avec le monde,
« est un non-sens. Loin de vivre en vase clos, l'individua-
« lité humaine évolue, au contraire, simultanément *sur*
« *plusieurs plans du Cosmos* auxquels la rattachent les divers
« éléments (visibles et invisibles) de son être...

« Aussi, bien qu'il n'en ait nullement conscience, tout
« homme se trouve *individualiser une portion du milieu*
« *universel*. En d'autres termes, l'Univers trouve en lui une
« correspondance complète... »

LE DÉGAGEMENT, SELON LANCELIN[1]

Charles Lancelin divise l'esprit de l'homme en quatre âmes
différentes bien réunies en un tout : l'âme vitale, l'âme sensitive, l'âme intelligente et l'âme causale, auxquelles il ajoute
d'ailleurs l'âme intuitive, l'âme conscientielle, le reste constituant l'Esprit pur.

---

1. *L'Occultisme et la Science* (Lib. Niclaus).

Après la mort du corps l'âme vitale disparaît et son énergie propre rentre dans le réservoir de la vie générale. De même l'élément le plus grossier de l'âme sensitive se désagrège dans l'astral.

A ce degré d'amputation animique, l'être humain n'a plus pour support inférieur que ce qui reste de l'âme sensitive et ses efforts, encore inhabiles, tendent à prendre pied dans le nouveau milieu où il naît. Car la mort est un véritable accouchement psychique, une véritable naissance.

Redevenu un être fluidique, la défunt doit apprendre à se mouvoir parmi les fluides, et c'est là que la présence de guides est indispensable pour faciliter ses premiers pas et son éducation.

Son trouble et sa débilité sont alors tels que la plupart des esprits chancellent et, dans le désarroi de leur conscience, ne savent ni où ils sont, ni ce qu'ils éprouvent et ignorent parfois qu'ils sont morts.

A l'issue de cette période de confusion, la grande période de confrontation s'établit. Le mort voit défiler devant lui l'ensemble de sa vie. Il voit clair dans sa subconscience et comprend son destin caché.

« Tous nos actes sont *vitalisés* sur le plan astral, c'est-à-
« dire y vivent avec d'autant plus de force qu'ils ont été plus
« répétés.

« Où se trouvent toutes ces pensées et toutes ces actions ?
« Dans l'*aura* humaine, où chacune d'elles forme, en quelque
« sorte, un être à part, vivant de sa vie propre (mais aux
« dépens de l'être qui les a générées)... C'est là que la
« mémoire va les chercher, pour, à l'heure ultime, faire défi-
« ler, comme un rapide kaléidoscope, tout le passé du mori-
« bond. Mais toutes ces pensées, toutes ces actions, âpres
« à conserver leur vitalité, savent qu'elles vont mourir si
« meurt le corps physique, sans que les principes supérieurs
« les entraînent avec eux dans les régions hautes... »

L'esprit est retenu dans son ascension par les attaches terrestres, désir, rancunes, intérêts, et aussi par le souvenir des êtres chers. La partie dense du corps astral en est encore plus alourdie et ce n'est qu'après beaucoup d'efforts, et grâce à l'aide des Entités bienfaisantes, que l'esprit se libère peu à peu.

En effet, à mesure que le temps s'écoule, les œuvres terrestres du défunt « ont subi le sort de toutes les œuvres ter- « restres : elles sont mortes elles aussi ou ont été déviées de « leur but primordial. [Le mort] cesse de s'y intéresser... « Ceux qu'il a connus et aimés sur terre ont, à leur tour, « subi la grande épreuve; il est allé au-devant d'eux pour « leur faciliter le passage... et les accueillir ; les indifférents « qui l'ont connu, les descendants à qui l'on a jadis parlé « de l'ancêtre disparu, et dont le souvenir vague le rappe- « lait encore parfois sur terre, ont enfin cessé d'être. L'oubli « s'est fait sur lui et rien ne l'attire plus dans ce monde qui « fut sa demeure temporaire. Il peut, à son tour, délaisser « tout souvenir sauf celui qui résulte de son karma. Il peut « monter vers l'Absolu de tout et suivre la voie où l'entraî- « nent ses destinées. Pour lui, dès lors — mais alors seule- « ment — la mort est parfaite. »

LE ROYAUME DES MORTS ET LES SEPT ROYAUMES D'APRÈS LES ÉPOUX CURTISS

Dans leur livre *Royaumes des morts vivants*, le théopneutique docteur Curtiss et sa femme ont écrit :

« Dans le cas de la majorité des personnes, la première « impression éprouvée, lors du réveil dans le Monde Astral, « est celle d'une intense et étrange solitude, avec la « conscience confuse d'être entouré de vagues formes « d'ombre, d'être surveillé par des yeux innombrables, le « tout sans la possibilité de formuler ses pensées ou de com- « prendre par quoi ou par qui on est surveillé.

« A ce stade, les "réveillés" n'ont pas encore appris à se « servir de leurs sens astraux pour faire la discrimination « entre tant de sons, de visions et de sensations étranges. « On doit se rappeler que, dans le Monde Astral, et pen-

« dant un certain temps, ces "réveillés" sont comme un
« enfant nouveau-né quand il ouvre pour la première fois
« ses yeux à la lumière. Si nous pouvions pénétrer dans les
« impressions du petit enfant, nous trouverions qu'il y a en
« lui une vague mémoire de ce qu'il a abandonné et le sen-
« timent d'être sorti d'un profond sommeil (période de ges-
« tation) et l'incompréhension étonnée des lueurs et des sons
« qui l'environnent. Si, toutefois, les défunts ont, avant leur
« mort, étudié la question de la survie, ou, tout au moins,
« obtenu quelque compréhension de ce qui les attendait, la
« confusion n'est que momentanée. »

Les Curtiss ajoutent ceci :

« Une des causes principales de confusion dans l'esprit
« du chercheur réside dans ce fait que les manifestations du
« Monde Astral nous présentent celui-ci sous des aspects fré-
« quemment contradictoires. Mais nous obtiendrions les
« mêmes contradictions dans les témoignages d'un mineur,
« d'un scaphandrier, d'un fermier, d'un marin, d'un avia-
« teur, si nous invitions ceux-ci à nous décrire leur vie du
« Monde Physique...

« Puisque le Monde Astral est le Monde de la sensation
« et du désir, tout son royaume est basé sur ces deux carac-
« téristiques, mais avec une intensification et une subtilité
« que n'a pas ce Monde-ci. On devrait se rappeler que le
« Monde dans lequel on pénètre par la porte de la Mort ren-
« ferme autant d'états de conscience — et même plus — que
« le Monde où l'on pénètre par la porte de la naissance, car
« la naissance dans le Physique est la mort dans l'Astral et
« la mort dans le Physique est la naissance dans l'Astral. »

CHAPITRE XIV

LA ROUE SANS FIN DES RENAISSANCES

Le problème de la réincarnation est de ceux qui se posent le plus impérieusement dans la pensée de l'homme d'aujourd'hui.

Non que toutes les religions ou toutes les philosophies y souscrivent, bien au contraire. Il a été dépensé beaucoup d'encre pour combattre le principe des vies successives et bien plus encore pour l'affirmer.

La vérité est que, de part et d'autre, on se trouve dans l'impossibilité d'apporter une preuve absolue, et qu'on en est réduit à formuler des hypothèses et à envisager des probabilités. Il faut reconnaître, d'ailleurs, que la défense est infiniment plus vigoureuse que l'attaque et dispose d'arguments plus pertinents et plus nombreux.

On a affecté, dans certains milieux, de confondre réincarnation, transmigration des âmes et métempsycose, celle-ci étant d'ailleurs prise dans sa forme la plus basse et comme une régression de l'âme humaine dans le corps d'un animal. Certaines religions l'interprètent ainsi, et c'est le cas de celles de l'Inde, mais non dans la mesure où on l'imagine vulgairement.

Pour l'Hindou, l'incarnation humaine est le terme d'une longue évolution, qui fait monter l'être du règne le moins évolué au stade le plus haut de la vie en passant par des états intermédiaires dans lesquels, à tout instant de sa progression, l'âme peut retomber.

C'est ainsi que l'entendaient les philosophes anciens, et notamment Pythagore. On suppose d'ailleurs que le retour dans la vie animale peut être interprété parfois allégoriquement. Une raison occulte justifierait d'ailleurs l'impossibilité d'une totale réincarnation animale ou végétale, c'est que le double (fluidique ou éthéré) qui sert de support à la renaissance revêt la forme humaine et, par conséquent, ne se prêterait pas à une telle transformation.

Les doctrines de réincarnation sont étroitement liées à la notion de *karma*, c'est-à-dire de responsabilité automatique, chaque être ayant à subir personnellement les conséquences, proches ou lointaines, de ce qu'il pense, dit ou fait. Rien n'est plus capable d'en démontrer le mécanisme que la citation suivante, empruntée à l'article « Védantisme et vie pratique » dû à Jean Herbert[1].

THÈSE HINDOUE

« Dans l'hindouisme, l'existence mortelle humaine dans
« laquelle nous sommes actuellement n'est pas pour notre
« âme une expérience unique qu'elle n'avait jamais faite
« auparavant et qu'elle ne fera jamais plus dans l'avenir...
« L'âme séparée de la Grande Unité cherche à retrouver cette
« Unité par un développement long et progressif. Pour se
« développer ainsi, elle a besoin de s'incarner dans toute une
« série de corps vivants successifs composés d'éléments
« physiques, mentaux, volitifs, etc. Les naissances à l'état

---

1. *Message de l'Inde* (Cahiers du Sud, édit.).

« humain sont les plus importantes, peut-être les dernières
« de ces incarnations, celles dans lesquelles s'accomplit le
« progrès décisif. Mais pour chaque âme elles seront aussi
« nombreuses qu'il le faudra jusqu'à ce que soit atteint le
« résultat cherché...
« ... L'Hindou, à la différence du chrétien, n'a pas à lutter
« contre la montre. Son sort ne sera pas réglé définitivement
« pour l'éternité, d'après ce qu'il aura fait de bien ou de mal
« dans la vie actuelle. Au lieu d'avoir devant lui, "pour faire
« son salut" ou s'unir au Divin, un délai inconnu de lui,
« mais en tout cas fort restreint, il dispose de l'éternité. Dans
« la vie présente, il parcourra autant de chemin qu'il pourra,
« mais pour tout ce qui lui restera encore à faire au
« moment de la mort, il vivra d'autres existences en nombre
« illimité. On peut trouver là une des raisons profondes de
« sa sérénité. Dans le domaine spirituel, le seul important,
« rien de ce qui se fait n'est irrémédiable. L'occasion vien-
« dra toujours de faire ce qu'il y a lieu de faire. Certes, cette
« occasion ne sera pas présente en permanence, et si on la
« laisse passer une fois, il faudra peut-être attendre bien long-
« temps avant qu'elle ne revienne; peut-être même sera-t-
« elle alors plus difficile et plus douloureuse. Mais il n'en
« résultera qu'un retard qui, si pénible soit-il, n'est pas une
« perte définitive. Donc pas de hâte fébrile et maladroite,
« pas d'affolement, pas de désespoir. Il en résulte aussi envers
« la mort une attitude tout à fait différente de la nôtre. Pour
« l'Hindou, la mort et la naissance sont des phénomènes qui
« se répètent fréquemment, comme le réveil ou l'assoupis-
« sement... Chaque vie est pour lui ce qu'est pour nous une
« journée; il s'endort dans ce que nous appelons la mort
« avec la même certitude de se réveiller plus tard dans ce
« que nous appelons la vie. Ce ne sera plus dans le même
« corps ni dans le même milieu; ce sera peut-être avec de
« nouveaux compagnons de route, et il aura oublié alors sa
« vie actuelle, de même qu'aujourd'hui il n'a pas le souve-
« nir des vies précédentes, mais la mort n'est pas une fin...
« ... Pas de terreur de la mort. Pas cette crainte de l'anéan-

« tissement qui hante le matérialiste, pas cette crainte de
« l'enfer qui poursuit le chrétien... Par contre, le désir de
« survie, qui est si profond chez nous, n'a plus de raison
« d'être chez l'Hindou. Il sait qu'il doit renaître (et remou-
« rir) bien des fois encore, avant la grande union, la grande
« fusion finale... La plus grande joie que puisse éprouver
« l'Hindou est de s'entendre dire par son maître : Tu en
« es à ta dernière existence; après celle-ci tu seras libéré...,
« tu ne seras plus asservi à la ronde incessante des morts
« et des naissances... »
Une comparaison est donnée par les livres hindous.

« Un homme sage mange une mangue et plante le noyau,
« de ce noyau croît un grand manguier qui porte des fruits,
« un homme mange ces fruits et plante le noyau, etc. Le
« point de départ de cet enchaînement est inconnaissable... »

CROYANCES INITIALES DE L'OCCIDENT

Les Egyptiens, pour n'avoir pas décrit formellement les
phases de la renaissance, n'en avaient pas moins amorcé son
principe. Ils voyaient, en effet, dans les jours qui succèdent
aux nuits, l'image de la vie totale et le Livre des Morts dit :
« Je suis Khephra (le Devenir) qui se donne la forme, dès
« sa sortie en haut de la cuisse de sa mère, étant un chien-
« loup pour ceux qui sont dans l'abîme céleste et un phénix
« pour ceux qui sont parmi les divins chefs. »
Et plus loin : « L'âme sort du *Tiahou*, ou Royaume de
« la cause de la vie, et se joint aux vivants terrestres dans
« le jour, pour retourner au *Tiahou* dans la nuit. »
Chez les Grecs, une croyance rudimentaire à la transmigration se trouve déjà dans Homère. Elle est orchestrée largement par Pythagore (qui se souvenait, disait-il, d'avoir été
un paon). Platon la reprit et, après lui, non seulement les
néo-platoniciens de l'école d'Alexandrie, mais encore la plupart des Pères grecs de l'Eglise des premiers temps. Saint
Clément croyait à la doctrine des existences successives. Ori-

gène l'enseignait, lui que l'austère saint Jérôme tenait « pour le plus grand des chrétiens après les apôtres ». La foi dans la pluralité des vies de l'âme était largement enracinée dans le christianisme primitif.

Mais de qui Pythagore et son école tenaient-ils leur doctrine de réincarnation ? Des Druides gaulois, selon toute vraisemblance, car que signifie la montée de l'âme à partir de l'abîme *Anounf*, à travers *Abred* et jusqu'à *Ceugant*, le Divin dont elle sort [1] ?

Tout l'Occident était donc pénétré de la croyance en une renaissance spirituelle plus ou moins indéfinie, au moins pendant les premiers siècles de notre ère et jusqu'à ce que la barbarie eût occulté cette haute notion.

Et cela n'est pas surprenant, car si les Evangiles ne contiennent pas de précisions nombreuses à ce sujet, ils n'en renferment pas moins quelques passages demeurés célèbres et qui prouvent la persistance en une réincarnation des âmes parmi les juifs du même temps.

LE POINT DE VUE CHRÉTIEN

Ceci n'est d'ailleurs pas contesté par certains catholiques notoires. Selon le Père Didon, « on croyait alors dans le peu-« ple et même dans les écoles, au retour de l'âme des morts

---

1. « Je suis homme par le privilège du vouloir Divin... Je suis du « Macrocosme, mon origine fut l'abîme. Je suis dans le macrocosme « où je suis en traversant le cercle d'Abred et je suis maintenant un « homme près de son terme... Avant d'être homme en Abred, j'étais... « la moindre particule de vie qu'on puisse concevoir, le plus près pos-« sible de la mort absolue ; puis je passai dans chaque forme et à tra-« vers toute forme... susceptible de renfermer la vie, dans les eaux, dans « les airs et dans le ciel... »
Ailleurs que dans cet abrégé du *Bardas* (op. cit.), il est parlé des limites du parfait Gwenved (ciel supérieur). Donc il y aurait des étages dans le ciel et continuation du perfectionnement hors de la condition d'homme physique. C'est ce qu'admet implicitement l'Eglise catholique avec son stade purificateur.

« dans les vivants ». Dom Calmet, bénédictin non moins illustre que le dominicain, a écrit de son côté : « Plusieurs « docteurs juifs croient que les âmes d'Adam, d'Abraham, « de Phinée ont animé *successivement* plusieurs hommes de « leur nation. »

Cette tendance était si commune durant le ministère du Christ que celui-ci, parlant de Jean-Baptiste à la foule, s'écrie : « ... Si vous voulez comprendre, c'est lui qui est « l'Elie qui devait venir. Que celui qui a des oreilles pour « entendre, entende. »

Et plus tard : « Les disciples lui firent cette question : « Pourquoi donc les scribes disent-ils qu'Elie doit venir pre- « mièrement ? » Il répondit : « Il est vrai qu'Elie doit venir « et rétablir toutes choses. Mais je vous dis qu'Elie est déjà « venu, qu'ils ne l'ont pas reconu, et qu'ils l'ont traité comme ils ont voulu... » Les disciples comprirent alors qu'il leur parlait de « Jean-Baptiste ».

Quand Jésus demande ce que les Juifs disent du Fils de l'Homme... ils lui répondent : « Les uns disent : c'est Jean-Baptiste, les autres, Elie, les autres Jérémie ou l'un des prophètes. »

Enfin, lorsqu'à Nicodème, l'un des chefs des Juifs, Jésus répond : « En vérité... je te le dis, si un homme ne naît de « nouveau, il ne peut voir le royaume de Dieu », et que Nicodème ajoute : « Comment un homme peut-il naître quand « il est vieux ? Peut-il rentrer dans le sein de sa mère et naî- « tre ? » le Christ précise derechef : « Si un homme ne naît « d'eau et d'esprit, il ne peut entrer dans le royaume de Dieu. « Ce qui est né de la chair est chair et ce qui est né de l'esprit « est esprit... Tu es le docteur d'Israël et tu ne sais pas ces « choses... » Et il conclut : « Personne n'est monté au ciel « si ce n'est celui qui est descendu du ciel... »

Pourquoi l'Occident perdit-il la notion de la réincarnation tandis que l'Orient la conservait ? D'abord pour une raison de doctrine fondamentale. Le premier y voyait une raison d'individualiser sa personnalité et le second un moyen de l'abolir en la résorbant dans le Tout. Ensuite, parce que,

150

vers le Ve siècle, la pensée philosophique occidentale s'obscurcit à mesure que la culture antique s'effondrait sous les invasions barbares. Pour le Moyen Age, incapable de spéculations subtiles, une vie unique suffisait. L'étroitesse des conceptions ne permit point qu'on envisageât l'épreuve répartie sur plusieurs vies, seule explication de la justice divine, malgré l'injustice des prédestinations.

Il ne faut pas croire qu'avec le baptême de Clovis la notion de la pluralité des existences disparut des croyances du monde chrétien. Sans doute, la masse des fidèles l'oublia, mais des personnalités catholiques la reprirent, avec d'autant plus de sérénité que l'Eglise n'a jamais dogmatisé sur la question.

C'est ainsi qu'au cœur même du Vatican, vers 1450, le cardinal italien Nicolas de Cusa développa la thèse de la pluralité des existences et celle des mondes habités. Non seulement la Papauté n'y contredit point, mais les papes Eugène IV et Nicolas V s'y associèrent.

Parmi beaucoup de témoignages contemporains, on peut citer celui de l'évêque de Chartres, Monseigneur de Montel, qui écrivait dans un mandement de 1843 : « Puisqu'il « n'est pas défendu de croire à la préexistence des âmes, qui « peut savoir ce qui a pu se passer dans le lointain âge entre « les intelligences ? »

Plus récemment, Monseigneur Louis Passavalli, vicaire de la basilique de Saint-Pierre de Rome, disait, dans une lettre au Garde des Sceaux italien :

« Il me semble que si l'on pouvait propager l'idée de la « pluralité des existences pour l'homme, aussi bien dans ce « monde que dans l'autre, comme un moyen de réaliser « l'expiation et la purification de l'homme, dans le but de « le rendre enfin digne de lui et de la vie immortelle des « cieux, on aurait déjà fait un grand pas, car cela suffirait « à résoudre les problèmes les plus embrouillés et les plus « ardus qui agitent actuellement les intelligences humaines. « Plus je pense à cette vérité, plus elle m'apparaît grande « et féconde en conséquences pratiques pour la société. »

Cela n'a pas empêché le chanoine Coubé de combattre la doctrine des réincarnations, avec plus de virulence que d'efficacité, puisque ce même auteur, tantôt mû par l'esprit de controverse, la qualifie de « folie ou imposture », et tantôt, gagné en dépit de lui-même, est contraint de déclarer : « La réincarnation n'est pas, par elle-même, une idée impie « et ne semble pas intrinsèquement impossible » ou encore : « La réincarnation pourrait, à la rigueur, se concilier avec « le dogme du ciel chrétien. »

RÉINCARNATION SPIRITE

Léon Denis a répondu comme il suit au nom des plus évolués des spirites :
« Avec le principe de réincarnation, tout s'éclaire ; tous « les problèmes se résolvent ; l'ordre et la justice apparais- « sent dans l'univers. La vie prend un caractère plus noble, « plus élevé ; elle devient la conquête graduelle, par nos « efforts, avec le secours d'en haut, d'un avenir toujours « meilleur ; l'homme sent grandir sa foi, sa confiance en Dieu « et de cette conception élargie la vie sociale reçoit les réper- « cussions profondes.

« Par contre, n'est-ce pas une pauvre et lamentable idée, « celle qui consiste à croire que Dieu nous accorde une seule « vie pour nous améliorer et pour progresser ? Eh quoi ! une « existence dont la durée est de quelques années, de quelques « mois, et seulement de quelques heures pour les uns, de « quatre-vingts à cent ans pour les autres, si disparate sui- « vant les conditions et les milieux où nous sommes placés, « selon les possibilités et les ressources qui nous sont accor- « dées, peut-elle être l'unique pivot sur lequel repose tout « l'ensemble de nos destinées immortelles ? Le Père Coubé « ne voit-il pas la contradiction, le manque d'équilibre qui « existe entre une conception si étroite, si insuffisante de « la vie, et l'ampleur, la majesté qui se révèlent dans le plan « général de la Nature ? Comment faut-il concilier la situa-

« tion des enfants morts-nés, de ceux qui ne vivent que peu
« d'instants, ou de ceux condamnés à souffrir dès le berceau
« et parfois durant plusieurs années, avec la justice et la bonté
« de Dieu ? Ne sait-il pas que ces problèmes ont fait le déses-
« poir de nombreux théologiens ?

« L'humanité... est composée, en grande majorité, des
« mêmes âmes qui reviennent, de vies en vies, poursuivre
« ici-bas leur éducation, leur perfectionnement individuel,
« tout en contribuant au progrès commun. Elles renaissent
« dans le milieu terrestre jusqu'à ce qu'elles aient acquis les
« qualités morales nécessaires pour monter plus haut. Dans
« son évolution à travers les siècles, l'humanité subit des cri-
« ses qui marquent autant d'étapes de son développement.
« Actuellement, elle sort à peine de sa chrysalide, de sa gan-
« gue impure et grossière, pour s'éveiller à la vie supérieure.
« *Notre civilisation est toute de surface et cache un fond consi-*
« *dérable de barbarie.* Le drame auquel nous assistons[1]
« représente la lutte des instincts égoïstes et brutaux contre
« les aspirations sur le droit, la justice, la liberté.

« Au cours de ses premières existences terrestres, l'âme
« doit tout d'abord construire sa personnalité, développer
« sa conscience. C'est la période d'égoïsme, où l'être attire
« tout à lui, empruntant au domaine commun les forces, les
« éléments nécessaires pour constituer son moi, son origi-
« nalité propre. Dans la période suivante, il restituera, il
« rayonnera, rendant à tous ce qu'il aura acquis, sans
« s'amoindrir pour cela, car, dans cet ordre de choses, *celui*
« *qui donne s'augmente, celui qui se sacrifie s'accroît.* »

Pour en terminer avec la renaissance spirite dont on ne
saurait nier la noblesse, disons que, d'après les révélations
des « esprits », Mars serait habité par des êtres un peu supérieurs à nous. « Vénus, au contraire, par des êtres inférieurs.

---

1. Ces lignes étaient écrites au cours de la Première Guerre mondiale. Les événements du nouveau conflit universel n'en ont pas diminué l'intérêt.

« Le soleil est le séjour d'Esprits sublimes qui ont atteint
« les plus hauts sommets de l'évolution... [1] »

LA RÉINCARNATION THÉOSOPHIQUE

Les thèses de renaissance spirite et théosophique ne doivent pas nous faire illusion. En dépit des procédés d'expérimentation directe qu'ils invoquent, spiritisme et théosophie ont d'abord puisé dans l'hindouisme et le bouddhisme les éléments premiers de leur croyance et ne diffèrent de la conception extrême-orientale que par une adaptation plus objective à la mentalité d'Occident.

Les théosophes ont même adopté dans leur quasi-totalité les données de l'évolution *post-mortem* du bouddhisme et se sont bornés à l'enrichir de précisions néo-scientifiques, puisées dans l'enseignement des Mahatmas, qui seraient d'ailleurs des maîtres hindous.

Nous allons en donner un très sommaire aperçu, tiré des principaux auteurs théosophiques par l'un des meilleurs compilateurs de la théosophie, le lieutenant-colonel Arthur E. Powell [2].

« Après que les causes ayant entraîné l'*Ego* (âme supé-
« rieure) en *Dévachan* ont cessé d'agir et que le fruit des expé-
« riences a été complètement assimilé, l'*Ego* recommence
« à éprouver le désir de la vie matérielle des sens, et ce désir
« ne peut être satisfait que sur le plan physique...

« Pendant le repos dévachanique, l'*ego* a été libre de toute
« douleur et de tout souci ; mais le mal qu'il fit dans sa vie
« passée n'est pas mort, il est à l'état latent. La semence des
« tendances mauvaises du passé commence à germer dès que
« la nouvelle personnalité est en formation pour la prochaine
« incarnation. Il faut que l'*ego* emporte avec lui le fardeau du

---

1. *La Grande Enigme* (Libr. des Sciences Psychiques).
2. *Le Corps astral* (Edit. Adyar).

154

« passé : qualités matérielles, sensations, idées abstraites, ten-
« dances de l'esprit, pouvoirs mentaux.

« Le phénomène prend naissance lorsque l'*ego* tourne son
« attention d'abord vers le mental qui reprend immédiate-
« ment son activité, puis vers l'atome astral permanent...

« L'*ego* s'entoure alors de matière du plan mental, puis
« de matière du plan astral, puis d'essence élémentale et,
« ayant ainsi reconstitué le corps astral qu'il avait laissé à
« la fin de sa vie astrale, l'homme reprend sa vie dans cha-
« que monde juste au point où il l'avait laissée la dernière
« fois...

« ... Chaque incarnation est liée d'une manière inévitable,
« automatique et très juste avec les vies précédentes, de sorte
« que la série complète forme une chaîne continue...

« Le phénomène de l'agglomération de matière autour du
« noyau astral est quelquefois très rapide, quelquefois assez
« lent. Quand il est terminé, l'*ego* est alors vêtu de l'enve-
« loppe karmique qu'il a préparée lui-même, et il est prêt
« à recevoir des agents du seigneur Karma le double étheri-
« que dans lequel le nouveau corps physique sera construit
« comme dans un moule. »

L'homme ne renaît pas avec ses qualités et ses défauts,
mais avec les germes de ses tendances. Le développement
de celles-ci sera grandement influencé, surtout dans les premières années, par l'entourage de l'enfant.

En effet, au début de la vie nouvelle, l'*ego* n'a plus qu'une
très faible action sur ses véhicules ou enveloppes, en dépit
de l'extrême plasticité de ceux-ci. Par contre, les parents et
les maîtres ont la faculté de les modeler à leur gré, d'où leur
lourde responsabilité en matière de direction de l'enfance,
puisque l'atmosphère qu'ils créent déterminera toute la vie
du réincarné.

La théosophie prévoit le cas où la vie d'un homme a été
tellement mauvaise que ces corps astral et mental sont arra-
chés de l'*ego* après la mort. Dans ce cas, l'*ego* essaie d'en
fabriquer de nouveaux, mais ceux-ci, par affinité avec les
anciens, s'y agglomèrent et cette double forme imparfaite

est considérée par les théosophes comme une des forces les plus redoutables de l'astral. La réapparition sur terre qui suit immédiatement une telle expérience peut enchaîner, pour une vie, l'*ego* d'un homme au corps d'un animal... Il n'y aurait pas à proprement parler réincarnation, mais juxtaposition (ainsi les pourceaux possédés de l'Evangile). Dans des cas moins graves, l'*ego* se réincarnerait normalement dans une enveloppe humaine présentant les caractéristiques du monde animal. Ainsi s'expliqueraient les « monstres » et, peut-être, sous une autre forme, le crétinisme, la folie.

On le voit, il y a là un essai de justification, non seulement des naissances anormales, mais encore de la croyance ancienne de la chute de l'âme dans l'animalité.

UNE THÉORIE OCCULTE DE LA RENAISSANCE

Charles Lancelin a tenté [1] de fournir une explication du processus de la réincarnation basée sur l'hypnose et la clairvoyance. Comme cet auteur emploie le vocabulaire et certaines classifications théosophiques, son système n'est pas absolument original.

D'après lui, une sensation « d'être dans le gris ou dans le noir » caractérise l'état qui précède immédiatement la naissance, c'est-à-dire une impression analogue à celle qui a suivi la mort du corps précédent.

« L'être, dit-il, qui, soit seul, soit aidé des Entités supé-« rieures, a établi le bilan de ses vies antérieures, compris « en quoi il avait failli, en quoi il avait progressé, cherché... « quelle épreuve sur terre lui serait le plus méritoire...

« A partir du moment où sa résolution est prise, il « s'engourdit dans son vouloir, comme les animaux hiber-« nants dans leur terrier. Tout, autour de lui, devient vague, « confus, il végète, en quelque sorte, dans un état hypnoïde... « la conscience de son soi supérieur s'assoupit pour laisser

---

1. *Comment on meurt, comment on naît* (Henri Durville, éditeur).

« naître en lui un rudiment de conscience qui deviendra,
« en se développant, son Moi de la vie. Et lorsque, plus tard,
« sa véritable conscience, sa conscience originale et primor-
« diale aura des sursauts de réminiscence ou de prévision,
« il ne comprendra pas et l'appellera sa subconscience. »
Durant ce temps, sur la terre, un homme et une femme
se sont unis physiquement, poussés par une inexplicable
impulsion. Le rôle occulte de l'amour reproducteur est tout
entier à expliquer et dépasse la courte science des psycho-
logues et des physiologistes. Ce n'est certainement pas par
hasard que deux individus de sexe différent sont rapprochés
et il y aurait beaucoup à dire sur les influences invisibles
qu'ils subissent.

Quoi qu'il en soit, et pour reprendre l'exposé de Lancelin, voici l'ovule humain fécondé.

Notre auteur estime que « le père donnant la vie et, chez
« le fantôme extériorisé, la vie physique étant détenue dans
« le double éthérique, le double éthérique du fœtus semble
« bien émaner du père. Au contraire, la mère ayant fourni
« l'ovule et... donnant... sa propre substance dont s'accroît
« le fœtus, c'est à la mère que l'on peut rapporter l'origine
« du sarcosome [corps de chair]. »

Corps matériel et corps éthérique se développeraient
ensemble durant cette période et Lancelin donne cette explication :

« Dans les expériences de régression de la mémoire[1], c'est
« sur le double éthérique que l'on agit magnétiquement ;
« ce double devient de plus en plus petit au fur et à mesure
« qu'on lui fait remonter ses années d'enfance. Or, lorsqu'on
« le situe dans les derniers temps de la vie utérine, il prend

---

1. Ces expériences, dont l'initiative revient au colonel de Rochas,
et que nous envisageons plus loin, consistent essentiellement à demander à un sujet plongé dans l'hypnose profonde de remonter le cours
de sa vie, jusques et y compris la période de gestation dans le ventre
de sa mère. Dans nombre de cas, le sujet aurait fait rétrograder sa
mémoire non seulement dans sa vie désincarnée, mais dans plusieurs
de ses existences en deçà.

« — et le sujet prend à son imitation — la position caractéris-
« tique : membres inférieurs et supérieurs ramenés sous le
« menton, incurvation du cou, etc. A mesure qu'on le fait
« régresser jusqu'aux premiers temps, il se détend et prend
« une position de plus en plus allongée, comme le germe
« qui ne subit pas encore la contraction utérine. Et cette
« modification de position a été fournie par des sujets sans
« instruction et qui, certainement, l'ignoraient à l'état
« normal.

« A ce moment cependant, l'entité (à réincarner) est encore
« *extérieure* à la mère... Jusqu'à la fin de la gestation, elle
« se tient dans l'ambiance de la mère, elle l'*environne*, sui-
« vant le mot invariable de tous les sujets magnétiques que
« l'on situe en ce stade de leur existence. »

A quel moment cette entité commence-t-elle à prendre possession de l'organisme embryonnaire ? Probablement assez
tard et Lancelin le place vers le septième mois de la gestation.

A ce moment, l'entité en instance de réincarnation péné-
trerait l'être fœtal au moyen de sa matière astrale inférieure
et accroîtrait ainsi considérablement la sensibilité du fœtus.

« Doué dès lors de sa sensibilité, [celui-ci] souffre de plus
« en plus dans sa prison de chair et fait instinctivement effort
« pour se dégager ; c'est cet effort qui, joint aux efforts
« d'expulsion que font les muscles de la mère, amène faci-
« lement la naissance... »

Lorsque l'enfant effectue sa première inspiration, la
matière astrale supérieure l'envahit et le corps astral au complet relie l'organisme du nouveau-né à l'esprit, non incarné
encore, et qui s'incorporera définitivement vers l'âge de sept
ans. Durant cette première période de vie terrestre, l'entité
fraîchement incarnée garde en partie le souvenir de l'existence sans corps qu'elle a quittée. Voilà pourquoi les petits
enfants « rient aux anges » et, jusqu'à ce que la Pensée, elle
aussi, soit emprisonnée dans la chair, continuent à vivre sur
un autre plan.

LA RECHERCHE DE LA RENAISSANCE
SUIVANT LE BARDO

Nous voici de nouveau en présence du livre rituel du *Bardo*, expression du Bouddhisme du Nord, dans sa forme tibétaine et ramené ainsi à l'une des interprétations les plus curieuses de la spéculation d'Orient.

Au chapitre V, nous avons étudié le *Bardo* du moment de la mort ou *Chikhai Bardo*, le *Bardo* de l'expérience de la réalité ou *Chonyid Bardo*. Il reste à examiner le *Sidpa Bardo*, ou Bardo de la Renaissance.

Après l'évanouissement et la confrontation avec les Déités paisibles et irritées, le Principe conscient s'est revêtu d'un corps sans chair, doué de toutes les facultés des sens, du libre mouvement, de la radiance, et visible seulement par des yeux de même nature. C'est le corps du désir qui n'est lui-même qu'une hallucination de forme-pensée.

A une période indéterminée de ce temps, le Principe conscient aura une vision de la place future de sa naissance. Il lui faudra, par conséquent, s'il ne désire pas se réincarner dans la chair, tenter d'obtenir la Libération sans être obligé de repasser par la « porte des matrices ». Mais la plupart, affligés d'être sans corps et incapables d'autres modes d'expression, souhaitent de retrouver un corps et s'acheminent infailliblement vers une naissance. C'est pourquoi l'influence de la pensée est alors prépondérante et doit s'exercer dans toute sa puissance si le Principe conscient répugne à redescendre dans le monde matériel.

CLOTURE DE LA PORTE DE LA MATRICE

Tout l'effort du rituel bardique porte alors sur le comportement du « connaisseur » (principe conscient) qui, à l'aide d'une concentration appropriée et de formules efficaces, devra tenter de se soustraire à l'appel de plus en plus impérieux de la chair.

Le *Sidpa Bardo* vise à deux buts principaux : « empêcher
« l'être de se trouver attiré ou fermer la porte qui pourrait
« être franchie ».

Pour atteindre le premier, le rituel dit : « O fils noble,
« quelle qu'ait pu être ta déité tutélaire, médite tranquille-
« ment sur elle comme sur le reflet de la lune sur l'eau...
« Ensuite... médite... sur la Claire Lumière vide. Ceci est
« d'un art profond en vertu de quoi on échappe au retour
« dans le germe. »

Il faut croire que cet art est même trop profond pour la
plupart des défunts, car ceux-ci sont contraints d'utiliser les
méthodes prévues pour fermer la porte de la matrice.

« C'est le moment où l'attention et le pur amour sont
« nécessaires. Abandonne la jalousie, ne pense pas à de mau-
« vaises actions qui peuvent détourner le cours de ton
« esprit... Souviens-toi de tes relations avec le lecteur de ce
« Bardo... persévère dans de bons actes ; ne sois pas distrait.
« *La limite entre la montée et la descente passe ici.* Si tu te
« laisses aller à l'indécision, même une seconde, tu auras
« à souffrir la misère pendant un long temps. C'est le
« moment, tiens bon à une volonté unique. Persiste à rejoin-
« dre la chaîne des bonnes actions. »

A cet instant précis, le Principe Conscient a la vision de
mâles et de femelles en union.

« Lorsque tu verras cela, souviens-toi de t'empêcher d'aller
« entre eux. Regarde le Père-Mère comme ton Gourou...
« Médite sur eux, respecte-les. Rappelle ta foi humble. Offre
« avec ferveur l'adoration mentale. »

Si, malgré tout, le Connaisseur se trouve prêt à entrer dans
la porte de la matrice, il ne lui reste qu'un moyen pour ne
pas la franchir, c'est de réaliser mentalement le vide en
lui-même.

« Méditant ainsi, laissez votre esprit demeurer dans l'état
« incréé, comme par exemple est l'eau versée dans l'eau...
« En maintenant cet état de détente... les portes des quatre
« lieux de naissance seront sûrement fermées. Méditez ainsi
« jusqu'au parfait accomplissement. »

Ces diverses méthodes conviendront aux esprits élevés et même ordinaires si elles sont appliquées avec foi et persévérance. Par contre, elles seront sans efficacité pour le plus grand nombre des Principes-conscients.

Le livre du *Bardo* n'abandonne cependant pas encore ces derniers et ses ultimes instructions tendent à leur faciliter le choix d'une naissance. Nous ne le suivrons pas dans cette descente vers la vie terrestre qui est en dehors de notre sujet.

LA RÉGRESSION DE LA MÉMOIRE ET LES PERSONNALITÉS MULTIPLES

H.-G. Wells a imaginé la machine à explorer le temps, qui permettrait de remonter le cours des siècles, mais on a trouvé une machine à explorer la mémoire profonde, qui n'est autre que l'être humain.

Le colonel de Rochas, ancien directeur de l'Ecole Polytechnique, auquel nous faisons allusion plus haut, a indiqué dans son livre, *Les Vies successives*, ses principales expériences sur des sujets « dédoublés ».

Certains de ceux-ci, en état de « transe », ont remonté devant lui le cours de plusieurs de leurs vies, en présentant des réactions absolument différentes pour chaque remémoration. Des contrôles ont pu être pratiqués, notamment dans le cas de l'ivrognesse de Berlin, parvenue à l'extrême déchéance et qui, n'ayant jamais parlé qu'un langage de Basse-Poméranie, se transforma en grande dame normande du XVIIIᵉ siècle et s'exprima en vieux français élégant. De Rochas, à l'aide des indications qu'elle lui fournit, devait retrouver plus tard la famille de la première incarnation en Normandie, ainsi que les traces irrécusables d'un crime passionnel oublié.

Dans le cas de Joséphine (réincarnation primitive de Joseph Bourdon), celui-ci confirme la thèse de l'occulte :

« Il a eu, écrit de Rochas, l'inspiration de se réincarner « dans un corps de femme, parce que les femmes souffrent

« plus que les hommes, et qu'il avait à expier des fautes qu'il
« avait faites en dérangeant des filles ; et il s'est approché
« de celle qui devait être sa mère, il l'a *entourée* jusqu'à ce
« que l'enfant vînt au monde ; alors, il est entré, peu à peu,
« dans le corps de cet enfant. »

D'autres ont étudié les personnalités multiples, cette succession de caractères, souvent opposés, dans la même personne. C'est là-dessus qu'on a tenté l'hypothèse du
« subliminal » et celle de l'inconscient supérieur. La réincarnation expliquerait beaucoup plus harmonieusement la
coexistence mémorielle dans le même individu de personnalités multiples, celles-ci semblant constituées par les diverses incarnations du passé.

ARGUMENTS ET OBJECTIONS

On a invoqué, nous l'avons dit au début de ce chapitre,
d'innombrables témoignages en faveur de la réincarnation.
Il en est d'infiniments troublants parmi beaucoup de récits
fantaisistes. Nous ne pouvons que renvoyer le lecteur aux
ouvrages spécialisés dans la question[1].

L'un des plus puissants arguments en faveur de la réincarnation est celui des enfants prodiges. Un Mozart, exé-
cutant à trois ans et compositeur à six, ne peut pas être
expliqué par l'existence unique. On connaît aussi le cas célèbre de la petite fille espagnole que sa mère surprend à jouer
du piano à quarante mois. Comme les petites mains ne pouvaient exécuter certains accords étendus, elles y suppléaient
par une sorte d'acrobatie instinctive, révélatrice d'un haut
génie musical. On pourrait multiplier ces exemples, au surplus connus de tout le monde. Mais bien d'autres problèmes, solubles par la réincarnation, demeurent impénétrables
aux savants et aux théologiens.

On allègue aussi les impressions de déjà vu, de déjà connu,

---

1. Voir *J'ai vécu cent vies*, de Georges Barbarin.

qui saisissent à l'improviste et s'imposent à certains esprits dans des lieux qu'ils ne connaissent pas[1].

Comment une religion de salut peut-elle raisonnablement soutenir l'unicité de la vie pour les enfants d'alcooliques ou de cocaïnomanes, pour les idiots, les demi-fous et pour la descendance des criminels ?

Le mort-né ou l'enfant mort au berceau constituent une sérieuse objection aussi bien pour les réincarnationnistes que pour leurs adversaires. Les uns et les autres ne peuvent expliquer ces « erreurs » apparentes que par des raisonnements laborieux.

Les anti-réincarnationnistes objectent que si les réincarnations ont pour but d'expier les existences antérieures, la première incarnation demeure sans explication parce que l'âme, sortant toute neuve du Grand Tout, n'avait pas alors de faute à expier. Mais l'argument, fort en droit, n'a aucune valeur en fait puisque, dans la théorie occulte, l'âme s'incorpore dans les plus bas degrés de la matière pour accéder à nouveau au Divin, après avoir pris conscience d'elle-même par une longue suite d'évolutions.

Plus difficile à réfuter est l'objection de la non-mémoire,

---

1. Un lecteur de La Varenne-Saint-Hilaire (Seine) nous écrivait, le 3 juillet 1937, après avoir lu le *Livre de la mort douce* : « Je me suis trouvé dans une ville lointaine, avec un ami qui, comme moi, n'y avait jamais mis les pieds. Errant dans la ville, mon compagnon se prit à me dire subitement qu'il lui semblait très bien reconnaître tous ces lieux inconnus "comme s'il y avait vécu". Tous les endroits lui devenaient familiers. Il m'annonça enfin pouvoir me conduire à un endroit où il devait retrouver quelque chose qui l'appelait.

« Irrésistiblement, après une dizaine de minutes de marche, on atteignait les vestiges d'un cimetière très ancien, depuis longtemps désaffecté. Les tombes disparaissaient sous les herbes sauvages et la mousse épaisse. Il se pencha sans hésitation sur une tombe. Péniblement, nous avons relevé les lettres gravées sur la pierre et — ô surprise ! — nous lûmes le sien !... Il murmura : "C'est là que j'ai été enterré !..." ... Une date : 1435...

« Cela se passait à plusieurs milliers de kilomètres de l'endroit où il vivait. Il est devenu un homme illustre... Défense de raconter ce qui nous était arrivé ! »

si l'on nie les expériences de régression plus haut citées. Ne garder, dit-on, aucun souvenir de ses vies antérieures et de la vie désincarnée est évidemment fâcheux. Car si l'homme *savait* que telle vie d'épreuves a été expressément choisie par lui, il aurait beaucoup plus de volonté de bien faire, tandis que, dans son ignorance, il a beau jeu pour accuser Dieu d'injustice et maudire un Destin dont les ressorts lui sont cachés. Il faut un acte de foi pour agir comme si l'on savait, mais une foi dans l'inconnu, une foi à l'aveuglette. Combien plus harmonieuse serait la foi de celui qui connaîtrait d'avance son chemin !

RÉPARTITION DES CROYANCES

Le plus curieux, c'est que tous les spiritualistes, même parmi les plus évolués, ne sont pas également convaincus de la réalité des existences successives. Et non seulement cette division s'observe chez les spirites, mais encore on la retrouve dans les déclarations des « esprits » qui se manifestent par l'intermédiaire des médiums.

Les communications médianimiques européennes tiennent compte de la réincarnation comme d'un fait acquis et même basent sur elle le plus clair de la doctrine spirite. Les communications médianimiques américaines n'en font, au contraire, pour ainsi dire jamais mention. Cela n'a rien de surprenant en ce qui concerne les dires des « défunts »[1], puisque ceux-ci ne peuvent que refléter les croyances qu'ils avaient sur terre, mais cette constatation n'explique pas pourquoi la réincarnation, indispensable de ce côté de l'océan Atlantique, semble inutile de l'autre côté du même océan.

On peut même dresser un planisphère singulier des deux

---

1. « Il est mort — disons une deuxième fois — dans une clinique parisienne. Les chirurgiens et la miss m'ont assuré qu'il est parti avec sérénité. »

tendances. La répartition géographique de la croyance à la réincarnation apparaît dans le tableau suivant :

Croyance maxima :
Extrême-Orient
Inde - Tibet ou Asie méridionale

Croyance moyenne :
Orient-Occident
Bassin méditerranéen

Croyance minima :
Extrême-Occident
Amérique septentrionale

Krishnamurti, oriental de race et d'origine, mais d'éducation américaine, paraît plutôt opposé à la réincarnation.

Si contradictoire que soient les données ci-dessus, les points de vue en apparence opposés ne sont pas inconciliables. Ce que nul spiritualiste ne conteste, c'est la nécessité d'une épreuve et d'une évolution. Tous les hommes ne se réincarnent pas nécessairement. Les procédés du *Bardo Thodol* l'indiquent eux-mêmes. A chaque période de l'état intermédiaire, la Libération peut être obtenue, qui dispense de toute nouvelle chute dans la chair.

La réincarnation semble devoir être la règle, parce que la plupart des défunts sont invinciblement attirés vers la terre et regrettent le corps de manifestation physique qu'ils ont quitté. Mais cette réincarnation, pour être le lot de la majorité, n'est pas inéluctable. Même chez ceux qui ont le désir de renaître, il y aurait un sursaut d'effroi sur le seuil de la nouvelle incarnation. Mort et naissance sont identiques, professe-t-on. L'un meurt au spirituel, l'autre au physique. Il y a probablement une angoisse spirituelle préalable avant qu'on meure à l'esprit. Et cette angoisse doit dépasser de beaucoup en intensité celle de l'organisme physique lorsque celui-ci apprend qu'il faut mourir à la chair.

Kerneiz a dit quelque part cette parole que toute évolution psychique sincère démontre comme fondée :

« Si vous avez conduit à fond la désintégration de votre
« personnalité terrestre (c'est-à-dire sa purification), si vous
« avez complètement aboli en vous le désir de revivre dans
« l'Adam, vous avez échappé à la chaîne des renaissances
« et vous êtes devenu immortel.

« Il en sera de même si le désir qui vous entraîne vers les
« plans supérieurs est *plus fort* que ce qui vous reste de désir
« de vivre en Adam. »[1]

Si les religions officielles n'envisagent pas expressément l'hypothèse de la réincarnation et des vies terrestres successives, par contre, leurs avant-gardes, comme nous l'avons vu, n'hésitent pas à entrevoir une évolution spirituelle qui se poursuit au-delà de la mort.

Dans l'esprit des croyants d'une certaine envergure, il n'y a ni enfer ni même paradis définitifs, en ce sens que rien n'est jamais fini, qu'il reste toujours mieux à faire et que, si grand que soit le résultat obtenu, on peut toujours en obtenir un plus grand.

Résumons-nous donc en disant que l'évolution de l'âme peut s'expliquer sans une renaissance expresse dans la chair (et ceci coïnciderait beaucoup plus étroitement avec les paroles du Christ à Nicodème et les dires de Paul dans une épître corinthienne). En revanche, la réincorporation physique permet seule d'expliquer certaines anomalies humaines et justifie seule l'inégalité des conditions.

Le vraisemblable est que les vies successives physiques sont infligées tant qu'il y a désir de vie physique. Cette obligation disparaît dès qu'on n'a plus envie de se réincarner.

---

1. La Baghavad-Gîta dit elle-même : « Ceux, en vérité, qui, m'ayant
« abandonné toutes leurs actions, sont concentrés sur Moi et m'ado-
« rent, ceux-là Je les retire de l'Océan de la mort et des renaissances
« car ils sont réfugiés en Moi. »

Certains vont même encore plus loin et disent, à propos de la renaissance :

« Dès qu'on cesse de croire à la réalité de l'incarnation, « on ne se réincarne plus. »

CHAPITRE XV

LE TERRAIN D'ACCORD
DES THÉOLOGIES MODERNES

Nous aurions tenté nous-même de montrer comment
toutes les tendances idéales des religions se confondent si
un auteur plus autorisé n'avait réalisé cette synthèse avant
nous.

Dans son remarquable ouvrage sur *La Vie après la mort
dans les croyances de l'humanité*[1], J.-T. Addison, professeur
de l'histoire des religions à l'école théologique épiscopale
de Cambridge (Massachusetts), a rassemblé les matériaux
de cette œuvre et nous citerons en terminant les conclusions
les plus importantes du théologien d'Amérique en soulignant
leur éclectisme et leur impartialité.

---

1. Payot Ed.

EN CE QUI TOUCHE LE PRINCIPE
DES RÉCOMPENSES ET DES PUNITIONS

« Affirmer, dit-il, que tous les hommes iront au ciel ou
« affirmer que quelques-uns iront en enfer, ce sont là deux
« thèses aussi dogmatiques l'une que l'autre. Une attaque
« où se marque une tendance moins radicale a été menée
« contre la position orthodoxe... par ceux qui estiment que
« la vie est une école, dans laquelle les vivants sont mis à
« l'épreuve, et que, par conséquent, le jugement de l'âme
« à sa mort ne saurait être définitif. L'Eglise romaine a tou-
« jours déclaré le contraire... et chaque fois que le protes-
« tantisme s'est exprimé officiellement sur ce point, il n'a
« été que l'écho du verdict aux termes duquel le sort de l'âme
« est réglé pour toujours quand survient la mort. Il n'y aurait
« donc, passé la vie, aucune *seconde chance* ; il y aurait uni-
« quement, de l'autre côté de la tombe, des classes fixes de
« trépassés occupant respectivement des régions définies. Et
« même si à cette doctrine on ajoute celle de la prédestina-
« tion et de l'élection qui revêt sa forme la plus nettement
« tranchée dans le calvinisme, l'avenir de l'âme ne serait
« pas réglé seulement avant la mort, il le serait avant la
« naissance.

« Mais, en opposition aux orthodoxes de toute nuance,
« les penseurs libéraux des XIXe et XXe siècles ont nié que
« la mort supprimât toute chance de probation ultérieure.
« Ils s'appuient sur cette conviction que, *partout où il y a*
« *vie, il doit y avoir croissance* ; il ne peut y avoir de catégo-
« ries permanentes comme celles qui servent à classer ce qui
« est immobile. Récompenses et punitions continueront
« d'échoir aux bons et aux méchants, comme ici-bas, mais
« il ne se peut qu'elles soient péremptoirement attribuées
« pour jamais *sur le seul témoignage de quelques années d'exis-*
« *tence terrestre.* Au classement rigide se substituera le pro-
« cessus d'une rédemption graduelle et sans terme. Et Dieu
« trouvera sa divine satisfaction non point dans le spectacle
« de deux groupes éternellement séparés que composeront

« les élus, d'une part, les damnés, de l'autre, *mais dans l'infa-*
« *tigable effort de son amour pour remplir la mission qu'il s'est*
« *assignée : ramener à lui les égarés, sauver ceux qui semblaient*
« *perdus.* »

EN CE QUI CONCERNE L'ÉTAT INTERMÉDIAIRE

« L'état d'une âme au lendemain de sa mort ne saurait
« différer grandement de ce qu'il était la veille ; et le pro-
« grès et la croissance ne cessent pas d'être essentiels à sa
« vie. Le purgatoire comme lieu de rétribution pénale, les
« théologiens modernes n'en ont que faire. Mais si ce ne
« doit être qu'un nom désignant le processus de purifica-
« tion et de développement futurs, alors ils l'acceptent volon-
« tiers : peu leur importe le mot, pourvu que l'idée subsiste.
« C'est un fait que la théologie contemporaine a marqué la
« tendance de substituer le purgatoire à l'enfer, dès qu'elle
« s'est accoutumée à concevoir la vie future de tous les êtres
« humains comme un mouvement d'approche continu vers
« la perfection. »

EN CE QUI CONCERNE L'ENFER

On incline actuellement à « substituer à l'enfer une sorte
« de purgatoire, on estime que la peine qu'il implique n'est
« pas nécessairement sans fin ; on tient que cette peine n'a
« pas un caractère vindicatif, mais disciplinaire et qu'elle
« a le sens d'un remède. Une éternité de tortures ne paraît
« plus le seul avenir admissible pour les pécheurs, *fût-ce les*
« *pires d'entre eux,* ni le mieux approprié à leur condition.
« Aucune souffrance infligée par un Dieu d'Amour ne se
« conçoit sans un dessein rédempteur. Ce que l'on peut
« concéder de plus dur à cet égard, c'est que le péché obs-
« tiné et continu — la rébellion persistante contre Dieu et
« sa volonté — peut continuer à déployer ses effets : la sépa-

« ration d'avec Dieu et ses créatures qu'il s'aliène volontai-
« rement, aliénation qui est son pire châtiment. Dans ce sens,
« on peut dire que *c'est le pécheur qui se punit lui-même* ; son
« enfer, tant dans l'au-delà que sur la terre, *c'est lui-même*
« *qui le crée* ; et cet enfer consiste dans les tourments de la
« haine, de la peur et du remords ; et son terme ne peut venir
« qu'alors que le pécheur qui le crée en vient lui-même à
« chercher l'amour de Dieu. »

EN CE QUI CONCERNE LE CIEL

« Tandis que le Paradis à venir ne représente pour nous
« autre chose que la rétribution d'actes passés, il n'est que
« trop aisé de l'imaginer uniquement *statique*... Or, une des
« raisons pour lesquelles le ciel a si souvent paru dénué
« d'attraits aux gens d'une constitution puissante, ou nor-
« malement vigoureux, c'est sans doute qu'il leur a suggéré
« l'idée d'une éternelle passivité ou, dans le meilleur cas,
« d'une activité réduite à la contemplation extatique : ravis-
« sement auquel n'aspirent, même parmi les saints, que des
« âmes d'exception. Mais l'interprétation moderne de la vie
« chrétienne, qui en souligne avec insistance le caractère de
« service *actif*, et l'habitude moderne de penser en termes
« d'évolution, ont concouru à faire du ciel de la théologie
« libérale — voire conservatrice — quelque chose de plus
« *dynamique* que le ciel de nos aïeux. Il a pris l'acceptation
« d'un état futur où l'activité morale et la croissance morale
« sont constantes et s'attestent par leurs fruits, où le chan-
« gement, la variété et l'individualité ont libre jeu, où le pro-
« grès et l'accomplissement sont des réalités, où même
« l'incessant labeur du service fraternel *constitue moins un*
« *fardeau qu'il n'est une joie*. Et puisque Dieu est l'amour
« créateur, l'amour créateur occupe la place qui devait lui
« appartenir — celle du centre — où convergent tous les
« traits, d'où irradient tous les rayons... »
Nous nous arrêterons sur cette représentation du paradis

extrême-occidental, en soulignant que, même élevée à cet étage, elle ne ruine pas la conception extrême-orientale, dont l'aboutissement paradisiaque est exclusif de l'action. Mais il suffit de s'entendre. L'extase, sorte de Nirvana, et le Nirvana, sorte d'extase, ne sont à la portée que d'un nombre infime de créatures humaines, celles qu'on a désignées sous le nom de Purs ou de Parfaits.

RÉCAPITULATION

Parvenus au terme de cette révision, jetons un coup d'œil d'ensemble sur toutes ces croyances ou traditions, des plus anciennes aux plus modernes, et tentons de dégager l'idée commune qui est au fond de cette apparente diversité.

Pour des milliards et des milliards d'hommes pensants, depuis le début du monde, l'hypothèse de la survivance a été et continue d'être une certitude et une réalité.

L'instrument de cette survivance est l'Esprit, ou délégation du Divin dans la matière, lequel, après élimination de celle-ci par la mort physique, conserve son individualité.

En outre, tous les enseignements religieux admettent l'existence, au moins momentanée, d'un support de l'âme, d'une sorte de corps fluidique, participant à la fois de la matière et de l'esprit.

Sont également communs à la plupart des conceptions les points suivants :

- état de trouble ou d'inconscience immédiatement après la mort ;
- déroulement devant la conscience de la ou des vies passées ;
- jugement intérieur ;
- visions heureuses ou pénibles ;
- état intermédiaire ;
- châtiments ou récompenses, etc.

Il y a donc tout lieu de croire que les conditions réelles

172

de la vie posthume se rapprochent beaucoup des fonds communs de la croyance, dans ce que celle-ci a de plus évolué.

Les différences les plus marquées, chose curieuse, s'établissent moins au premier stade des religions primitives que dans la période médiane où l'intelligence adultère l'intuition. La période d'obscurcissement de la croyance, avec ses particularismes, a persisté presque jusqu'à nos jours en dépit de quelques illuminations.

Mais ceux des fidèles et des docteurs qui ont fait abstraction de leurs préférences dogmatiques ont montré la voie en s'engageant, à la suite du dernier évangéliste, dans l'hypothèse surhumaine de l'Amour.

A la lumière de ce flambeau, dont les aveugles nient l'éclat depuis des siècles, s'éclaire tout ce que la race humaine compte de plus noble et de plus haut.

Des générations d'esprits désintéressés se lèvent présentement pour une interprétation idéale, une avant-garde généreuse est en tête de chaque religion. En tout temps, des mystiques désintéressés, sans le secours de la raison, ont réalisé l'union humano-divine. Aujourd'hui, des écoles entières s'engagent dans une logique supérieure qui conduit à l'Amour pur.

Ces pionniers de la religion universelle de demain appartiennent à tous les cultes : bouddhisme, christianisme, islamisme, etc.

Leur éclosion n'est même pas limitée aux croyants formels. En dehors des rites admis, on enregistre d'innombrables naissances spirituelles, suscitées un peu partout par le souffle de l'Esprit.

A la mystique sincère, mais violente, du Moyen Age, succède une super-Mystique, basée sur la compréhension et la douceur.

Et c'est la caractéristique la plus étonnante du Nouvel Age dont l'enfantement, comme celui des âges qui l'ont précédé, s'effectue dans le trouble et dans l'horreur.

On voit donc, par l'esquisse amorcée plus haut, que les

croyances de l'humanité sont axées dans la même direction depuis les origines.

Une synthèse des théologies libérales et des véritables notions de l'occultisme n'est plus une impossibilité.

Le spiritualisme le plus évolué, où qu'il prenne naissance, converge vers la même Idée d'un monde UN, dans l'invisible comme dans le visible, et dirigé non par des dieux imparfaits et anthropomorphes, mais *après comme avant la mort*, par ce Foyer Central de Vie qu'est l'Amour.

Ainsi, dans la pyramide, quel que soit l'angle de départ sur le périmètre de base, tous ceux qui sont en marche ascendante finissent par se rencontrer à

L'UNIQUE SOMMET.

Deuxième partie

L'APRÈS-MORT
selon
l'Intelligence et l'Intuition

CHAPITRE XVI

LA SCIENCE D'AVANT-GARDE
ET L'INCONNUE DE LA MORT

Dans ce temps où le laboratoire est roi et où la Science, née en principe de l'Esprit, croit gouverner la matière, bien des hommes sont persuadés que, pour n'importe quel être d'éducation scientifique, la survivance est une illusion.

Or, il n'en est rien. Et même, en cette fin du XIXe siècle qui vit l'apogée du matérialisme, il se trouva, pour affirmer le principe de survie, des savants aussi éminents que Pasteur, William Crookes et Flammarion. Nous pourrions en citer bien d'autres, échappés à l'influence positiviste et qui, publiquement ou non, ont déserté le conformisme officiel.

Certains n'ont pas osé avouer expressément l'ignorance profonde de la science quant à l'explication des phénomènes, mais ils ont à peine recouvert d'une précaution oratoire leur mépris de l'acquis scientifique actuel.

Exemple : en dépit des traités et de l'enseignement admis, nul ne peut dire avec certitude que la Terre est ou n'est pas le centre du monde. Nous n'en voulons pour preuve que la déclaration d'un membre de l'Académie royale des sciences d'Angleterre, le fameux astronome Arthur Stanley Eddington. Dans *La Science et le monde invisible*, il a écrit : « ... Dans la théorie scientifique la plus moderne, « il est impossible de distinguer d'une manière absolue si « les cieux tournent autour de la terre ou si la terre tourne « sous les cieux. »

L'OPINION DU MATHÉMATICIEN
CHARLES HENRY

Pour ce professeur à la Sorbonne, les deux problèmes de la mort et de la religion se touchent.

« Je suis convaincu, en effet, dit-il, que les religions ont « été imaginées pour expliquer la mort[1], pour prolonger la « vie (qui meurt en apparence) dans l'infini.

« Or, j'ai acquis la certitude, et ce par des procédés pure- « ment scientifiques, que les inventeurs de religions ont été « en réalité des précurseurs de la science ; ils ont eu l'intui- « tion de la vérité.

« Il était entendu jusqu'à présent, parmi les gens de « science, que lorsqu'un homme était mort, c'était pour de « bon... Erreur !

« Il suffit, pour s'en rendre compte, de quelques patien- « tes expériences accessibles à tout individu sachant manier « des appareils ad hoc.

« Qu'est-ce que l'homme ? Les chimistes et les biologis- « tes nous l'ont à peu près dit. Ils l'ont calculé, pesé, éti- « queté. Mais il y a encore en nous *un petit quelque chose* « qui ne peut pas se peser, du moins sur le plateau d'une « balance, même pharmaceutique.

« Ce *quelque chose* que vous pourrez appeler l'âme, si vous

---

1. Ceci est absolument exact et trouve sa confirmation dans l'enseignement secret des Mystères antiques.

« voulez, peut tout de même se mesurer, cela peut être ins-
« crit, noir sur blanc, au moyen d'un graphique visible, clair,
« compréhensible pour tout le monde... Cet instrument pour
« mesurer les âmes existe. C'est l'appareil qui mesure le
« rayonnement des corps. Car chaque corps a une sorte de
« force irradiante, comme votre lampe, votre calorifère, votre
« cerisier chauffé au soleil. Vous calculez ce rayonnement...
« mais si vous faites vos calculs consciencieusement, vous
« vous heurtez avec une surprise angoissée, à une inconnue,
« à une force qui n'est ni ceci ni cela. Refaites votre expé-
« rience dix fois, cent fois, calculez pendant des nuits entiè-
« es, vous la retrouvez, cette puissance, qui marche, qui s'ins-
« crit, qui s'exprime, mais qui reste insaisissable, idéalement
« fluide, défiant toutes les balances et tous les microscopes
« de la terre, mais rayonnant tout de même avec une
« constance obsédante. Ce sont les *résonateurs biologiques*.
« Et lorsqu'on meurt, *eux ne meurent pas !* Ils sont trop
« subtils pour se préoccuper du processus physico-chimique
« de la mort. Que deviennent-ils ? Ils s'en vont puisqu'ils
« ne peuvent pas disparaître. Ils cherchent une autre enve-
« loppe pour y retrouver l'équilibre d'une stabilité, d'une
« harmonie provisoire...
« Nous ne mourrons jamais complètement, soyez-en sûr.
« Ce qu'il y a de particulièrement vôtre en vous, ce petit
« rien qui vous donne une personnalité parmi des millions
« de vos semblables, cela est parfaitement immortel. »

L'« AME » EST-ELLE PONDÉRABLE ?

En écrivant les lignes qui précèdent, Charles Henry ignorait les expériences du docteur américain Dougall qui, ayant
placé un agonisant trois heures quarante minutes avant sa
mort sur une balance spéciale, constata aussitôt après le dernier soupir une oscillation de l'aiguille et une diminution
de poids d'un peu plus de vingt-cinq grammes. Cette différence parut au médecin être déterminée par le départ du

corps causal ou âme. L'expérience, renouvelée quinze fois sur des sujets nouveaux, donna toujours un écart en moins allant de 16 à 32 grammes. Pour asseoir davantage sa conviction, le docteur Dougall, en présence d'un aréopage scientifique, refit la même expérience sur des chiens sans constater de différence dans le poids, avant et après la mort. En 1926, le docteur Curtiss avait signalé des expériences identiques : « C'est, disait-il, la disparition de ce corps astral « d'un corps physique qui donne à ce dernier une apparence « spéciale. Ceci s'explique aussi par la perte de poids du « corps physique immédiatement après la mort et avant que « l'évaporation puisse être invoquée. Les savants physiciens « qui ont effectué des recherches à ce sujet déclarent que « une ou deux onces de poids en moins (l'once pèse 28,35 g) « représentent "le poids de l'âme" ou, du moins, ce qui « est parti et que les occultistes nomment corps astral. »

L'ANIMAL EN PRÉSENCE DE LA MORT

Cet on ne sait quoi, qui pèserait quelques grammes, ou rien du tout, et qui, en dépit des meilleurs physiciens ou chimistes, demeure pratiquement indécelable, les clairvoyants l'aperçoivent sous forme de fantôme, avec leurs sens extra-doués.

Mais l'homme moyen n'admet pas le témoignage du clairvoyant qu'on ne peut contrôler d'une manière objective et dont on est fondé à suspecter la sincérité.

L'animal, lui, n'a pas la faculté de déguiser sa pensée. Là où il n'y a rien, il n'accuse rien. Et pourtant les bêtes « sentent » les spectres de la mort.

Dans tous les cas de maisons hantées ou d'apparitions, les fantômes restent invisibles aux yeux des humains normaux, mais sont « perçus » par la sensibilité animale. Lorsqu'ils sont « témoins » de manifestations de cette sorte, chiens et chats manifestent une inquiétude inaccoutumée. Leur poil se hérisse, ils aboient ou miaulent avec fureur.

Mieux : ils savent qu'ils sont en présence de la mort. Si, dans la nuit, vous butez sur un corps d'homme inanimé, vous ignorez, à première vue, si cela représente un ivrogne ou un cadavre, un cataleptique ou un syncopé. S'il s'agit véritablement d'un *homme* mort, le chien donne les mêmes signes, précédemment décrits, d'émotion intense. Il a les yeux révulsés, se tient à distance et hurle à la mort.

Qu'a donc senti l'animal ? En présence de quoi se trouve-t-il qui déclenche chez lui cette peur spéciale ? Quelle « chose » inhabituelle le touche qui n'existe pas au même degré, lorsqu'il se trouve à proximité d'un autre animal mort ? Et pourquoi cet arrêt sur « l'inconnu » ne se produit-il pas en présence d'un ancien cadavre, c'est-à-dire d'un assemblage organique que son double a déjà quitté ?

Telles sont les simples constatations qu'on peut proposer aux méditations des rationalistes.

N'est-ce pas Myers qui a parlé de l'*hallucination véridique*, laquelle nous permet de percevoir le vrai, le réel, autrement que par les moyens habituels de la perception ?

LA MORT ET LE PENDULE

Presque tous les radiesthésistes admettent que les girations et oscillations du pendule ne sont pas les mêmes sur l'homme vivant et sur l'homme mort.

Mais chacun a sa méthode et ses calculs, d'autant plus particularistes que le fait radiesthésiste repose sur une convention mentale et que l'attitude intérieure diffère suivant les individus.

D'après Me Charles Brouard, président de l'Association des radiesthésistes, l'état de vie ou de mort peut être présumé au moyen d'une photographie lorsque le pendule, placé au niveau de la barre des sourcils, effectue une rotation dans le premier cas, un battement dans le second.

D'autres procédés et d'autres conventions permettent de diagnostiquer la mort ou la vie. Toutefois, la presque totalité sont basés sur une présomption. Croyants ou non, spiritualistes ou non, les radiesthésistes envisagent l'onde ou vibration à laquelle le pendule (amplificateur de l'humain) se montre sensible, comme inhérente à l'organisme et devant, par suite, cesser avec lui. Il n'en faut pas davantage pour limiter au temps de vie organique les indications actives du pendule. Mais si les radiesthésistes avaient spécialement scruté le phénomène de l'après-mort, il est vraisemblable que la découverte d'une autre forme de la vibration, donc de la vie, aurait confirmé celle des clairvoyants.

A notre connaissance, une seule radiesthésiste, Mme de Mersseman, s'est consacrée à cette quête. Parmi les « séries » pendulaires qu'elle a observées, il en est une, des plus caractéristiques, déjà signalées par le Frère Padey, qu'elle a baptisée « les immortelles ». Ces groupes de girations, qui seraient de 15 ondes pour l'homme et de 10 pour la femme, demeureraient invariables, qu'il s'agisse de morts ou de vivants.

Ce qui paraît, d'autre part, établi en matière de radiesthésie, c'est le « choc en retour » du Grand Passage. Lorsqu'un être humain vient à mourir au moment où la détection de ses ondes est effectuée par le pendulisant, celui-ci est immédiatement affecté par le phénomène de la mort. La distance n'y ferait absolument rien et l'examen sur lettre, photo, sang, urine, etc., provoquerait la même réaction intense. Certains disent avoir éprouvé une sensation de froid ou un malaise allant parfois jusqu'à la syncope de l'opérateur.

M. René Lacroix-à-l'Henri dit[1] que « des cheveux de décédé ont causé, au moment de l'accord mental, des vomissements au radiesthésiste Chalançon et, souvent, des sensations d'étouffement à d'autres ». Tout ceci semble démontrer que l'opération mentale radiesthésiste lie, chez l'observateur et l'observé, des régions subtiles et spéciales, qui peuvent n'être qu'une forme haute de la sensibilité nerveuse, mais

---

1. *Théories et procédés radiesthésistes* (Dangles Ed.).

qui peuvent aussi intéresser ce que les occultistes nomment le corps astral.

OPINIONS DIVERSES

Nous ne pouvons examiner ici les travaux spéciaux de Crookes, Lodge, Myers, colonel de Rochas, Aksakof, Charles Richet, Pierre Janet et tant d'autres. Disons seulement que d'un examen d'ensemble de leurs recherches, il résulte que l'étude des prolongements de l'homme n'est pas indigne des chercheurs intelligents.

Nous ne parlerons pas non plus des métapsychistes, en dépit de la probité habituelle de leurs méthodes, parce que, trop limités dans leurs recherches, ils s'interdisent, en quelque sorte, toute investigation hors de l'organisme mortel.

Nous ne nous attarderons pas non plus aux conceptions de Georges Lakhovsky, dont la thèse de l'Universion[1] permet aux âmes des défunts de vibrer éternellement après la mort corporelle et de continuer à vivre d'une vie stellaire correspondante en un point choisi du vaste Univers. La localisation faite par Lakhovski de l'âme de sa mère, morte il y avait 48 ans, dans une terre située à 48 années-lumière de notre globe, placerait l'auteur plutôt dans le chapitre des grands visionnaires que dans celui des savants.

Avec le penseur russe Strachof et ses conceptions fondamentales de psychologie et physiologie, nous revenons à une hypothèse moins sentimentale, mais plus précieuse dans ses conclusions :

« Si les organismes sont des entités... Il n'est que juste de « conclure en affirmant que la vie organique s'efforce de don- « ner naissance à la vie psychique ; il serait toutefois encore « plus correct et plus conforme à l'esprit de ces deux caté- « gories d'évolution de dire que *la véritable cause de la vie* « *organique* réside dans la tendance qu'a l'esprit à se mani- « fester sous des formes substantielles, à s'envelopper de réa-

---

1. Voir *Le Grand Problème* (Libr. Alcan).

« lités substantielles. C'est la forme la plus haute qui ren-
« ferme l'explication complète de la plus basse et ce n'est
« jamais l'inverse. »

Enfin, Armand Sabatier, dans *L'Immortalité conditionnelle*,
a dit que « si les éléments spirituels récoltés pendant
« la vie sont suffisamment organisés et cohérents, alors ils
« acquièrent une réalité supérieure qui leur permet de
« demeurer unis, *indépendamment du cerveau* ».

Cette opinion du grand Prix Nobel a tout de même une
valeur « scientifique ».

CE QU'A DIT LE DOCTEUR CARREL

En dépit de sa notoriété mondiale et de ses retentissantes
expérimentations, le docteur Alexis Carrel n'évolua sur ce
terrain brûlant qu'avec une extrême prudence. Ses paroles,
pour être longuement mûries et méditées, n'en ont que
davantage de poids.

« Nous avons, écrit-il[1], des raisons de croire que la per-
« sonnalité s'étend hors du continuum physique. Il semble
« que ses limites se trouvent au-delà de la surface cutanée,
« que la netteté des contours anatomiques soit en partie une
« illusion, que chacun de nous soit beaucoup plus vaste et
« beaucoup plus diffus que son corps...

« ... On dirait... que notre personnalité peut réellement
« s'étendre au-delà de la durée physiologique. Certains indi-
« vidus paraissent susceptibles de voyager *dans le temps*. .

« Les faits de prédiction de l'avenir nous mènent jusqu'au
« seuil du monde inconnu. Ils semblent indiquer l'existence
« d'un principe psychique capable d'évoluer en dehors des
« limites de notre corps...

« ... Les résultats des expériences des spirites sont d'une
« grande importance ; mais l'interprétation qu'ils en don-
« nent est d'une valeur douteuse.

---

1. *L'Homme, cet inconnu* (Libr. Plon).

« ... Parmi la foule des faibles et des déficients, il y a,
« cependant, des hommes développés. Quand nous obser-
« vons attentivement ces hommes, ils nous apparaissent
« comme supérieurs aux schémas classiques. En effet, l'indi-
« vidu dont toutes les potentialités sont actualisées n'est nul-
« lement conforme à l'image que se fait chaque spécialiste
« du sujet de son étude. Il n'est pas les fragments de
« conscience qu'essaient de mesurer les psychologistes. Il
« ne se trouve pas davantage dans les processus fonction-
« nels et les organes que se partagent les spécialistes de la
« médecine. Il n'est pas non plus l'abstraction dont les édu-
« cateurs essaient de guider les manifestations concrètes. Il
« est presque absent de l'être rudimentaire que se représen-
« tent les directeurs de prison, les économistes, les sociolo-
« gistes et les politiciens... Il est beaucoup plus que la somme
« des données accumulées par les sciences particulières... Il
« renferme de vastes régions inconnues. Ses possibilités sont
« gigantesques. Comme la plupart des grands phénomènes
« naturels, il est encore intelligible pour nous... [1] »

Le docteur Carrel ne conclut pas, mais tout homme de
bonne foi le fera pour lui. Ce géant psychique qu'il décrit
défonce le temps et l'espace. Bien loin de le diminuer ou
de le détruire, la mort physique ne fait que l'agrandir et le
libérer.

---

1. Voir nos chapitres sur l'Homme Réel ou Total dans *Les Clés du
bonheur* et dans *Je et Moi*.

CHAPITRE XVII

EST-CE LE CERVEAU QUI ENGENDRE LA PENSÉE OU LA PENSÉE QUI A ENGENDRÉ LE CERVEAU ?

La première objection qui vient aux lèvres des rationalistes est basée sur cette déclaration péremptoire de la physiologie officielle : « La pensée est une sécrétion du cerveau, « comme l'urine est une sécrétion du rein. »

Par conséquent, la mort du cerveau entraînerait, *ipso facto*, la mort de la pensée, puisque celle-ci ne serait que la conséquence de celui-là.

Cette argumentation classique a déjà perdu beaucoup de sa valeur parce que, depuis le temps où elle fut formulée pour la première fois, un certain nombre de découvertes modernes en ont démontré la fragilité.

Avant l'invention de la radio, personne ne soupçonnait l'existence des ondes porteuses et, cependant, celles-ci n'en traversaient pas moins nos pays, nos maisons, nos corps. Quand la technique fut au point, le moindre auditeur se trouva muni d'un cerveau radiophonique. Que la maladie (ou la panne) vienne à dérégler ce cerveau-récepteur, que celui-ci tombe sur le sol, ou qu'un choc brutal le défonce, aussitôt les ondes cessent d'être perçues, et pourtant elles passent toujours. Pour les capter, nous avons besoin actuellement d'un appareillage complexe, mais il est de toute évidence qu'il doit exister un procédé plus simple et plus direct.

Toutes les découvertes ont passé par ces stades de perfectionnement, depuis le plus compliqué et le moins efficace jusqu'au plus efficace et au plus simple, car chaque progrès tend à allier l'efficience et la simplicité.

Croit-on que la construction de l'homme relève de lois différentes ? Puisque tout se ressemble et se renouvelle dans la nature, nous devons croire que la « machine à penser » humaine n'est qu'à un stade de son évolution. Il y a aussi loin du cerveau de l'homme de Néanderthal à celui de l'homme moderne que de celui de l'homme moderne au cerveau de l'homme futur.

LA PENSÉE CERVICALE

Dans un ouvrage précédent[1], nous nous exprimions ainsi :

« Quelqu'un a dit : "La pensée humaine c'est du cerveau.
« Sans le cerveau, plus de pensée humaine."

En nous, quelque chose a répondu : "Du moins, il n'y « aurait plus de pensée-cerveau."

« Le Verbe existe cependant, en dehors de toute expres-
« sion humaine, ce Verbe créateur par quoi l'Univers fut.

« La Pensée existe cependant, qui n'a pour s'exprimer ni
« cervelle ni bouche.

« Verbe et Pensée sont la moelle constitutive de l'Univers.

« Comment le Divin s'exprime-t-il donc quand il passe
« à travers l'homme ? Au moyen de l'instrument qu'il a lui-

---

1. *Je et Moi*, Ed. Astra.

« même créé. C'est par le truchement du cerveau que le
« Divin touche le cœur de l'homme. Le cerveau, intermé-
« diaire entre deux dimensions différentes et palier entre
« deux voltages, joue le rôle d'un transformateur.

« Le cerveau de notre corps ressemble encore à une lampe
« électrique. Celle-ci n'est pas indispensable à l'existence du
« courant, par contre elle est indispensable à la production
« de la lumière. Si ma lampe se brise, il n'y a plus de lumière
« et, cependant, il y a toujours du courant. Nous avons ten-
« dance à confondre l'électricité avec son appareillage. L'élec-
« tricité est une force divine ; l'appareillage est un instru-
« ment humain. On peut détruire une installation, mais non
« faire disparaître l'électricité, qui est partout, comme la Vie,
« avec laquelle, sur le grand plan, elle se confond. »

LE DÉMENT EST UN CIRCUIT
DONT LES LAMPES SONT GRILLÉES

« Les rationalistes ont nié l'âme en citant l'exemple du
« fou. Et partant de cette constatation qu'un cerveau lésé
« n'engendre plus de constatation logique, ils ont conclu à
« l'absence d'un principe supérieur.

« Or, qu'est-ce qu'un homme privé de raison ? Un cir-
« cuit dont les lampes sont ''grillées''. Mais le fluide est
« encore là. La preuve, c'est que beaucoup d'autres hom-
« mes sont branchés dessus et continuent de s'y alimenter
« en force et en lumière. D'ailleurs, qui peut assurer que
« l'homme est incapable de penser hors de son cerveau ? Le
« cerveau est, très vraisemblablement, l'obstacle qui nous
« sépare de la vraie intelligence, l'écluse qui interrompt le
« canal de vie, le seuil auquel nous nous butons.

« Il y a bien des chances pour que le fou soit un libéré[1],
« qui regarde avec d'autres yeux que nous, entend avec une

---

1. D'où le respect que lui témoignent instinctivement les populations
orientales et primitives.

« autre ouïe et qui n'a pas, comme nous, ses gestes limités
« dans le présent.

« Il est à califourchon sur le Mur, il voit des choses qui
« nous sont cachées, bien que lui-même soit fermé aux cho-
« ses que nous voyons.

« Nous sommes tous, plus ou moins, des ballons captifs
« dont le câble et l'ancre s'accrochent aux aspérités de la
« Terre. La force ascensionnelle nous attire en haut, mais
« le guide-rope nous retient en bas. Que la corde se rompe
« un jour ou qu'un jour le grappin se casse et, délestés de
« la pesanteur, nous bondissons en plein ciel. »

LA THÉORIE SURANNÉE DU LÉPISME

Dès maintenant, l'argumentation positiviste du professeur
Le Dantec ne nous convainc plus avec son exemple du
lépisme. Dans *Le Problème de la mort et de la conscience universelle*, ce négateur acharné de la survie proposait l'exemple suivant : « Si j'écrase un lépisme (cet infime "poisson
« d'argent" qui habite les vieux livres), je supprime inté-
« gralement la vie que suppose la conjugaison du verbe *lépis-
« mer.* » Il en est de même pour la chenille, le puceron, etc.,
de même pour les organismes plus élevés comme le mouton et l'homme. « Comment se fait-il donc, interroge le pro-
« fesseur Le Dantec, que nous admettions si naturellement
« que ça ne *lépisme* plus après la mort du lépisme, que ça
« ne *moutonne* plus après la mort du mouton, et que la plu-
« part d'entre nous se révoltent quand nous tirons de la simi-
« litude des phénomènes observés cette conclusion naturelle
« que ça *n'homme* plus après la mort de l'homme ? Joseph
« était mort, on lui a tranché la carotide ; il s'est vidé de
« son sang. Et maintenant ça ne *Josèphe* plus. »

Wiétrich[1] a réfuté aisément l'opinion simpliste de Le
Dantec :

---

1. *L'Enigme de la mort* (Société Parisienne d'Edition).

« Ça ne lépisme plus indique expressément que le lépisme,
« une fois écrasé, a cessé de vivre sous sa forme *habituelle*...
« qu'il n'a plus aucune forme visible de lépisme, aucune des
« apparences sous lesquelles il se manifestait à nous en tant
« que lépisme. Est-il pour cela tombé dans le néant ?... Ses
« particules se sont transformées en autre chose qui échappe
« à notre analyse, mais qui a certainement son équivalence
« physique et chimique... le lépisme écrasé ou incinéré n'a
« donc plus la petite personnalité de lépisme... elle s'est éva-
« nouie et a été emportée par le grand courant de la vie uni-
« verselle. Cependant, même dans un lépisme, il n'y a pas
« qu'un pur mécanisme ; si nous pouvions le connaître par
« le dedans, vivre sa vie, nous serions probablement très
« étonnés de sa structure intime... bref du coefficient psy-
« chique que nous découvririons en lui. Le lépisme, malgré
« sa petitesse, a aussi son mystère. Que reste-t-il de cette acti-
« vité interne après sa mort ? » — « Rien, répond M. Le
« Dantec, car cette activité résulte uniquement de son organi-
« sation. » *Mais, c'est justement ce qu'il faut démontrer.* C'est
« là le second problème. Le lépisme *ne lépisme plus de la même*
« *façon*. C'est entendu. Il y a là une loi de la conservation
« des énergies psychiques comme il y a une loi de la conser-
« vation de la matière. Un corps quelconque n'est pas anni-
« hilé pour passer de l'état pondérable à l'état impondérable ;
« de même la métamorphose des activités psychiques ne les
« supprime pas...
    « Et le problème se complique de façon inouïe à mesure
« que l'on monte dans l'échelle des individus... Il y a cer-
« tainement plus dans Joseph que dans le mouton, et davan-
« tage dans le mouton que dans le lépisme. Plus de quoi ?
« Pas seulement de matière, cela n'aurait aucune importance,
« *car le poids du corps de Pascal était bien peu de chose en com-*
« *paraison de la masse d'un pachyderme...* On peut donc affir-
« mer qu'à mesure que l'on monte l'intrigue psychique se
« complique... que les êtres deviennent de plus en plus des
« faisceaux de forces bien liées, des synthèses indécompo-
« sables. »

FAILLITE DU SYSTÈME DE GALL

Toute l'école matérialiste a repris en chœur l'argument-cerveau. Huschke prétendait qu'entre la pensée et les vibrations cérébrales il y avait le même rapport qu'entre les vibrations éthériques et la couleur. La biologie américaine allait même plus loin et se targuait de pouvoir « faire un esprit », pourvu qu'on lui donnât un nerf et un muscle. Les physiologistes sont bien revenus de ces affirmations enfantines. A mesure que le progrès scientifique leur révèle la complexité inouïe du système nerveux, leur humilité et leur modestie deviennent chaque jour plus grandes. Et c'est à bon droit que Pierre Janet a pu dire, à propos de la pensée biologique du dernier siècle, qu'une époque viendrait où l'on rirait de cela.

Le temps du cerveau-âme ou de l'esprit-cerveau est passé. On ne mesure plus, comme naguère, l'étendue de l'intelligence au poids de la matière cérébrale, depuis qu'il a été constaté que le cerveau de l'homme représente le 1/48ᵉ du poids total du corps de celui-ci, ce qui le met au même étage que la souris, mais très au-dessous de l'étage du chat, dont le cerveau pèse le 1/10ᵉ du poids total de la bête.

Le système des localisations de Gall, qui fixait le siège des facultés cérébrales (intelligence, mémoire, parole, affectivité, dispositions artistiques, etc.) dans diverses régions des hémisphères cérébraux, traduites en poussées osseuses par les diverses bosses du crâne, semble avoir fait définitivement faillite depuis les guerres de 1914 et 1940.

La trépanation, accompagnée ou précédée d'une perte importante de matière cérébrale, n'a rien changé, la plupart du temps, dans la manière de vivre des mutilés. On a seulement constaté, parfois, une certaine débilité mentale et une aptitude moins grande aux efforts intellectuels.

Il y a mieux : dans une communication à l'Académie des Sciences, en 1913, M. Robinson a également signalé le cas d'un blessé du crâne qui vécut un an après le traumatisme, dans des conditions normales, sauf de menus troubles de la vision. L'autopsie révéla que la grangrène avait gagné toute la matière cérébrale et que celle-ci, réduite à une pellicule, ne renfermait qu'un énorme abcès purulent.

L'insaisissable esprit-cerveau se serait donc réfugié dans l'écorce, dont les six couches représentent la dernière porte de salut du neurologiste Vogt.

Bien d'autres exemples ont été cités, notamment par le docteur Gelay : celui d'une accidentée de chemin de fer, entièrement guérie après ablation de la substance cérébrale ; celui d'un soldat ayant perdu la plus grande partie de l'hémisphère cérébral gauche (cortex, substance blanche, noyaux centraux, etc.) et qui continua à se développer normalement.

Upton Sinclair, qui les rapporte, a posé à l'américaine les vraies questions :

« Est-ce le cerveau qui produit la pensée ou la pensée qui se sert du cerveau ? »

Il nous semble que l'interrogation peut être encore plus américaine :

« Est-ce le cerveau qui engendre la pensée ou la pensée qui a engendré le cerveau ? »

Si la fonction crée l'organe, comme il apparaît dans l'ordre naturel, la pensée doit trouver un moyen d'expression, même dans le domaine physique.

Une réponse, sous forme philosophique, a été fournie par Bergson. « Si le travail du cerveau, a dit ce dernier, corres-« pondait à la totalité de la conscience, s'il y avait équiva-« lence entre le cérébral et le mental, la conscience pourrait « suivre les destinées du cerveau et la mort être la fin de « tout. Mais si la vie mentale déborde la vie cérébrale, *si* « *le cerveau se borne à traduire en mouvements une petite part* « *de ce qui se passe dans la conscience,* alors la survivance « devient si probable que l'obligation de la preuve incom-« bera à celui qui nie bien plutôt qu'à celui qui affirme ; « car l'unique raison que nous puissions avoir de croire à « une extinction de la conscience après la mort est que nous « voyons le corps se désorganiser, et cette raison n'a plus

« de valeur si l'indépendance, au moins partielle, de la
« conscience à l'égard du corps est, elle aussi, un fait d'expé-
« rience. »

Ne nous leurrons pas cependant sur les conclusions timo-
rées du philosophe à la mode. Celui-ci n'ose pas aller jusqu'à
affirmer la survivance définitive de la personnalité et se borne
à suggérer une probabilité transitoire. Heureusement, l'hypothèse de la survie s'appuie sur d'autres hommes et d'autres
faits.

UN ARGUMENT « CAPITAL »

Le problème de la mort, avec ses prolongements et sous
ses formes les plus insolites[1], a été l'objet, de notre part,
d'une étude persévérante et désintéressée de près de vingt-
cinq années, parce que nous estimons qu'il est essentiellement celui de la vie et que tous les autres problèmes humains
s'effacent devant lui.

Nous disons : étude désintéressée parce que, personnellement, nous n'avons pas de désir spécial de nous survivre
et qu'après le travail et l'expérience de toute une vie, nous
nous accommoderions égoïstement d'un total repos. Mais
la réalité n'a que faire de nos inclinations et de nos vœux.
Et cette réalité nous apparaît, comme elle vous apparaîtra
à la fin de cette étude, tellement évidente, qu'il ne subsiste
dans notre esprit aucun doute sur la multiplicité des tâches
que nous aurons éternellement à fournir.

L'argument-cerveau, tel qu'il est présenté par les philosophes et les physiologistes, nous semble annihilé par les diverses constatations que nous aurons à faire ensemble et nous
sommes, par conséquent, amenés à lui dénier toute valeur.

---

1. Nous sommes, en effet, un des rares auteurs qui se soient pen-
chés sur le témoignagne de la désagrégation organique et, peut-être,
le seul qui ait entrevu, dans les phases de la dispersion charnelle, l'élément même de résurrection.

Il n'en est pas de même de l'objection formulée par un de nos amis, spiritualiste de toujours, mais d'une grande probité d'âme, et qui nous l'opposa sous la forme déjà envisagée dans *Je et Moi*.

Nous la développons en son entier pour la rendre plus accessible : « *Etant donné que l'homme n'a la possibilité* « *d'exprimer sa pensée qu'en phrases cérébrales, comment* « *l'homme pourrait-il exprimer cette même pensée après la dis-* « *parition du cerveau ?* »

Qu'on veuille bien peser tous les mots de cette interrogation si simple et l'on verra qu'en trois lignes elle bouscule les systèmes de survivance les mieux établis.

PEUT-ON PENSER OBJECTIVEMENT SANS CERVEAU ?

Toutes les hypothèses, en effet, aussi bien celles des religions que des philosophies occultes, supposent, avec une ingéniosité touchante, que l'âme, séparée du corps, conserve l'usage des sens. Les textes ou les compilations, d'où qu'ils viennent, font parler, voir, sentir, entendre les défunts. Même quand le corps est dispersé par l'incinération ou la résolution organique, ce qui reste serait capable d'être affecté par des phénomènes sonores et lumineux.

Certains peuples même servent ou servaient régulièrement de la nourriture à leurs morts, persuadés que le double, sinon l'âme de ceux-ci, se repaît des émanations les plus volatiles de la matière.

L'Evangile est rempli d'allusions au « corps astral » de Jésus ressuscité, qui parle, touche, mange et boit.

Le *Bardo Thodol* est basé sur nombre d'hallucinations visuelles.

L'occultisme emploie dans la peinture de l'après-vie les termes de toucher, d'ouïe, de vue, d'odorat.

Le plus extraordinaire dans cette apparente contradiction est la faculté de parler attribuée aux morts et dont l'impossibilité est évidente, parce que, s'il est possible de penser avec une matière cérébrale presque entièrement détruite, il semble *qu'on ne peut penser, même subjectivement, qu'en mots objectifs.*

Essayez mentalement de penser sans phrases, de former une phrase sans les mots d'une langue quelconque, de construire un mot sans les lettres d'un quelconque alphabet.

Pourtant, vous possédez encore votre cerveau et en utilisez les circonvolutions cérébrales. Faut-il donc en déduire que l'homme est davantage capable de penser objectivement quand il est passé dans le subjectif ?

On le voit, ce problème « capital » est tout entier à résoudre. C'est ce que nous allons essayer de faire dans les chapitres suivants.

CHAPITRE XVIII

POURQUOI LES MORTS
NE REVIENNENT PAS

« Le corps humain, a dit Vivekananda, est le plus parfait de l'Univers. »

Cela tient à ce qu'il a des prolongements dans tous les mondes. Mais comment savoir de quelle manière il se relie à ses prolongements ?

Si les classifications de l'homme vivant et de l'homme mort, tentées avec plus ou moins de bonheur par les biologistes et les spiritualistes, apparaissent comme arbitraires, puisqu'il n'existe aucun moyen certain de les vérifier, par contre, il est deux divisions de la chose humaine que personne ne nie : ce sont, d'une part, l'état de vie, d'autre part l'état de mort.

Là, point d'équivoque, ni de probabilité. On est mort physiquement ou physiquement on est en vie. Et la différence, au moins matérielle, qui existe entre ces deux états les rend, sans contestation, perceptibles par tous. Dans la mort, une chose se sépare de la vie, en tant qu'agrégat et personnalité, c'est le corps et ses attributs visibles.

Mais, lui parti, demeure-t-il un « gabarit » invisible ? C'est la première question posée par un esprit réfléchi. Les suivantes peuvent être celles-ci : d'où que viennent et de quelque façon que s'exercent les fonctions pendant la vie physique, ces fonctions ou certaines d'entre elles continuent-elles à s'exercer après la mort ? Dans ce cas, restent-elles identiques, ou sont-elles entièrement changées ? Y a-t-il une commune mesure entre l'intelligence de l'homme cérébral et celle de l'homme sans cerveau ?

Autant de questions auxquelles il serait absolument impossible de répondre si l'évocation des morts et les diverses manifestations de clairvoyance n'avaient introduit dans le débat des éléments nouveaux.

LE FAIT SPIRITE

Plus haut, nous avons souligné, au chapitre traitant du spiritisme, qu'en dépit de la pauvreté d'une grande partie de ses communications, celui-ci est le seul de toutes les religions et philosophies qui soit capable de proposer une observation basée sur des phénomènes *objectifs*. Bien mieux : il est le seul également qui supporte la déduction logique et même, dans certains cas, le contrôle expérimental.

En effet, parmi des dizaines de milliers de manifestations entachées de niaiserie, d'inutilité, de vulgarité, et même de duperie, il reste un nombre encore très grand de résultats inexplicables au moyen des connaissances scientifiques ordinaires et que n'ont pas craint d'observer de très près des hommes de laboratoire comptant parmi les plus illustres de ce siècle et du siècle dernier.

L'évidence des faits a été confirmée par des professeurs connus, de grands médecins, de hauts magistrats, des avocats, des journalistes, gens naturellement enclins au doute et à la négation.

Tous n'ont pas interprété ce qu'ils voyaient ou entendaient de la même façon, mais tous ont été également déroutés par l'apparition d'une force d'apparence *inhumaine* et qui semblait surgir de l'humain. Beaucoup — et parmi eux ceux qui devaient ensuite le mieux se dérober — furent à ce point frappés par l'évidence de l'*intelligence inconnue* qu'ils admirent d'emblée la puissance des phénomènes sans tenter d'abord de l'expliquer. Puis leur milieu les reprit et, par la crainte du ridicule, les remit au pas du conformisme officiel. Mais certains, comme Crookes, Aksakof, Lombroso, Myers, de Rochas, Flammarion, etc., restèrent sur la position conquise et n'hésitèrent pas à jeter le poids de leur nom dans la balance, dût ce nom en rester discrédité devant leurs pairs.

LE FACTEUR HUMAIN

La grande objection des savants visait l'impossibilité de reproduction automatique des phénomènes occultes, les résultats étant, d'une séance à l'autre, inégaux et décevants. Ceci nous ramène à la constatation désabusée de Carrel, à savoir que l'homme n'est pas une machine faite de pièces détachées. Si l'expérience tentée en laboratoire sur des matières inertes est généralement reproductible — et les « ratés » comme les « imprévus » sont innombrables là aussi — il n'en saurait être de même des expériences comportant l'intervention du *facteur humain*.

Un exemple illustrera mieux nos dires :

Pour qu'un athlète établisse un record mondial, il ne suffit pas qu'il soit athlète, sans quoi, tous les jours, tous les athlètes battraient des records mondiaux.

Il faut encore qu'un athlète donné, à un moment donné, en vertu d'on ne sait quel don, quelle volonté, quelle grâce, quel concours de circonstances spéciales, ou à l'aide de tout cela ensemble (ceci jouant le rôle de réactif, de composante, de catalyseur) obtienne le maximum, la pointe de ses possibilités dynamiques et, se dépassant lui-même, dépasse aussi les meilleurs.

Le candidat au record peut tenter celui-ci dix fois, cent fois, sans y réussir, comme il peut l'atteindre d'emblée. Il y a des champions du monde qui l'ont été une fois et ne le seront jamais plus. Leur record unique, pour être un fait isolé, n'en existe pas moins et nul, au surplus, ne le conteste.

Pourquoi en serait-il autrement de toute expérience unique basée uniquement sur l'humain ?

Ce qui précède ne tend à rien moins qu'à la réhabilitation du phénomène spirite, si dévié, si déformé et tellement pillé par toutes sortes de milieux. Ses détracteurs habituels sont ceux qui lui doivent le plus et, sans lui, beaucoup de systèmes et de conceptions s'effondreraient faute de base. Car ils n'ont, pour la plupart, d'autre matière que ses communications.

LA SEULE POSSIBILITÉ DE CONTRÔLE OBJECTIF

Nous sommes d'autant mieux placé pour le dire que, bien loin d'être nous-même spirite, nous n'avons, pour des raisons que vous allez bientôt connaître, jamais participé à une seule manifestation.

Mais il n'est pas nécessaire d'être allé dans la Lune ou au Pôle pour en disserter de manière sensée. Jules Verne, qui ne quitta point son cabinet normand, avait plus de connaissance qu'un globe-trotter en matière de géographie ; et Maeterlinck, qui n'a, dit-on, vu aucune termitière de sa vie, était l'homme du monde le mieux renseigné sur les super-fourmis. Sans doute le phénomène spirite est ordinairement grossier et constitue une régression par rapport au mysticisme pur et à la compréhension de Dieu par l'extase, mais ni le haut mysticisme ni l'extase ne sont à la portée de la plupart. Seuls de rares élus peuvent bondir, par leurs propres moyens, dans la connaissance. La quasi unanimité des autres hommes ne peut s'évader du témoignage des sens. Or, le spiritisme parle aux sens et avec une telle brutalité et une telle objectivité qu'il force la conviction des plus épais matérialismes et leur fait toucher du doigt, comme à saint Thomas, les états subtils de la matière ou, si l'on veut, les états grossiers de l'esprit.

DÉFENSE DE COMMUNIQUER

Ce n'est pas en vain que, malgré la défense de Moïse (qui faisait dire à Jéhovah ce qui lui plaisait et qui, d'ailleurs, avait raison d'instituer cette défense), ce n'est pas en vain que les Hébreux, par l'entremise des pythonisses, faisaient « monter » l'ombre des morts. Il est significatif également que les mystères d'Eleusis reposaient, non seulement sur la nécromancie, mais aussi sur l'initiation à l'autre vie par la communication avec les défunts.

Nombre de sectes et de peuplades primitives eurent recours aux mêmes procédés, ce qui démontre qu'il n'y eut jamais aucun moyen de prendre contact *par les sens* avec l'autre monde, en dehors de celui-là.

Pour ce qui est de savoir si l'évocation des morts est licite et normale, ou interdite et dangereuse, nous croyons avoir déjà fait entendre notre avis. Nous avons toujours recommandé la plus grande réserve et la plus grande prudence aux évocateurs parce que nous croyons que nul homme vivant n'a le droit de ramener les morts sur notre plan, malgré eux. Ceux des défunts qui « reviennent » de leur plein gré sont parmi les moins intéressants et les plus dangereux de la zone extra-terrestre, et les accidents d'obsession ou de possession qui surviennent chez les consultants dépourvus d'entraînement spirituel en sont parfois la démonstration. En revanche, les esprits des morts qui descendent des séjours élevés dans un but de rédemption ou de sacrifice ne sauraient se manifester que par des intermédiaires triés sur le volet.

Ces conditions se rencontrent rarement. Aussi est-il préférable de ne pas s'aventurer dans ces terres inconnues sans un complet désintéressement et une absolue pureté.

LE MÉDIUM NE SERAIT QU'UN DÉTECTEUR

Reprenons donc l'argument-cerveau et l'objection de la pensée exprimée.

Les communications spirites, si elles sont le fait de désincarnés, sembleraient prouver que ceux-ci ne sont pas dépourvus de la faculté de penser cérébralement, c'est-à-dire en phrases humaines, quoiqu'ils soient dépourvus de cerveau.

Ou bien alors il faut admettre qu'ils utilisent le cerveau du médium et c'est même là ce qui rend leur démonstration verbale imparfaite, puisque la communication dépend d'un intermédiaire lui-même imparfait.

Mais, dans ce cas, quelle langue parlent donc les esprits désincarnés et, même, ces esprits en ont-ils une qui ressemble aux nôtres ?

Nouveau problème que nous examinerons en temps et lieu.

Si l'on adopte l'hypothèse immédiate de l'utilisation du cerveau du médium par les défunts, il est permis de se demander comment cette collaboration s'effectue. Les « esprits » eux-mêmes en auraient tenté un commencement d'explication.

Dans un message médianimique cité par Raoul Montandon[1], l'esprit communiquant se plaint au médium des difficultés qu'il rencontre :

« Il m'est, dit-il, si difficile de te faire parvenir cet ensei-
« gnement tant spirituel que psychique, et pour lequel *les*
« *mots ne sont pas faits.* De plus, je suis dans l'obligation
« de me servir presque exclusivement des termes que tu
« connais, ce qui réduit encore les expressions que je puis
« choisir. Ton cerveau est comme un instrument (comme
« un piano si tu veux). Je puis jouer des mélodies variées
« et justes, mais il y a des cordes (c'est-à-dire des mots) qui
« n'existent pas dans l'instrument et qui, par conséquent,

---

1. *Aux écoutes du monde invisible* (Ed. Jeheber).

« ne peuvent pas vibrer, en retour du choc que je leur
« imprime...

« ... L'interprétation cérébrale que, coûte que coûte, le
« médium doit faire des indications de l'Invisible, est une
« source d'imprécisions et d'inexactitudes. Nous avons beau
« multiplier nos efforts et appeler l'attention de notre ins-
« trument humain sur les déficiences et les défaillances d'un
« texte transcrit, bien souvent nous ne sommes qu'à demi
« compris et ce n'est que lorsque l'âme qui nous traduit est
« elle-même très évoluée, qu'une grande part des instruc-
« tions supérieures peut filtrer à travers le cerveau et pren-
« dre forme tangible par la parole et par la plume.

« Songez donc à toutes les difficultés que nous avons à
« vaincre dans nos exercices de radio spirituelle et ne nous
« en veuillez pas des erreurs forcées qui se glissent, non pas
« à notre insu, mais contre notre désir, et par votre impuis-
« sance, dans les communications médianimiques... Il est
« rare que nous trouvions ainsi réunies la compétence spiri-
« tuelle et l'érudition humaine.

« C'est pourquoi, souvent, nous semblons abuser de tels
« instruments, *n'en ayant que fort peu à notre disposition ;*
« *il nous faut surcharger de besogne ceux que nous avons le bon-*
« *heur d'employer.* »

L'expression « radio spirituelle » employée dans la précédente communication traduit assez justement l'obligation
dans laquelle seraient les désincarnés de rechercher un
« détecteur », autrement dit un instrument chargé de trier
les ondes extra-corporelles et de s'en faire, en même temps,
l'amplificateur et le diffuseur.

LA CLOISON ÉTANCHE

Donc, l'hypothèse spirite, parmi d'autres hypothèses
occultes, fait resurgir les morts.

Mais il faut convenir qu'en dehors de ces milieux spéciaux on croit si peu à une telle possibilité de survivance

qu'il est courant d'entendre déclarer à propos de l'Au-delà :
« Personne n'est revenu pour le dire. »

Au premier abord, cela semble incontestable, aussi bien
pour le vulgaire que pour les hommes cultivés. Si la mort
est totale et définitive, aucune manifestation de la vie ne
peut se produire *post-mortem*. Mais si la Vie de l'homme
continue après la mort physique, on ne voit pas pour quelle
raison les morts ne nous le diraient pas. Sans doute, on cite
des cas de revenants, de spectres, d'apparitions, mais les
témoignages les concernant, bien qu'ils remontent à la plus
haute antiquité, sont exceptionnels et contestables, puisqu'ils
ne peuvent jamais être vérifiés. En dehors du phénomène
spirite, lui-même discuté et devenu une sorte de religion ou
de doctrine, on doit reconnaître qu'en vertu d'une règle (que
l'exception même confirme) les morts généralement *ne reviennent pas*. Il y aurait donc une loi universelle qui s'oppose-
rait à la connaissance de la deuxième vie et mettrait une
cloison étanche entre les vivants et les morts. Il est certainement défendu de faire communiquer habituellement les
uns avec les autres. Le rapport normal est interdit entre les
deux plans. Et cette loi doit être bien puissante et bien rigoureuse puisqu'elle contrarie et empêche les efforts désespé-
rés que font beaucoup de vivants pour se rapprocher de leurs
morts.

Quand on sait le déchirement provoqué par certaines sépa-
rations entre époux, amants, parents ou amis, quand on a
mesuré le désespoir qui suit telle dislocation sentimentale,
on est surpris de constater que, dans la presque totalité des
cas, il y a impossibilité absolue d'établir le contact entre ceux
qui sont partis et ceux qui sont restés.

Cependant, tous les élans physiques, moraux, spirituels,
sont permis aux hommes frappés dans leurs affections les
plus chères. Beaucoup seraient prêts à donner leur vie —
et certains la donnent hélas ! — pour se rapprocher des dis-
parus. Mais c'est en vain qu'ils s'accrochent au défunt par
le cœur et par la mémoire. Celui-ci, en corps et en esprit,
semble se dissoudre et disparaît.

Les plus volontaires et les plus courageux des vivants se heurtent au *Mur* de la mort comme à une barrière infranchissable et ceci explique que tant de gens en deuil se rencontrent dans l'entourage des médiums.

Pourquoi donc constate-t-on cette imperméabilité entre le domaine de l'incarnation et celui de la vie désincarnée ? Pour deux motifs principaux que nous examinons ci-après.

LE PHYSIQUE NE PEUT ÊTRE PERÇU QUE PAR DES SENS PHYSIQUES

Le premier est que les morts de condition spirituelle moyenne, perdant, peu à peu, la mémoire des objets sensibles, perdent en même temps le désir de garder le contact avec l'univers matériel. Certes, ils se rattachent encore à diverses choses terrestres et, notamment, aux âmes qu'ils ont connues, seulement ce n'est plus par la perception ou la sensibilité cérébrale, mais par des sentiments non rationnels et d'un ordre plus élevé.

Comme nous serons amenés à le constater par la suite, les sens uniquement physiques de l'homme charnel disparaissent avec son corps. Ce qui en reste — s'il reste quelque chose des sens — est dans l'incapacité de prendre connaissance de la partie physique des phénomènes, faute de moyens physiques de perception. En un mot, tout se présente et s'ordonne comme si les choses étaient inversées. Pendant la vie physique, les sens physiques ne peuvent explorer la vie incorporelle et, pendant la vie désincarnée, les sens extraphysiques ne peuvent explorer le monde corporel.

Plus le défunt a été grand, spirituellement, au cours de son existence terrestre, plus la noblesse de son caractère l'a mis au-dessus des contingences phénoménales, plus il a développé de hautes vertus, plus aussi il s'éloigne rapidement des régions inférieures de l'après-mort (celles qui sont les plus voisines par leurs vibrations des régions matérielles) et plus il s'élève tôt vers le ciel de son idéal. Ce sont précisément les meilleurs et les plus parfaits qui perdent le plus vite contact avec la terre et sont les moins qualifiés pour se manifester par l'entremise des médiums. Lorsque ces êtres purs sont dans la nécessité de le faire, ce ne peut être qu'au prix de souffrances réelles et en violentant leurs vibrations. Toutes proportions gardées, ils sont comme une personne raffinée que sa charité oblige à traverser des cloaques et à visiter des bouges hideux. Mais ces justes et ces saints ont d'autres moyens plus subtils de communiquer avec le milieu de la Terre. Ils entrent directement en communion avec les âmes dont le niveau approche du leur. C'est d'eux que viennent les grands élans, les grands courants, les vagues de bonté, les raz-de-marée d'altruisme. Et voilà pourquoi ils descendent rarement au niveau des milieux grossiers.

Tout au contraire, les moins évolués des défunts, les plus alourdis par leurs appétits, leurs regrets des conditions de la terre ne peuvent se résoudre à quitter les plans denses de l'Au-delà. Plus leur envie de retrouver un corps est grande, plus ils s'efforcent de demeurer au voisinage de la vie physique. Ce sont précisément les « indésirables » qui s'attardent auprès du corps des vivants. Sans cesse à l'affût d'un moyen de se manifester matériellement, ils grouillent dans les mauvais lieux et autour des médiums, surtout lorsque ceux-ci leur donnent prise, par leur moralité ou leur caractère, et leur permettent, ne fût-ce que temporairement, une toujours redoutable incorporation.

S'il y a renaissance, ce sont ces êtres-là qui se réincrustent les premiers dans la vie charnelle, alors que les meilleurs n'ont aucune tendance à s'emprisonner de nouveau. Et ceci expliquerait, en partie, pourquoi les progrès de l'humanité sont si lents, car « seuls les mauvais élèves redoubleraient leur classe », tandis que les brillants sujets quitteraient l'école pour toujours.

C'est dans les pires des désincarnés et les plus rapprochés d'eux moralement, que les vicieux et les criminels d'ici-bas puisent l'encouragement à leurs desseins funestes. On en trouvera de curieux exemples dans la partie de ce livre qui a trait à la collectivité dans l'Après-Mort.

Par opposition, seuls les êtres désincarnés de haut vol et de haute pensée sont capables de communiquer sans intermédiaire avec les « inspirés » demeurés dans leur corps. Les « visitations », que nous recevons dans la vie terrestre, viennent d'eux. D'eux aussi procède la transfiguration des artistes. Le génie est un éclair direct jailli de l'autre monde. Les muses des poètes sont des messagères des cieux.

LA PEUR DE MOURIR SÉPARE L'HOMME DE L'ARBRE DE LA CONNAISSANCE

Mais il est une autre raison que nous avons précédemment entrevue et qui s'oppose à l'interpénétration visible des vivants et des morts.

Cette raison n'est rien moins que l'appréhension inspirée aux hommes par la mort physique et qui se traduit par le tout puissant réflexe de défense appelé instinct de conservation.

La Nature a mis en nous une réaction automatique contre la mort, comme aussi contre tout ce qui peut menacer notre intégrité corporelle.

Chez l'animal elle est assez explicable, puisque, pour lui, privé de sens spirituel ou en possession d'un rudiment d'âme, tout ou presque tout s'abolit avec la mort.

Mais chez l'homme, l'horreur de la mort ne s'explique point raisonnablement, surtout lorsqu'il est spiritualisé, surtout lorsqu'il croit à la survivance et que l'espérance d'une vie élargie lui est enseignée par sa religion. Bien au contraire, on trouve chez les prêtres comme chez les laïques, chez les croyants comme chez les athées, la même inexprimable épouvante à l'idée de la mort du corps.

Même chez les dévots les plus assurés de leur salut, une horreur native de l'au-delà persiste et, en dépit des déboires de « cette vallée de larmes », le Paradis n'est, suivant une formule pieuse, souhaité « qu'à la fin des jours ».

Pourquoi donc cette peur individuelle et grégaire, personnelle et unanime ? D'où vient que toutes les opinions concordent dans le même sens ? Voici la réponse :

La crainte de la mort n'a été ancrée dans le cœur des hommes que pour empêcher ceux-ci de quitter prématurément leur corps.

S'il connaissait toutes les douceurs de la mort, sa puissance inouïe de libération, les perspectives merveilleuses qu'elle ouvre sur la deuxième vie, nul homme moyennement bon ne voudrait demeurer dans sa prison de chair.

Il fallait que ce secret demeurât caché pour que nul ne devançât son heure, et c'est la raison pour laquelle la Nature a accumulé les apparences les plus hideuses et les plus spectaculaires à l'approche de la mort.

Il importait que nul ne pût considérer la mort face à face, sans éprouver un frisson d'angoisse, à la fois dans l'âme et dans le corps.

Le suicide se justifierait donc, ne manqueront pas d'objecter les logiciens dont la Terre est pleine. Non, puisque, en abrégeant sa vie, le suicidé trouble l'ordre naturel. Le suicide, en général, n'est pas seulement une violation, un manquement, c'est aussi une faute de manœuvre, puisqu'il aboutit directement au résultat contraire et tourne le dos au but cherché.

La mort n'est une libération que si elle a lieu au temps fixé, c'est-à-dire lorsque les liens de vie se sont desserrés d'eux-mêmes et quand l'âme se détache naturellement de la matière comme un fruit de l'arbre qui l'a porté.

Le suicidé honnête et vertueux est précisément celui qui n'avait pas d'intérêt à gagner, avant le temps, l'autre monde. Son suicide prouve qu'il n'était pas encore assez évolué.

Les raisons qui l'ont déterminé à ce qu'il croit être une évasion étaient la condition même de sa progression dans la vie terrestre. En croyant supprimer douleur et épreuves de l'existence physique, il n'a fait que les transposer en les centuplant sur le terrain de l'au-delà. Son geste impatient a aggravé son malaise et son déséquilibre spirituel, de sorte qu'une nouvelle expérience est inévitable. Selon toute vraisemblance, le suicidé devra reprendre le fardeau abandonné sur la Terre exactement au point où il l'avait laissé.

Si certains Asiatiques manifestent un tel sang-froid devant la mort — fût-ce par le bourreau — n'est-ce pas justement parce que leur conviction de la renaissance est si certaine qu'il n'attribuent à leur fin physique que l'importance véritable qu'elle a ?

Les Gaulois, nous l'avons souligné, se jetaient dans la mort avec allégresse parce que la certitude d'une vie plus ample et plus harmonieuse les dépouillait de toute crainte et annihilait leur instinct de conservation. De là des abus, tels que les immolations volontaires, le partage des bûchers funéraires, les duels mystiques et même les sacrifices humains.

Et ce n'étaient pas les moins bons qui rusaient ainsi avec la loi d'intégrité vitale. Au contraire, l'initiative du départ venait des plus purs, des plus nobles, des plus généreux. Car, même sous les Druides, nul n'ignorait que la mort des criminels, des lâches et des voleurs livrait ceux-ci aux puissances malignes de l'autre vie et les faisait plonger au plus creux de l'abîme *Anouphn*.

Les méchants ont raison de redouter l'approche de la mort, car ils ont tout à perdre en perdant la vie physique. Une fois la chair dépouillée, une géhenne subjective les attend. L'homme mauvais, privé de sa lourde enveloppe et jeté dans les vibrations subtiles, n'est-il pas comme un écorché vif soumis à l'action des gaz ?

Les justes n'éprouvent que ravissement à se dégager de la gangue fluidique et à croître en légèreté.

Voilà pourquoi il y a étanchéité entre le monde objectif et l'autre. Voilà pourquoi ceux des morts qui jouissent comme ceux qui souffrent n'ont pas le droit de revenir en arrière, ni licence d'en témoigner.

CHAPITRE XIX

LE DOUBLE ET LE CERVEAU PSYCHIQUE

Nous avons eu l'occasion de constater que ce qui frappe le plus — et surprend aussi — dans les enseignements et révélations religieux ou occultes, c'est qu'ils admettent, avec une égale facilité, la possibilité pour les êtres désincarnés d'entendre et de voir. Non pas seulement de s'entendre et de se voir, ce qui s'admettrait à la rigueur et pourrait même s'expliquer, comme nous le verrons tout à l'heure, mais encore de voir et d'entendre le monde sensoriel qu'ils ont quitté.

Pour la plupart des religions, si nous ne voyons pas les morts, les morts, eux, nous voient et sont extrêmement sensibles à ce que nous disons et faisons.

Prenons le *Bardo Thodol* ou guide tibétain des morts dans le pays des illusions karmiques. Que dit-il au défunt du *Sidpa Bardo* ? « *Tu vois* tes parents, tes amis, *tu leur parles et ne* « *reçois pas de réponse* d'eux. Alors, *les voyant* pleurer ainsi « que ta famille, tu penses : Je suis mort, que ferai-je ? »

Et plus loin : « A tous ceux qui pleureront, *tu diras* : "Je

« suis ici, ne pleurez pas.'' Mais comme ils ne *t'entendront*
« *pas,* tu penseras : Je suis mort. Et à ce moment tu seras
« malheureux. »

Dans l'exposé de la première méthode pour fermer « la
porte de la matrice », le lecteur du Bardo semble à cheval
sur les deux mondes : le non-sensible et le sensoriel. En effet,
dans le but de faire comprendre au défunt qu'il erre dans
le *Bardo* (ou état qui suit la mort) et non dans la vie, il lui
dit : « Comme preuve de cela, *si tu regardes de l'eau ou un*
« *miroir,* tu n'y verras aucune réflexion de ta face ou de ton
« corps, et ton corps ne projettera aucune ombre. »

Comment le mort privé d'yeux est-il capable de voir l'eau
ou un miroir sur le plan terrestre ? Et d'autre part, peut-il
y avoir de l'eau ou un miroir dans le Bardo ?

Une seule explication est possible : celle d'une vue bardique. En effet, les lamas énumèrent cinq espèces de vision :
a) l'animale ou instinctive, qui est la nôtre et celle, beaucoup plus étendue, des bêtes de proie ; b) la céleste ou angélique, qui s'étend à l'après-mort ; c) la vision de vérité, qui
comprend des centaines de mondes ; d) la vision divine, qui
pénètre ce qui a été et ce qui sera ; e) la vision bouddhique, qui embrasse l'éternité.

LES SENS SURVIVENT-ILS À LA MORT ?

Les sens physiques ne sont pas tous de même valeur. Si
l'on demande à un homme ordinaire de dresser une hiérarchie de ses sens, il mettra presque toujours au premier rang
la vue, au second l'ouïe, pour finir le plus souvent par le
goût et l'odorat, sens méprisés.

Un ordre bien différent leur est assigné par l'occultisme,
qui place à l'étage le plus bas l'ouïe et continue son ascension par le toucher, la vue, le goût et l'odorat. Cette échelle
des sens correspondrait à leur apparition chez l'homme des
origines. En tout cas, nos recherches personnelles nous permettent de dire que l'odorat est un sens supérieur. Ce serait

sortir de notre sujet que de nous étendre sur cette fonction élevée, mais ceux de nos lecteurs qui ont lu les chapitres consacrés à l'alimentation et à la respiration divines[1] peuvent se faire une idée de son caractère extra-humain.

Les commentateurs du Bardo disent que les habitants de celui-ci sont censés « vivre des odeurs ou essences spirituelles des choses matérielles ». Et Curtiss déclare que l'effluve alcoolique vibre directement dans l'Astral.

Les sens physiques ont vraisemblablement des ramifications au-delà de l'apparence et qui sont partiellement soustraites à la précarité de la chair.

On pourrait, avec raison, dire que les sens physiques : 1° sont les générateurs des désirs humains et servent à former les passions humaines ; 2° constituent l'obstacle le plus sérieux au développement spirituel.

Mais c'est de la lutte contre les sens qu'est faite la progression humaine. S'il n'y avait à lutter ni contre la montagne ni contre l'eau ni contre le vent ni contre la monture, il n'y aurait pas d'alpiniste, pas de nageur, pas de cycliste, pas de cavalier.

Nos cinq sens, tels qu'ils existent en notre présente incarnation, sont donc grossiers dans leur expression extérieure, c'est-à-dire dans la partie que nous en connaissons. Mais, nous le répétons, ils ne se bornent probablement pas à leur fonctionnement dans le monde de la forme et ont des racines profondes dans les mondes plus subtils.

Ce serait avec cette partie invisible et inaudible de la vue et de l'ouïe physiques que l'homme serait capable d'explorer le milieu de l'Après-Mort. Or, le prolongement de la sensibilité physique de l'homme ne se peut admettre sans un prolongement correspondant du cerveau.

Si, physiologiquement, nous ne disposions que de nos membres et de nos sens, à l'exclusion de ce grand quartier général qu'est le cerveau et de ce laboratoire des sensations

---

1. *Les Clés de la santé* et *Les Clés du bonheur*.

qu'est la moelle épinière, notre existence serait rudimentaire et plus proche de celle de l'insecte que de celle du séraphin.

Les sens de l'Au-delà ne peuvent donc s'expliquer que par une faculté d'intelligence et d'organisation qui en harmonise l'usage. D'où la nécessité de concevoir un *cerveau psychique*, réplique (à l'octave au-dessus) du cerveau organique que nous possédons.

LE MONDE INTERMÉDIAIRE

Par ce nom de cerveau psychique, nous ne désignons point encore le plexus le plus évolué, car il est probable que, dans son indéfinie progression, l'homme changera ce cerveau pour un cerveau plus éthéré, ce dernier pour un plus spirituel, cet autre pour un autre plus céleste, jusqu'au moment où, laissant toutes ses enveloppes, même les moins denses, l'âme s'exposera toute nue aux rayons du Feu Divin.

Le lamaïsme savait bien ce qu'il disait lorsque, dans le *Sidpa Bardo*, il posait la notion essentielle, si rapprochée du catholicisme et de la définition théologique des premiers chrétiens.

« Le Connaisseur (principe conscient) s'est levé en toi dans
« sa condition primordiale (donc celle qu'il avait avant de
« naître) et un *corps radieux* ressemblant à ton corps précé-
« dent s'est élancé ; ayant un corps *sans chair ressemblant*
« *au précédent et à celui qui sera produit, doué de toutes les*
« *facultés des sens et du pouvoir* du mouvement libre ; possé-
« dant les pouvoirs miraculeux karmiques ; *visible aux purs*
« *yeux célestes de même nature.* »

Pour l'Extrême-Oriental, fidèle à son interprétation de *Maya*, ce corps de tendances, lui aussi, n'est qu'une hallucination préparatoire, ainsi que tout le déroulement des 49 jours ou périodes du Bardo.

Mais, pour l'Occidental ou Extrême-Occidental, il n'en est nullement de même et les entités qui se manifestent par la voie médiumnique revendiquent hautement la réalité de leur existence, leur autonomie et leur direction.

Dans une communication par voie d'écriture médianimique, un désincarné dépeint ainsi son comportement et les conditions de son habitat :

« Notre monde n'est pas *matériel*, dans le sens que vous « donnez à ce terme, mais il n'en est pas moins *réel*.

« Il est tangible, autrement dit composé d'éthers à « vibrations beaucoup plus rapides que celles des éléments « matériels de votre monde. Nous pouvons agir sur cette « substance éthérée au moyen des opérations de notre esprit, « car, ici, la pensée est créatrice de formes. J'ai un corps « qui est le double de celui que j'avais sur la terre ; il « interpénétrait déjà mon corps physique. Dans les condi-« tions nouvelles où je me trouve, il est pour moi aussi *subs-« tantiel* que l'était pour moi mon corps physique, car « bien que nos corps ne soient pas matériels selon l'accep-« tion que vous donnez à ce mot, ils ont cependant une forme « et nos visages... une expression... Nous nous déplaçons « comme vous, mais infiniment plus vite. Nous pouvons « manger et boire, mais ce n'est pas absolument comme sur « la terre, car, pour nous, c'est une sorte de jouissance « mentale et non corporelle.. Nous pouvons continuer à « nous instruire, car nous avons des instructeurs... Le lan-« gage n'exige pas de mots. On correspond en quelque sorte « par la pensée. »

Raoul Montandon a fait remarquer que « pour les habi-« tants des divers mondes hyper-physiques, les éléments, for-« mes, objets de *leur* monde sont aussi réels, substantiels, « solides et tangibles que pour nous ceux de notre monde « physique. Le corps qu'ils emploient leur est aussi consis-« tant, *de leur point de vue*, que l'est pour nous le nôtre ici-« bas, bien que doué de certaines propriétés encore « inconnues du nôtre. »

Il existerait donc, à mi-chemin de l'objectif et du subjectif, un état *intermédiaire* dans lequel, immédiatement après sa mort, l'homme vivrait au moyen d'un corps intermédiaire, qui ne serait, lui non plus, ni complètement objectif ni totalement subjectif.

On s'explique, dès lors, la sérénité avec laquelle le texte bardique nous entretient de l'existence, à première lecture incompréhensible, du cerveau défunt.

Le treizième jour, « les huit êtres irrités... ayant diverses « têtes sortant du *propre cerveau du mort,* viennent briller, « etc. »

Et le commentateur, emboîtant le pas, souligne que les divinités qui vont paraître « sont émises par le centre du cerveau ».

De toute évidence, il ne peut s'agir du cerveau organique en cours de liquéfaction ou que l'incinération a réduit en cendres ou qui est déjà dans les entrailles des vautours. Le cerveau dont il est question ici est, lui aussi, un cerveau intermédiaire, plus capable que l'ancien de s'adapter au milieu dans lequel il vit.

Mais d'où provient ce cerveau intermédiaire et quand s'est-il manifesté ? Existait-il préalablement à la dissolution du cerveau de chair ou est-il né à la mort de l'autre ?

On dit que l'écrevisse porte son estomac dans sa tête, et se renouvelle tous les ans. On dit aussi que la première fonction du nouvel estomac est de digérer l'ancien, ce qui supposerait un investissement de l'organe périmé par la fonction neuve.

Il est infiniment plus vraisemblable que les deux cerveaux coexistent depuis longtemps, mais le cerveau intermédiaire se fermait au fur et à mesure de l'incarnation dans le sensoriel, tandis que le cerveau physique s'ouvrait davantage. Et n'est-ce point ce même cerveau intermédiaire (avec le système nerveux intermédiaire qui l'accompagne) qui constituerait, au moins en partie, ce que les modernes nomment le subconscient ?

Ainsi nous revenons, une fois de plus, à la conception du *double* des initiations et de l'occultisme, au Ka des Egyptiens, au P'o des Chinois, à l'ombre des Grecs, au corps glorieux des théologiens catholiques, au périsprit des spirites, au corps astral des occultistes et des théosophes, etc.

De toutes ces conceptions, si différentes dans le temps, dans l'esprit et dans l'espace, résulterait l'existence d'un état transitoire. Et nul homme, après la mort, ne saurait vivre dans ce transitoire sans un organisme de transition.

La plupart des eschatologues l'ont vu ou pressenti et la théologie catholique n'a été ni la première ni la dernière à s'en rendre compte. Seulement, tandis que l'occultisme prête au corps intermédiaire une vie centuplée, le catholicisme lui assigne une vie ralentie jusqu'à la revivification finale du Jugement Dernier. C'est donc là une question d'opportunité qui n'entame en rien le principe lui-même. Il est d'ailleurs de toute évidence qu'en pareille matière c'est la conception théologique qui est à retardement. Alors, en effet, que l'ombre exténuée de Samuel se plaignait d'avoir été tirée du demi-sommeil du Chéol, les désincarnés spirites, bien loin de manifester une vie diminuée, tendent, au contraire, à déborder la vitalité des évocateurs.

Après la mort, par conséquent, il reste vraisemblablement un *support* de matière extrêmement évoluée, qui est peut-être encore au-dessus du fluidique et où se réfugient une certaine mémoire objective, des réflexes mentaux, la faculté spéculative et des pouvoirs d'émotion.

Allan Kardec, fondateur du spiritisme européen, a dit depuis longtemps dans son *Livre des médiums* : « La pos-« sibilité de communiquer avec les vivants est liée à l'exis « tence du périsprit qui joue le rôle d'intermédiaire fluidi-« que entre l'esprit et la matière. »

Or non seulement ce support existe avant la mort physique mais il est tout à fait probable qu'il précède aussi la naissance physique *et que l'homme s'incarne au moyen de lui.*

Pour ce qui est de la coexistence du double et du corps physique pendant la vie terrestre, on en a des preuves nombreuses au moyen de ce qu'on appelle les fantômes vivants.

Léon Denis, que nous avons personnellement connu, et

dont nous pouvons attester la probité et l'esprit critique, a noté le fait suivant[1].

« Pendant trois années l'esprit d'un vivant a pu se mani-
« fester par voie d'incorporation dans le groupe que nous
« dirigions à Tours, sans qu'on s'avisât de le distinguer des
« esprits des défunts qui intervenaient habituellement dans
« nos séances. Il nous fournissait, cependant, sur son iden-
« tité, les détails les plus précis. Il disait se nommer B...,
« avait été sacristain du village de D..., dans la Sarthe. Sa
« parole traînante, ses gestes lourds et fatigués, son attitude
« affaissée contrastaient avec la manière du médium et des
« autres esprits familiers. Nous le reconnaissions, dès les
« premières paroles prononcées. Il nous narrait par le menu
« les moindres incidents de sa vie, les remontrances du curé
« sur sa paresse et son ivrognerie, le mauvais état de l'église et
« du matériel confié à ses soins, et jusqu'à ses recherches
« infructueuses dans l'espace pour y trouver la confirma-
« tion de ce qui lui avait été enseigné. Tout en lui, ses sou-
« venirs, ses regrets, nous confirmait dans la ferme opinion
« que nous avions affaire à un homme décédé.

« Quelle ne fut pas notre surprise, lorsque, un membre de
« notre groupe s'étant rendu dans la région et ayant pro-
« cédé à une enquête, nous apprîmes que B... vivait encore
« de la vie de ce monde ! Tout ce qu'il nous avait dit d'ail-
« leurs était exact. Notre cosociétaire put le voir et s'entre-
« tenir avec lui. Devenu vieux et adonné de plus en plus
« à la paresse et à la boisson, il avait dû résilier ses fonc-
« tions. Tous les soirs, il se couchait de bonne heure et
« s'endormait d'un lourd sommeil. Il pouvait ainsi s'exté-
« rioriser, se transporter près de nous les jours de séance,
« et s'incorporer en l'un de nos médiums, à qui le ratta-
« chaient des liens d'affinité dont la cause nous resta tou-
« jours inconnue. »

Cette observation n'est pas isolée ni exceptionnelle. Bien d'autres du même ordre ont été faites, en cours d'expéri-

---

1. *Dans l'invisible* (Librairie des Sciences Psychiques).

mentation ou non. La *Revue spiritualiste* de Pierrant a signalé le cas d'une demoiselle de Paris, Clara L..., qui, ayant posé dans la matinée des sangsues à un malade, fit part du fait le soir même au mari de l'intéressée, qui participait à une séance spirite à Saint-Malo. Mlle Clara L... dormait dans son lit parisien au moment où son double se manifestait en Bretagne, et elle apprit cette incursion inconsciente avec une réelle stupéfaction.

Que faut-il conclure de cela, sinon que le corps intermédiaire existe dès cette vie et que, parfois, ses manifestations sont indépendantes de la conscience et du corps ?

Kardec, analysant ce phénomène spécial, a dit avec une certaine pertinence : « Parmi les esprits que vous invoquez, « il y en a qui sont incarnés sur la terre ; *alors ils vous par-« lent comme esprits* et non pas comme hommes. »

En ce qui regarde l'existence du corps intermédiaire, les communications à distance des vivants sont encore plus significatives que les communications des morts.

LES SENS INTERMÉDIAIRES

Mais si l'on admet le corps intermédiaire, rien ne s'oppose à l'admission de sens intermédiaires.

On sait que les clairvoyants *voient* les formes astrales. Or, ce n'est pas avec leurs yeux physiques, sans quoi tout le monde verrait comme eux. Mais ils voient avec leurs regards astraux.

Lorsque Jésus sort du tombeau, ce qui surgit devant les saintes femmes et les disciples d'Emmaüs, ce n'est point le corps physique du Christ, mais son corps intermédiaire. En effet, ni les uns ni les autres ne le reconnaissent et tous avaient cependant participé à l'ensevelissement.

Ce corps intermédiaire apparaît et disparaît soudainement comme le font tous les doubles. Les apôtres se rendent à l'évidence uniquement à cause des paroles que leur dit Jésus, mais l'inexplicable leur cause une grande frayeur.

Pour eux, c'est Jésus et ce n'est pas Jésus. C'est lui et en même temps c'est autre chose. Ce n'est plus tout à fait ce que c'était pendant son ministère. C'est au-delà et au-dessus.

De quoi seraient capables des sens astraux ? Voilà ce dont il n'est possible de parler que par hypothèse. Ce qui est certain, c'est qu'ils ne peuvent avoir rien de commun avec les sens physiques, si ce n'est d'en être la correspondance sur un autre plan.

Bien plus, ils ne sont ni fluidiques ni magnétiques, mais, selon toute vraisemblance, constituent une temporaire illusion. Nous verrons bientôt que, dès l'astral, on entre dans le monde de la pensée, c'est-à-dire dans le plan où celle-ci, dégagée du corps qui la rend infirme et pesante, reconquiert l'ampleur de ses vibrations.

L'atmosphère de l'Après-Mort immédiate n'est pas cependant complètement épurée. Son rôle intermédiaire est celui d'une écluse permettant, par l'égalisation des niveaux, de passer d'aval en amont. Le dégagement de l'esprit se poursuivra à mesure que celui-ci s'élèvera en lui-même, plutôt que dans l'espace et le temps. Car, il apparaît que, même dans le monde physique, toute progression est *intérieure* et que l'ascension véritable ne peut s'effectuer que dans l'esprit.

Mais, dans la période qui suit la mort (et ce temps pour certains peut se prolonger beaucoup) la pensée, dressée par l'entraînement de toute une vie à tenir compte des gestes terrestres, continue, en vertu de l'habitude acquise, à chercher des moyens d'expression.

Dès qu'elle est libérée du corps, elle peut tout, sans organes ni accessoires, et cependant il semble qu'elle continue à *agir*, c'est-à-dire à s'exprimer en actes comme pendant qu'elle était captive du corps.

Ce sentiment est même si fort, chez le défunt moyen et, surtout, chez le défunt vulgaire, que, — médiums et clairvoyants en témoignent — ceux-ci ne comprennent pas toujours ou tout de suite qu'ils sont morts. On dirait que la Nature (ou sa correspondance astrale), fidèle dans sa manière d'évoluer, ménage des transitions successives, de façon que l'homme passe d'un état à l'autre sans secousse ni heurt.

On rapporte, à travers une communication spirite, le propos de ce général anglo-saxon décédé, qui exprimait ainsi sa surprise : « Si c'est le paradis, c'est moins bien qu'on ne « le suppose. Si c'est l'enfer, c'est mieux que je ne croyais. »

Mais cette incompréhension ne dure pas, surtout chez les âmes élevées en qui se développent d'emblée les facultés de reconnaissance et d'orientation.

Seuls demeurent incapables de se mouvoir spirituellement ceux qui étaient déjà des infirmes spirituels sur la terre et dont l'unique préoccupation est de recouvrer, avec un corps animal, des moyens grossiers d'expression.

CHAPITRE XX

LE SOMMEIL, VASISTAS SUR L'AU-DELA

Etant donné la difficulté où se trouve l'homme vivant de se représenter les conditions de l'Après-Mort en se basant sur l'observation et la logique, nous avons été amené à chercher un éclaircissement dans l'étude d'un état humain qui semble participer de deux plans différents de la conscience et qui n'est autre que le sommeil.

SOMMEIL, MORT TRANSITOIRE

Sous ce titre, nous avions déjà analysé sommairement dans le *Livre de la mort douce*[1] ce mystérieux phénomène et fait ressortir l'analogie que représente l'endormissement avec le départ dans la mort.

Nous écrivions notamment :

« Quelqu'un a dit : "On est mort quand on dort d'un som-

---

1. Editions Dangles.

« meil sans rêve" Ceci est juste, quant à la conscience du
« moins, car le reste de la personne physique ne présente
« pas tous les symptômes de la mort. Le sommeil, parvenu
« à son stade le plus avancé, n'en est pas moins pour le dor-
« meur une véritable mort à lui-même et à ce qui l'entoure.
« Il est bien évident que, du point de vue du sentiment, on
« ne saurait être mort davantage qu'on ne l'est dans le som-
« meil profond[1]. Il est donc d'un grand enseignement d'étu-
« dier le mécanisme du sommeil, cette mort provisoire et
« journalière. Ceci nous amènera à mieux saisir le véritable
« départ de la conscience dans la mort. »

Après avoir rapporté les tergiversations et les hésitations
des physiologistes et médecins modernes et leur incapacité
absolue de pénétrer les causes profondes du sommeil physique, nous continuions ainsi :

« Combien plus puissants dans leur conception étaient
« Hippocrate et l'école de Cos pour qui le sommeil était un
« *changement de direction du mouvement vital !* Les Anciens
« ne prenaient pas l'effet pour la cause et il paraît bien que
« tout se passe, en effet, comme si l'élément spirituel le plus
« pur de l'homme vivait *une autre vie* libératrice pendant
« la jachère du corps[2]. Ainsi, nous serions, durant la vie,
« des êtres alternés dont, tour à tour l'élément noble et l'élé-
« ment grossier seraient garottés par des forces subtiles et
« sans qu'il y eût — ou presque — d'interpénétration entre
« ces deux rythmes vitaux. »

Nous ajoutions alors :

« Ce n'est ici ni le temps ni le lieu, dans ce premier livre
« où nous nous sommes interdit de rien voir au-delà de l'ins-

---

1. On a déjà noté la ressemblance qui existe entre le dormeur à
« poings fermés » et le moribond à l'agonie. Râle et rictus sont les mêmes
dans le ronflement et le coma.

2. Il est de même permis de se demander si la séparation quotidienne
de l'âme et du corps n'est pas spirituellement obligatoire, l'âme étant
normalement incapable de rester emprisonnée plus de vingt ou trente
heures dans le corps.

« tant de la mort physique, de montrer pourquoi la mort
« elle-même n'est qu'un changement du rythme vital. »

Le moment est précisément venu de se pencher sur le sommeil, mort transitoire, durant laquelle le principe subtil paraît se libérer, au moins partiellement, de sa prison.

La seule observation confirmée par les constatations occultes et scientifiques permet de dire qu'il existe deux sortes de sommeil naturel : le sommeil léger et le sommeil profond. On croit que tous les sommeils comportent une partie de rêves et que le fait de se souvenir ou non de ces rêves est précisément lié à la faculté de « régurgitation » mémorielle, celle-ci étant la règle après le sommeil léger et l'exception après le sommeil profond. Il est de fait que plus le dormeur est près de l'état conscient, plus il est capable, à son éveil, de se remémorer ses rêves ou tout au moins le dernier d'entre eux.

Le fait est d'observation courante : lorsqu'on se réveille au milieu d'un rêve agité et qu'il en résulte quelque insomnie, celle-ci est coupée d'ensommeillements durant lesquels se retrouvent les éléments du même rêve agité. Dans cet état, le dormeur est à demi conscient, assez du moins pour se rendre compte, çà et là, qu'il rêve. Et le complet réveil le trouve en pleine remémoration de ce qu'il a rêvé. Le premier sommeil, qui est le plus profond, ne laisse généralement nul souvenir de rêve. Ce souvenir, au contraire, est de règle dans les instants qui précèdent le réveil matinal.

Selon toute vraisemblance, le rêve doit se produire également dans le sommeil profond, bien que le réveil à l'état conscient ne semble ne nous en apporter aucune preuve. Mais le rêve du sommeil profond paraît être différent de celui du sommeil léger.

LE RÊVE ET LA PENSÉE

Voyons donc la structure du rêve et cherchons à en dégager l'analogie.

Que dit la science médicale par la bouche d'un des professeurs les plus qualifiés en matière de phénoménologie du sommeil, le Docteur J. Lhermitte[1] ?

« Ce qui forme la trame incessamment mouvante du rêve, « ce qui en constitue la contexture que nous pouvons le « mieux appréhender, c'est *le jeu des images*. Le rêve se pré- « sente donc comme un déroulement fantastique d'images. » « Quelles sont ces images ?... Les images visuelles l'empor- « tent sur les autres. »

En effet, les sensations de toucher et d'ouïe sont fort adultérées dans le rêve et les sensations de goût et d'odorat y sont presque nulles. Mais comment s'étonner de la prédominance donnée par le rêve aux images de la vision quand on sait *que le mécanisme de l'œil est intimement lié au mécanisme du sommeil ?* Personne, même parmi les spécialistes de la représentation onirique, ne semble avoir fait cette remarque pourtant d'importance, ni traité de ce rapprochement.

Le Dr Lhermitte poursuit : « Mais à l'inverse de la per- « ception correcte, où les couleurs gardent une vividité en « rapport avec les vibrations lumineuses projetées, l'image « visuelle du rêve se montre toujours appauvrie et plus ou « moins décolorée. »

Cet appauvrissement et cette décoloration devraient aboutir à une représentation plus fade et de moindre intérêt que la représentation consciente de l'état de veille. Or, par un phénomène singulier, c'est exactement le contraire qui se produit. Bien loin de réagir plus faiblement à cette imagerie effacée, notre sensibilité l'enregistre avec une véritable passion. L'homme le plus calme et le plus sceptique est démesurément sensible aux fluctuations du rêve et, comme le plus nerveux et le plus crédule, ravi par un beau songe et épouvanté par un cauchemar.

A quoi ce psychisme spécial — en désaccord parfois avec le psychisme conscient — est-il dû, sinon au retranchement

_____

1. *Le Sommeil*, collection Armand Colin.

momentané du corps et à l'engourdissement des vibrations denses, qui contrarient et appesantissent, durant la vie consciente, nos facultés d'émotion ?

On objectera que le cauchemar est parfois lié à une cause physique (état du cœur, des organes, mauvaise digestion). Mais, outre que le cauchemar peut s'observer en dehors de toute anomalie organique, on ne saurait invoquer le même argument pour les rêves bienheureux. Ceux-ci se produisent on ne sait pourquoi et atteignent souvent à une telle euphorie qu'on a l'impression, au réveil, d'une puissance de bonheur que la vie consciente ne permet pas.

Il en est de même du rêve malheureux. L'horreur ou l'effroi y arrivent à un paroxysme qui laisse bien loin derrière eux les peurs banales du monde conscient.

Comment ne pas voir dans cet éréthisme de l'âme séparée, même provisoirement, du corps, la démonstration des hautes facultés d'émotion imaginative qui doivent être libérées en nous par la véritable mort ?

LA RÉPÉTITION GÉNÉRALE DE LA MORT

A la vérité, le sommeil est une répétition générale de la mort du corps.

Le rêve est une répétition générale de la vie de la Pensée, quand celle-ci est veuve du corps.

En entrant dans le sommeil, puis dans le rêve, nous allons en direction de la « frontière ». La preuve que, dans le rêve, il n'y a plus rien de commun entre la personnalité de veille et l'individualité de rêve, c'est que la première tombe comme un masque, en dépit de la faculté de dissimulation du dormeur. Le pire hypocrite se démasque impitoyablement, sa cuirasse sociale l'abandonne. Il n'est plus vêtu que de lui-même, sans paravent ni décor.

Arthur Maury l'a mis en évidence dans sa psychologie remarquable du rêve : « En rêve, dit-il, on se révèle tout « entier à soi-même, dans sa misère native et dans sa nudité.

224

« Dès que (l'homme) suspend l'exercice de sa volonté, il
« devient le jouet de toutes les passions contre lesquelles,
« à l'état de veille, la conscience, le sentiment de l'honneur
« et la crainte nous défendent. »

Première ressemblance avec l'astral des occultistes :
l'homme mort n'a plus, comme l'homme vivant, la possibilité de dissimuler. Et c'est le moment de rappeler l'apho-
risme fameux : « La parole a été donnée à l'homme pour
déguiser sa pensée. » Le défunt n'a plus de parole et pense
ouvertement. Sa pensée est perméable à toutes les pensées.
Son âme est devenue la maison de verre aux murs trans-
parents.

L'ENTRÉE DANS LA VIE DE VÉRITÉ

Après la mort, l'homme, sorti de l'existence du mensonge,
entre, de gré ou de force, dans la voie de la Vérité.

Cela ne veut pas dire que le menteur n'a plus d'aptitude
au mensonge ; cela veut dire qu'il n'a plus la possibilité de
dissimuler à son nouveau milieu. La mort ne change nullement le caractère : le sot reste imbécile, le paresseux inactif
l'ivrogne concupiscent. Mais comme il est impossible aux
vicieux de satisfaire objectivement leurs penchants puisqu'ils
sont privés de vie objective, les uns et les autres cherchent
à exprimer leurs tendances instinctives au moyen des hommes restés dans le monde de la chair.

C'est ainsi que les trompeurs, faute de pouvoir abuser les
êtres qui vivent sur le même plan qu'eux, interviennent par
incorporation dans les médiums et se livrent à d'ineptes facé-
ties ou même induisent dangereusement (les exemples fourmillent) leurs consultants en erreur.

Le rêve nous fait toucher cela du doigt, lui qui est une
mort fictive.

« J'ai mes défauts et mes penchants vicieux, continue
« Maury ; à l'état de veille, je tâche de lutter contre eux et
« il m'arrive assez souvent de ne pas y succomber. Mais,

« dans le songe, j'y succombe souvent ou, pour mieux dire,
« j'agis sous leur impulsion sans crainte et sans remords.
« Je me laisse aller aux accès les plus violents de la colère,
« aux désirs les plus effrénés et, quand je m'éveille, j'ai pres-
« que honte de ces crimes imaginaires. »

Deuxième ressemblance avec l'astral occultiste : l'Après-Mort immédiate est surtout un monde passionnel.

Nous y reviendrons un peu plus tard pour en souligner l'importance. Avant la mort, les passions humaines sont plus faibles mais ont les moyens physiques de se satisfaire. *Après la mort, les passions humaines sont décuplées mais n'ont plus les moyens physiques de s'exprimer.*

LE MONDE DIT « INCOHÉRENT »

Dans l'astral, comme dans le rêve, toutes les conditions normales de vie sont renversées, parce que, dans le premier cas, le corps est absent et, dans le second, ne compte presque plus. Bien qu'inerte, ce corps a cependant assez d'action pour limiter les faits et gestes du rêve, les retarder, les alourdir.

Chacun a éprouvé cette difficulté du rêveur à courir, à monter un escalier, à fuir, à sauter un obstacle. Par contre, à d'autres moments, quand le sens de la pesanteur s'abolit, ou celui de la fatigue, nous sommes capables de nous déplacer instantanément et même de planer dans les airs.

Il y a encore lutte entre le corps passionnel impondérable et le corps matériel pondérable et leur double influence contradictoire imprime au rêve un aspect incohérent.

Cette incohérence, d'ailleurs, ne saurait être décrétée valablement par la vie consciente. Dans le rêve et dans l'Après-Mort, gestes ou pensées n'ont pas la même valeur.

Il ne faut pas croire que ce que nous nous rappelons du rêve est bien le rêve véritable. Ce n'en est que la traduction probablement défectueuse et l'interprétation en langage conscient.

Dans *Je et Moi*, nous avons cité l'exemple personnel d'un rêve d'apparence géniale et qui, restitué en phrases littéraires, était entièrement dénué de signification. Cela n'implique pas nécessairement que nous nous étions trompé en lui assignant une haute valeur dans le cours du rêve. Cela peut signifier, au contraire, que nous nous abusions en lui conférant l'explication inepte du réveil.

L'expérience démontre qu'il y a imperméabilité normale entre les deux zones et qu'il n'est pas permis d'ajuster la vérité de là-bas à celle d'ici.

L'EFFET SERAIT-IL LA CAUSE ?

A titre d'exemple, nous citerons un passage d'une curieuse lettre que nous écrivait, à propos de la thèse de *La Mort douce*, un de nos lecteurs de Paris :

« A la campagne, j'avais un lit Directoire, en forme de « bateau, avec un rideau tenu au mur par deux baguettes « en bois.

« Une nuit, je rêve que j'ai commis un assassinat. Je suis « arrêté, je passe devant le juge d'instruction. Rentré en pri- « son, je revois mon avocat. Puis j'assiste à mon interroga- « toire, au jugement. Je suis condamné à mort.

« On me réveille pour l'exécution ; on me fait la toilette « des condamnés. Je sors de la prison, je monte à l'écha- « faud, je suis couché sur la bascule, poussé sous le coupe- « ret qui tombe et... je me réveille.

« En me réveillant, j'avais sur la gorge un des supports « du rideau et, sous le choc brutal, j'avais eu tout ce rêve « en une fraction de seconde[1]. »

La valeur de ce témoignage provient de ce qu'il n'est pas isolé. Foucault a expressément fait remarquer « que nos

---

1. Un rêve de même nature est cité dans certains manuels de psychologie. Selon les disciples de Steiner, il prouverait que, dans l'Astral, le temps paraît se dérouler en sens inverse de son cours habituel.

« représentations du rêve ne correspondent pas du tout aux
« rêves réellement vécus et que ce que nous savons du rêve
« est dû à un travail de *reconstruction* exécuté *postérieurement*
« au sommeil ».

ANTÉRIORITÉ DE L'ACCIDENT

Voilà déjà une haute idée de l'instantanéité de nos
conceptions cérébrales, à l'issue du phénomène somnique,
et dans ce rare instant où il est permis de la mesurer.

Mais ce n'est pas tout. L'explication déroutante de notre
correspondant, confirmée par Foucault, auteur d'une des
meilleures études sur les rêves[1], nous paraît conduire à
l'explication d'un autre mécanisme, celui des phénomènes
objectifs.

Dans *Les Clés de la santé*, nous le suggérions en émettant
l'avis que les accidents matériels sont inscrits d'avance. Ce
que nous savons maintenant du rêve et de son interprétation en étaye la possibilité.

La catastrophe objective ou l'accident survenus dans la
vie consciente ne seraient-ils pas *réalisés d'avance* dans la vie
inconsciente alors que notre cerveau croit assister encore à
leur préparation et à leur déroulement ?

Dans ce cas, au moment où le fait semble se produire, *il
se serait effectivement produit* et ce qui nous paraît être sa réalisation objective *ne serait que sa « réalisation » ou compréhension par notre conscience*, qui l'extrait de son domaine subjectif.

Maurice Maeterlinck aboutit à une identique constatation[2] :

« Nous ne pouvons, écrit-il, nous représenter le temps que
« par rapport à nous ; et c'est bien la preuve qu'il n'existe
« pas en soi, qu'il est toujours relatif à celui qui en a la
« notion, qu'il n'y a absolument ni passé ni avenir, mais par-

---

1. *Les Rêves* (Lib. Alcan).
2. *La Vie de l'espace* (Fasquelle, éd.).

« tout et toujours éternel présent. En réalité, ce ne sont pas
« les événements qui s'approchent ou s'éloignent, *c'est nous*
« *qui passons devant eux ; ce n'est pas l'accident qui vient à*
« *nous, il ne bouge pas, il n'a jamais bougé,* il est tapi dans
« l'aujourd'hui qui n'a ni commencement ni terme, *c'est nous*
« qui allons à lui. »

Nous n'avons pas besoin de souligner les incroyables
conséquences que cette notion du temps engendre sur le terrain psychologique, en ce qui concerne la réalité des faits.
L'admission d'un tel postulat entraînerait l'adhésion au
moins partielle à une sorte de prédestination et justifierait,
dans une certaine mesure, des propositions aussi différentes que celles de la Maya (illusion) hindoue, de la grâce théologique, du calvinisme et du fatalisme musulman.

La préexistence de l'avenir est un problème sans fond où
semble, au premier abord, disparaître le libre-arbitre. Mais
tous ceux qui nous ont fait l'honneur de lire nos précédents
ouvrages savent que, loin de considérer ce libre-arbitre
comme absolu dans l'univers (ce qui équivaudrait à nous
doter de l'omnipotence), nous tirons précisément orgueil de
ce qu'il n'est que relatif. C'est la confrontation du libre-
arbitre de l'homme avec celui des autres êtres, c'est le conflit
de l'homme et de la Nature, c'est encore l'opposition du
Divin et de l'Humain qui permet à ce dernier sa vaste évolution spirituelle, puisque sans heurt et sans lutte il ne saurait y avoir de progression.

Mais, serrant de plus près notre sujet, comment ne pas
remarquer une autre répercussion inattendue de cette anté-
riorité des faits sur leur conception.

La mort n'échapperait pas plus que l'accident à l'hypothèse
commune. Il est possible que, dès maintenant, notre mort soit
réalisée sans que nous ayons conscience de cette réalisation.

Nous serions morts en puissance, mais non en démonstration, morts dans le monde astral avant de l'être dans le
monde physique. Nous serions déjà passés dans l'autre état
sans pouvoir le reconnaître et ceci expliquerait le caractère
amphibie de l'homme, à la fois objectif et subjectif.

Cette éventualité de la mort que l'homme redoute, *ce ne serait pas la mort elle-même, mais seulement sa compréhension.* Nous serions donc *subjectivement morts,* dès à présent, à la vie *objective,* en attendant que nous naissions *objectivement* dans le *subjectif.*
Ainsi certaines étoiles, dont le scintillement nous parvient au bout de nombreuses années-lumière, n'existent déjà plus là-bas alors qu'elles brillent encore dans notre ciel. L'astre est mort en réalité, mais pour nous, l'illusion de sa vie persiste. Et les spectroscopes continuent à analyser les radiations vivantes d'un monde cependant défunt.

LES RÊVES DU SOMMEIL PROFOND

Voici pour le sommeil léger et pour le rêve qui l'accompagne. Mais quelle sorte de rêve pouvons-nous avoir dans le sommeil profond ?
Beaucoup d'hypnologues ont prétendu que le sommeil profond ne comporte pas de rêves. Les onirologues ne sont pas de cet avis.
Le marquis d'Hervey, qui s'est spécialisé dans l'étude expérimentale de la question, en a administré une preuve assez péremptoire, en se faisant réveiller plus de cent cinquante fois (dont trente-quatre nuits de suite) pendant le premier sommeil. Or l'observateur constata toujours que ces brusques réveils venaient interrompre un songe quelconque.
On peut opposer, il est vrai, au témoignage d'Hervey, l'anecdote du rêveur guillotiné et prétendre que la voix du domestique ou le bruit du réveille-matin suffit à déchaîner l'improvisation onirique, celle-ci étant d'autant plus fallacieuse que la mémoire du rêve s'efface rapidement.
Maeterlinck dit être « convaincu que nous n'avons jamais « connaissance d'un songe du profond sommeil. Nous ne sai- « sissons que les restes de ceux qui se blottissent dans les « franges du réveil. »
Pour inhabituelle que soit la remémoration du songe pro-

fond, celle-ci n'en demeure pas moins la porte d'accès aux songes prémonitoires.

C'est, à n'en point douter, du sommeil profond que viennent les songes prophétiques, ceux qui, pour l'homme passé d'un plan dans un autre, ont changé la notion du passé et du futur contre celle de l'universel présent.

Sur ce terrain, les occultistes sont d'accord. Le sommeil profond est un véritable dédoublement qui permet à l'âme de s'identifier dans l'autre vie, sans pouvoir, sauf de rares exceptions, en permettre le souvenir au réveil.

Seules, chez l'homme moyen, quelques rares impressions subsistent qui peuvent, en bien ou en mal, le poursuivre en cours de journée, selon les rencontres faites par son double dans l'astral.

C'est sur les rêves du sommeil profond que nous avons le moins de connaissance puisque, si nous pouvions les arrimer dans la conscience, nous aurions la connaissance normale de l'Après-Mort.

Nous avons dit plus haut pourquoi cette connaissance n'était pas souhaitable pour le commun des hommes, incapables de poursuivre leur expérience terrestre sans œillères et sans mors.

En résumé, l'état du sommeil serait à deux versants, l'un en direction de la mort, l'autre en direction de la vie, avec une ligne de partage des eaux dont l'emplacement est encore à définir.

Dans le passage du sommeil léger (remémoré) au sommeil non profond (non remémoré), on franchit le seuil qui sépare un monde de l'autre. C'est pourquoi la mémoire s'abolit ordinairement.

LE BOULEVERSEMENT DE LA LOGIQUE

Ceux qui considèrent les rêves du point de vue scientifique ont tendance à se préoccuper de « l'association des images entre elles », de manière à établir si l'ordre en est raisonnable ou déraisonnable et si elles sont reliées entre elles « par un lien logique ou affectif »

Examinés dans ces conditions avec une persévérance suffisante, les rêves ne tardent pas à se démontrer comme ordinairement irrationnels.

Les faits et gestes du rêve déroutent complètement le raisonnement déductif qui, ayant admis le déroulement et la compréhension des événements sous une forme coutumière, renonce à les expliquer dès qu'il se trouve en présence d'une coordination différente des mêmes événements.

« Nous comprenons, dit Maury, le personnage (de rêve) « avec lequel nous nous entretenons, mais nous ne l'enten- « dons pas. Souvent, nous nous faisons comprendre nous- « mêmes, mais nous n'avons pas conscience (cette singulière « conscience du rêve) du son de nos paroles. »

Et Maury continue :

« ... En présence de cette particularité, on ne peut s'empê- « cher de penser à ces aliénés qui prétendent *qu'on leur parle* « *par la pensée.* »

Nous avons vu, dans un chapitre antérieur, que l'aliéné (de *alienus*, étranger) est un homme chez qui le départ, au moins partiel ou intermittent de l'âme, a précédé le départ du corps.

Reprenons Maeterlinck et ses considérations sur les songes :

« ... Nous n'avons pas conscience qu'une direction nou- « velle dans l'infini nous a ouvert les portes d'un monde où « nous ne résidons pas durant le jour ; mais nous agissons « comme si nous n'avions jamais été les esclaves de l'éten- « due et de la durée. Nous nous trouvons simultanément, « et sans nous en étonner, dans les lieux les plus éloignés « les uns des autres, la matière devient réversible, perméa- « ble, malléable comme l'air, la pesanteur n'existe plus, le « passé et l'avenir se confondent dans le même présent, notre « logique habituelle est complètement bouleversée... »

Ajoutons à ce tableau une grande indifférence physique poussée à ce point que nous ne sentons plus la douleu

Personnellement, il nous est arrivé jadis plusieurs fois, en rêve, de recevoir en plein corps des balles de revolver, sans plus d'impression physique que si les projectiles étaient entrés dans la chair d'un autre.

Dans notre enfance, il nous souvient fort nettement d'avoir rêvé que nous étions dépecé par un fauve. L'animal décollait la chair, peu à peu, autour de la colonne vertébrale, si bien que la face postérieure de celle-ci était à nu comme une arête de poisson. Nous étions dans l'incapacité normale de voir notre dos et cependant nous l'apercevions très bien, en vertu de ce privilège de non-impossibilité qui caractérise ordinairement le rêve. Notre propre dépeçage ne nous causait pas plus de souffrance que si nous avions été anesthésié. Par contre, nous étions pénétré d'angoisse au contact, pourtant non sensible, de la bête et ce rêve nous a laissé pendant nombre d'années une impression d'épouvante et d'horreur.

Il faut donc bien se persuader que le sommeil constitue une prise de congé de l'existence logique.

Dans le rêve on assiste au chevauchement du cerveau psychique sur le cerveau physique, avec prédominance de celui-ci pour finir.

Dès que l'action psychique se fait sentir, la logique du cerveau physique s'effrite et s'effiloche, puis l'on sombre en plein illogisme mental. Mais, à partir de ce moment, s'institue une *super-logique*, aussi dédaigneuse de la logique du corps que celle-ci est incompréhensive de la logique de l'esprit.

Le sommeil est le carrefour et le point de contact de deux vies différentes. Le rêve en est l'expression infidèle et l'interprète inconscient.

PARADIS ET ENFER DE RÊVE

Ce qui précède démontre, une fois de plus, de quoi la sensibilité émotionnelle de l'homme est capable lorsque son corps est mort ou endormi.

Dans le deuxième état, l'organisme physique exerce encore une action, même s'il est complètement inerte. Les sensations émotionnelles, bien qu'exceptionnellement accrues, sont encore alourdies par ses denses vibrations. Telles quelles, elles n'en constituent pas moins des éléments puissants d'angoisse et d'euphorie. Et chacun a pu constater que, dans la vie consciente, on n'enregistre ni le bonheur inouï des rêves suaves ni la peur indicible des rêves affreux.

Cela signifie que, réduit à son corps sentimental, l'homme mort dépasse en puissance *émotionnelle*, non seulement l'homme vivant, mais encore l'homme qui rêve. Ses pensées et celles des autres lui apparaissent comme autant d'êtres autonomes et abrupts. Si ces pensées sont bonnes, généreuses, héroïques, elles constituent des apparitions de lumière ou des montagnes de gloire. Si ces pensées sont laides, cruelles et perfides, elles font figure de monstres hideux. Alors, comme dans les rêves, mais avec un coefficient plus élevé, l'homme est enfermé dans la serre ou dans la ménagerie qu'il a préparées. Il vibre, au degré majeur, en face des tendances de son esprit. Il peut aller au fond de tout, dans l'extrême bonheur ou dans l'extrême souffrance. Il est le prisonnier de ses démons ou l'invité de ses anges. Il est l'élu ou le damné.

SOMMEILS ARTIFICIELS

En dehors du sommeil normal existent des sommeils provoqués comme ceux de l'anesthésie. Selon la formule de l'anesthésiant, ces derniers envoient directement ou non l'homme dans l'astral.

Plus exactement, ils abolissent la perception consciente, par inhibition du cerveau physique. Or, dès que ce dernier est inerte, le cerveau psychique est seul à fonctionner.

La narcose obtient le même résultat avec cette différence que la facilité de son usage la rend plus dangereuse pour le corps organique, sollicité arbitrairement de mourir à son activité.

234

Les stupéfiants provoquent un dégagement presque instantané, mais d'autant plus pernicieux qu'il projette le rêveur dans les plus bas plans psychiques et le livre sans défense aux grouillements de l'astral.

L'hypnose et la médiumnité, bien que moins dangereuses, surtout quand les recherches qu'elles alimentent sont désintéressées, aboutissent à des résultats analogues, en ce sens qu'on ignore le danger couru par les sujets ou les médiums.

Ceux-ci sont comparables aux pêcheurs d'éponges qui descendent tout nus dans la mer profonde. Ils peuvent remonter une perle, mais aussi être la proie des requins.

CHAPITRE XXI

LA CONTREPARTIE EXTRA-PHYSIQUE

Certains déclarent que le passage dans l'astral ne change en rien l'orientation du caractère et de la vie sentimentale des hommes, compte tenu des répercussions inévitables qu'entraîne la disparition du corps.

En un mot, les hommes seraient instinctivement et moralement ce qu'ils étaient au cours de leur vie physique, avec les mêmes réactions et à peu près le même comportement.

D'autres, au contraire, estiment que toute l'attitude intérieure de l'homme est changée par son passage dans la mort.

Les deux écoles ont raison en ce sens que le caractère est transporté tout entier dans la vie incorporelle avec ses vices et ses vertus. Mais la manière de penser, faute de moyen cérébral d'expression, n'est plus du tout la même, d'abord parce que la faculté d'interprétation est accrue, ensuite parce que le milieu nouveau dans lequel l'homme se trouve n'a plus rien de commun avec l'ancien.

Cette modification considérable de l'habitat revêt une

importance insoupçonnée et permet d'expliquer une grande partie des contradictions de l'Au-delà.

Nous avons déjà souligné que l'état intermédiaire semblait exiger des sens intermédiaires et que nul ne paraissait pouvoir entendre, penser ou voir dans l'astral sans l'aide de sens astraux.

Kerneiz a justement fait observer[1] que l'astral dont il s'agit ne saurait être que l'infra-astral, c'est-à-dire la région la plus basse de l'état intermédiaire. Il est évident que vue astrale, ouïe astrale, tact astral, pensée astrale disparaissent à mesure que l'homme gravit les échelons supérieurs.

L'Après-Mort nous dépouille peu à peu de nos habits grossiers et, par élimination successive, nous hisse vers les hauteurs dans une spirituelle nudité.

LA FACULTÉ D'ADAPTATION

Mais avant d'en arriver là, l'être humain, privé de gangue physique, doit s'organiser dans sa gangue astrale en attendant un vêtement plus subtil.

Il lui faut, par conséquent, réaliser son adaptation à sa nouvelle atmosphère et là, sa nature humaine intervient d'elle-même avec efficacité.

Le propre de tout être vivant est de s'adapter naturellement au milieu dans lequel il est appelé à vivre et l'homme a porté au maximum cette puissance d'accommodation.

Tout en lui est calculé pour le faire durer, en dépit d'une fragilité apparente et, durant l'existence physique, on peut considérer le maintien de l'intégrité du corps humain comme un miracle permanent.

Cette haute possibilité adaptative ne l'abandonne pas après la mort, au contraire. Tout s'organise en lui, même à son insu, pour l'habituer à son nouvel état. Une sorte de mimétisme inconscient le rend peu à peu semblable aux choses

---

1. *Yoga de l'Occident* (Ed. Adyar).

et aux êtres qui l'entourent. Son imperméabilité devient poreuse ; il se fait comprendre, il comprend.

Mais ce qu'il comprend est nettement différent de ce qu'il comprenait sur terre. Ou, du moins, en changeant de vie, il a changé de vision.

A quoi cela peut-il tenir ? A ce que rien n'existe plus autour de lui ni en lui de ce qu'il avait coutume d'observer dans le monde sensible, et que, par contre, toutes sortes de choses qu'il était incapable de percevoir dans le monde sensible existent autour de lui et en lui.

LA « CORRESPONDANCE »

En effet, toute forme, toute pensée, toute émotion du plan physique ont leur forme, pensée, émotion correspondantes dans l'astral, mais en bien plus fort et bien plus grand[1]. De sorte que les événements physiques correspondent à des événements astraux, sans qu'on puisse, au premier abord, dire dans quelle mesure les uns influent sur les autres, ceux-là déterminant ceux-ci et ceux-ci engendrant ceux-là.

La possibilité de compréhension de cette réplique astrale est liée, presque nécessairement, à la perte des organes sensoriels. Tant que l'homme a la faculté de percevoir physiquement, il lui est interdit de percevoir astralement. En revanche, dès que l'homme est capable de voir dans l'astral, il cesse de voir dans le matériel, une sorte de vision étant exclusive de l'autre.

Cette règle ne paraît pas souffrir d'exception, même s'il s'agit des clairvoyants. Lorsque ceux-ci sont en communion supra-normale, leur communion normale est interrompue ou raréfiée, ainsi qu'on peut l'observer dans l'hypnose profonde, le somnambulisme et la transe profonde des médiums.

---

1. Au siècle dernier, Kardec avait soupçonné cette correspondance : « Il nous vint alors une pensée, écrivait-il, c'est que les corps inertes « pouvaient avoir leurs analogues éthérés dans le monde invisible. »

RECTO ET VERSO DE LA MORT

De quelle nature est donc ce prolongement du physique dans l'astral ? Plusieurs l'ont entrevu, mais sous forme de timide hypothèse. Addison a dit quelque part : « Le monde « des morts ne serait-il pas quelque chose comme un reflet « insensé du monde des vivants ? » Sauf la probabilité que le monde des vivants n'est qu'un reflet du monde des morts, la remarque ci-dessus mérite d'être retenue.

Il y a correspondance entre choses et êtres de l'Avant et de l'Après-Mort. Le renversement est-il intégral ou, plus exactement, symétrique ? Tout semble le démontrer, bien que nous n'ayons pas de preuve absolue de ce renversement.

Les morts ne voient pas le monde physique comme nous le voyons. On peut d'ailleurs le voir de dix façons différentes sans le voir encore comme il est.

Existe-t-il absolument d'ailleurs ? Ou n'est-il qu'une interprétation ? On sait que là-dessus Orientaux et Occidentaux sont en controverse.

Ne nous écartons point cependant de notre objet. Les vivants ne voient déjà pas tout ce qui est inclus dans l'univers matériel. Ils soupçonnent, sans pouvoir les faire tomber sous leurs sens, les radiations, les vibrations, les éthers. Leurs sens sont fermés à certains gaz, à certains sons, à certaines couleurs. Leurs possibilités s'étendent presque uniquement aux liquides et aux solides.

Les morts, eux, ne voient ni liquides, ni solides, et ils sont imperméables aux gaz. Mais ils « voient », « touchent » et « entendent » les vibrations, les éthers. Ils captent ce qui radie parce qu'ils sont eux-mêmes des émetteurs-récepteurs.

On pourrait presque dire que les morts perçoivent ce que les vivants ne perçoivent, tandis que ce qui est perceptible pour les vivants leur échappe.

Voyez l'exemple grossier du cliché. L'astral est le négatif où les ombres sont remplacées par les « clairs » et les « clairs » par les ombres. C'est la même image, mais inversée en luminosité. Cependant, l'une est fidèlement le décalque de l'autre.

Supposez aussi la frappe d'une empreinte en creux. D'un côté c'est le relief, de l'autre une ornementation concave. Pourtant, c'est la même empreinte vue de l'un et de l'autre côté.

Ou encore, prenez une tapisserie. Sur la face opposée à celle du dessin, les fils de toutes couleurs forment des zigzags incohérents. C'est là l'image de notre monde matériel où le *dessein* du Divin Ouvrier est jugé incompréhensible. Or, il suffit de retourner la tapisserie pour retrouver les mêmes fils merveilleusement ordonnés.

LA CONTREPARTIE

Il n'est donc pas juste de dire que les morts voient et entendent les vivants. Ils n'en perçoivent que les champs, les zones fluidiques, magnétiques, radiantes, vibratoires, toute la partie, en un mot, qui demeure imperceptible pour les vivants.

Nous avons déjà eu, à maintes reprises, l'occasion de dire[1] que l'homme apparent est peu de chose au regard de l'homme caché, que ce que nous apercevons de nous-mêmes n'est que l'homme partiel et qu'il nous reste à découvrir l'homme total aux différents étages qu'il habite, par élimination progressive des organes et des facultés qui nous en ferment l'accès.

Mais les possibilités de perception des morts ne se bornent pas aux champs auriques ou magnétiques ; elles s'étendent aux sentiments et aux émotions, que ceux-ci viennent des vivants ou des autres morts.

Un père de famille défunt ne voit pas les larmes de ses enfants ni n'entend leurs plaintes, mais il enregistre leur douleur et leur peine dans le champ astral. Car si peine et douleur ne sont visibles, ici-bas, que par les manifestations,

---

1. *Je et Moi* et *Les Clés du bonheur.*

parfois hypocrites, qui les expriment dans l'apparence, ces sentiments sont visibles en eux-mêmes sur le plan astral. Aucune attitude extérieure ne subsiste plus. Tout devient attitude intérieure. Par conséquent, les morts connaissent exactement les sentiments des vivants à leur endroit.

Ils font mieux. Ils pénètrent toutes les passions dont est plein le cœur des hommes et que ceux-ci, pour la plupart, passent leur vie à dissimuler.

C'est qu'en effet toute passion, toute émotion revêt, dans l'état intermédiaire, une forme correspondante[2]. Celles de la colère, de la haine, de la luxure, de l'envie, de la jalousie, etc., revêtent des aspects hideux.

Le bas-astral, notamment, est peuplé de ces images détestables dont le grouillement est comparable à celui d'un cauchemar. Ce pandémonium larvé est alimenté à la fois par les mauvaises pensées des vivants et par les mauvaises pensées des morts. Les pires appétits y sont représentés. Les désirs les plus vils s'y entrelacent. On comprend l'angoisse des défunts récents dans cette traversée des instincts mauvais.

Heureusement, le milieu de l'Après-Mort est de même peuplé d'élans de vertu, de pensées de sacrifice, de générosités, d'enthousiasmes et de sentiments du devoir. Ces états d'âme privilégiés se traduisent eux aussi d'une manière accessible aux âmes et se manifestent et évoluent sous un aspect radieux.

Formes basses et formes nobles, pensées infernales et pensées angéliques ne demeurent que peu de temps en contact. Outre le fait qu'elles sont en opposition, celles-ci étant repoussées par celles-là, une décantation spirituelle permet aux bons sentiments de s'élever tandis que les mauvais sentiments descendent en direction de l'abîme. Il en résulte automatiquement un tri des pensées humaines, les plus belles gagnant les hauteurs célestes et les plus laides se déposant dans les bas-fonds.

---

2. « Dans le corps du Bardo, dit Evans-Wentz, demeurent le principe-« conscient et les centres psychiques, contrepartie du système nerveux « physique humain. »

LES PROLONGEMENTS PSYCHIQUES

L'homme resté sur terre est moins accessible à la pensée des hommes vivants qu'aux manifestations extérieures grâce auxquelles cette pensée s'extériorise, et cela explique pourquoi, négligeant le vrai mérite, il s'attache aux faux-semblants.

L'homme mort n'est pas dupe des gestes physiques qu'il ne perçoit plus. Il est en contact spirituel étroit avec les pensées des hommes physiques et connaît, souvent mieux qu'eux-mêmes, les vrais sentiments de ceux-ci.

On aurait donc tort de croire que les défunts sont capables de s'intéresser à notre vie physique. Celle-ci n'a plus de sens pour eux puisqu'ils sont privés des moyens de la percevoir. Mais ils sont, à un haut degré, sensibles à nos émotions intérieures et ils peuvent agir sur nos sentiments sans même que nous le soupçonnions.

C'est ainsi qu'on a pu dire justement que si les vivants ont l'impression d'avoir perdu leurs morts, les morts, par contre, n'ont pas celle d'avoir perdu leurs vivants auxquels les rattache un monde de pensées, devenues pour eux non une spéculation, mais la réalité.

Nécessairement, pour se reconnaître dans cette vie nouvelle et pour s'y organiser, les nouveau-nés à la vie de l'Esprit doivent subir un apprentissage et reçoivent l'aide sous toutes ses formes, jusqu'à ce qu'ils soient en mesure de s'en passer.

Ils acquièrent ainsi l'expérience d'un nouveau plan et leur leçon consiste à en tirer l'enseignement qu'elle comporte avant de s'élever d'une classe et d'accéder au cours supérieur.

ÉTENDUE LIMITÉE DE LA CONTREPARTIE

Car nul ne connaît d'emblée toute l'étendue de la contrepartie. Certains seulement de ses aspects sont assimilables dans l'astral. Au fur et à mesure que l'âme acquerra les moyens de contrôle du stade auquel elle est parvenue, de nouveaux moyens lui seront fournis, qui lui permettront l'accès d'un domaine plus élevé. Et cet accroissement des moyens sera toujours proportionné au champ de sa connaissance, de sorte que sa progression s'effectuera degré par degré.

La contrepartie de l'Au-delà dépasse de beaucoup ce qu'on est convenu d'appeler les régions astrales. Elle se prolonge sur le plan supérieur, où elle finit par n'être plus contrepartie, mais l'unique vérité.

Il importe donc que l'homme né à l'astral abandonne au plus tôt les terrains inférieurs de la contrepartie par évolution vers le Haut. A cet effet, il ne devra pas se reposer du soin de son éducation *post-mortem* sur les facilités de l'autre vie. C'est dès son existence terrestre qu'il lui faudra s'instruire dans ce but.

LES DÉTACHEMENTS SUCCESSIFS

La Nature, agissant selon le plan Divin, lui facilite cette tâche compréhensive. En effet, vers la fin de sa vie physique, l'être humain voit celle-ci s'amoindrir graduellement. Le vieillissement, l'abolition de certaines facultés, constituent, en même temps que l'avertissement de se tenir prêt, une invitation à négliger les intérêts matériels durant la dernière période de l'existence. Il est nécessaire que l'attention humaine soit, à ce moment, détournée des choses physiques et orientée vers les choses plus subtiles qui l'environnent dans l'astral. Ainsi le défunt ne sera-t-il pas projeté brutalement dans un monde inconnu, avec des possibilités de contrôle et de connaissance réduites, qui le laisseraient, dans sa vie astrale, nu et désarmé.

De même, aussitôt parvenu dans l'astral, il devra donner ses soins à y demeurer le moins longtemps possible et, pour ce, n'accorder à la matière astrale inférieure et aux denses vibrations de la contrepartie qu'une temporaire attention.

S'il s'attarde dans ce milieu inférieur de la pensée, il s'expose au renforcement de son enveloppe astrale, et court le risque d'une réincorporation. S'il tend sans cesse à s'élever de plus en plus, les choses de l'astral disparaîtront bientôt pour lui comme avaient disparu les choses de la terre et le plafond d'un nouveau ciel s'ouvrira au-dessus de lui.

L'homme qui meurt en état de bonté, de pureté, de désintéressement meurt en état de grâce, fût-il sans religion formelle et expirât-il sans aucun secours religieux.

L'homme qui meurt en état de méchanceté, de souillure et d'égoïsme meurt en état de perdition, fût-il dignitaire d'une haute hiérarchie et entouré des rites sacrés.

L'état de grâce est le secours du Divin, penché vers ceux qui accèdent à l'Amour dès cette terre et poursuivent indéfiniment leur ascension.

LES ATTACHES TERRESTRES DE L'APRÈS-MORT

On aurait tort de supposer que la mort physique coupe d'emblée et inévitablement tout rapport avec le plan terrestre lorsque le défunt est suffisamment affranchi des contingences matérielles du monde de la chair.

Nous avons vu plus haut et nous verrons encore plus tragiquement par la suite l'invincible tendance des désincarnés vicieux ou criminels à renouer contact avec le plan corporel.

Mais il semblait que les êtres évolués fussent, au sortir de la mort, suffisamment affranchis de la densité des pensées basses, pour fuir en toute hâte les régions troubles de l'astral.

Tel est, en effet, leur but primordial. Toutefois, beaucoup de choses les retardent et freinent leur désir ascensionnel.

Tous les hommes sont liés au milieu dans lequel ils ont vécu, non seulement par leurs habitudes et leurs tendances, par leurs pensées, par leurs actes, mais encore par les conséquences découlant de tout ceci.

Le mort est retenu au voisinage de la terre par les souvenirs terrestres. Il est sans cesse visité, surtout au début de l'Après-Mort, par les souvenirs qu'il garde de la vie humaine et, bien plus, par le souvenir que la vie humaine garde de lui.

LE FARDEAU POSTHUME DE LA NOTORIÉTÉ

D'où le terrible handicap de la notoriété. L'individu ignoré qui meurt dans le petit coin où il est né, après une existence quelconque, ne tarde pas à être rayé du plan du souvenir. Ses proches, s'il en a, ou ses rares amis évoquent sa mémoire pendant quelque temps, grâce aux menus travaux qu'il accomplit ou aux meubles dont il fit usage, jusqu'à ce que, la trace de ceux-ci disparaissant, dans le temps ou l'habitude, sa mémoire elle-même s'éteint.

A partir de ce moment, la mort à la terre est devenue complète et rien ne rattache plus ce mort anonyme à la vie physique, sinon ses instincts. Si ce défunt inconnu fut bon et eut une vie sans tache, il monte, dans *l'Après-Mort*, presque immédiatement dans les hauteurs.

Mais si le décédé laisse un nom derrière lui, derrière ce nom, une œuvre, il est manœuvré dans l'autre vie par cette œuvre et par ce nom.

On voit l'immense responsabilité de ceux qui s'imposent à l'attention des hommes. Si la règle de causalité n'est pas un vain mot, les répercussions de leurs vies se propagent sur tous les plans.

Les conducteurs d'opinion assument, sans même s'en douter, un rôle écrasant, non devant l'Histoire (qui n'est que mémoire humaine), mais devant la Loi de Vie (qui est de jugement divin).

Généraux et politiciens ont conduit les foules innombrables à l'assaut d'injustes buts. Leur œuvre principale fut la division, créatrice de haine entre les hommes. Des millions d'agonies, de reniements, de viols, de trahisons, de désespoirs, de ruines pèsent sur leur conscience. Et bien loin que la mort physique les soustraie aux revendications des victimes, c'est la contrepartie de leurs crimes qui les assaille dans l'Au-delà.

Certains d'entre eux sont morts depuis longtemps et les remous qu'ils ont soulevés durent encore dans l'opinion humaine et les lient rigoureusement.

Le souvenir des fondateurs de religion est à deux fins. Pour les uns, ils sont des demi-dieux et, parfois, des dieux même. Pour d'autres, ils sont des demi-fous et même des démons.

A travers les siècles, leur influence se poursuit et les poursuit, soit pour les élever, soit pour les abaisser, soit pour les arracher aux ténèbres, soit pour les écarter de la lumière. Et cette servitude les rive à la faculté de mémoire de l'humanité.

Acteurs illustres, dames de beauté traînent derrière eux une séquelle de moindre durée. Mais, un temps, leur célébrité les enveloppe comme une tunique de Nessus.

Les écrivains sont les plus exposés de tous. Ont-ils mal écrit et pour des fins condamnables ? Leurs livres s'attachent à eux comme des serpents renaissants. Puissent leur œuvre disparaître et leur nom sombrer dans l'oubli ! C'est la seule chance qu'ils aient d'échapper à la géhenne spirituelle. Mais si leurs écrits traversent les siècles, durant des siècles ils les portent sur leurs reins. La mémoire d'un grand livre, qu'il soit de mal ou de bien, ne s'éteint point durant des millénaires. Tout ce que sa lecture a produit fait boule de neige à travers les âges et multiplie ses conséquences au carré.

Béni soit l'homme d'un livre constructeur, régénérateur, consolateur, car sa mémoire est bénie !

Maudit soit l'homme d'un livre destructeur, démoralisateur et corrupteur, car son souvenir est maudit !

Que dire des artistes, sinon qu'à de rares exceptions près, presque tous poursuivent une haute chimère et que, dans leur effort pour atteindre l'inaccessible, ils orientent l'humanité vers le Beau ?

Musiciens, peintres, sculpteurs, poètes, etc., ouvrent des fenêtres sur les plus hauts mondes et beaucoup ont fait de leurs œuvres un marchepied vers le ciel.

LE RENVERSEMENT DES VALEURS

Ainsi, dans l'univers, les pensées des morts et celles des vivants ou, plus exactement, celles des endormis à l'esprit et celles des endormis à la matière, se brassent en un seul mélange pour un dynamisme majeur.

On a dit, non sans raison, que les corps isolent les âmes, mais quand elles bondissent assez haut, les âmes réalisent leur fusion.

On voit donc que l'état de l'Après-Mort n'est pas seulement peuplé par des ombres, mais que l'Univers des pensées y fait suite à l'Univers phénoménal. La matière n'y est plus le principal ; elle n'est plus que l'accessoire. Mais, comme dans l'Humanité de la Terre, il existe des différences de civilisation dans l'Astral.

Celui-ci a ses jardins de l'Esprit, ses cathédrales de l'Idée, ses récoltes du Sentiment et ses chants d'oiseaux du Cœur.

Il a aussi ses jungles, ses déserts, ses marais et ses sentines.

Chacun, en vertu du libre-arbitre, se dirige vers le pays de son choix.

CHAPITRE XXII

LA PENSÉE SANS PAROLES, SANS IMAGES, SANS REPRÉSENTATION

Nous avons posé deux questions : *Peut-il y avoir pensée sans cerveau ? Peut-on penser sans paroles ?*

Les sciences occultes ont tenté de répondre et presque toutes ont conclu à l'existence du double ou corps intermédiaire, qui fait l'objet d'une étude spéciale à notre chapitre IV. Grâce à cet organisme de transition, l'impossibilité d'exprimer la pensée, même après la mort, ne serait pas aussi radicale et la porte demeurerait ouverte aux moyens de communication supra-normaux.

L'occultisme a, en outre, cru découvrir l'existence d'un organe physique d'interprétation entre la pensée et le monde physique, puis entre la pensée et l'astral.

Cet organe ne serait autre que la glande pinéale, petit amas de matière grise, situé à la partie postérieure du troisième ventricule du cerveau, et qui est de la grosseur d'un pois.

L'HYPOTHÈSE DU TROISIÈME ŒIL

Parlant de ce « troisième œil », présentement atrophié et qui, selon plusieurs, serait le siège de la clairvoyance, Annie Besant a esquissé, dans les lois fondamentales de la théosophie, son fonctionnement.

« La glande pinéale, écrit-elle, est réellement l'organe par
« lequel la pensée se transmet d'un cerveau à un autre,
« organe qui permettra à l'être humain de se mettre en
« contact avec les courants de pensée qui circulent constam-
« ment dans le monde, de les recevoir et de les utiliser ;
« et de même que l'œil reçoit aujourd'hui les vibrations
« éthériques qui permettent la vision et que nous appelons la
« lumière, de même, dans l'avenir, c'est par l'intermédiaire
« de la glande pinéale qu'on percevra les vibrations générées
« dans la matière physique par la pensée et qu'on les utilisera
« pour communiquer...

« Cet organe du cerveau physique, le corp pituitaire, est en
« voie d'évolution ; il est si prêt à entrer en fonction que, au
« temps présent, un faible stimulant suffit pour le mettre en
« activité.

« Le corps pituitaire est l'organe du sens suivant que nous
« avons à développer[1]. Il permettra à l'homme de connaître,
« d'une façon exacte, dans sa conscience cérébrale, ce qu'il ne
« perçoit encore que confusément ; l'homme doué de ce sens
« verra l'autre monde comme il voit actuellement le monde
« physique ; les consciences physique et astrale deviendront
« une seule conscience... »

Il n'en subsiste pas moins, en ce qui touche l'objet du présent chapitre, que la glande pinéale, si elle a les vertus qu'on lui prête, *disparaît avec le cerveau physique auquel elle adhère.* Et tout ce qu'on peut concevoir de sa survivance est sa contrepartie dans l'astral.

---

1. En 1891, William Crookes a émis l'opinion que notre connaissance du monde extérieur dépend de nos sens et que, si l'œil était modifié, le monde entier se modifierait pour nous.

LE PONT ENTRE DEUX MONDES

Ceci nous ramène nécessairement à la conception d'un cerveau psychique, chargé de *faire le pont* entre la cérébralité de ce monde et la cérébralité de l'Au-delà.

Maeterlinck a exprimé l'universelle perplexité quand il s'interroge de la sorte dans son livre intitulé : *Devant Dieu.*

« Est-il vraiment établi que notre *pensée* soit indissoluble-
« ment liée à notre corps et qu'elle en ait absolument besoin
« pour subsister ? Faut-il admettre qu'elle soit instanta-
« nément asphyxiée ou foudroyée au sortir de la chair ?
« Pourquoi ne pourrait-elle pas tout de suite commencer de
« s'assimiler une autre matière, la matière éparse sous
« d'autres formes dans l'espace et d'y trouver de quoi entre-
« tenir son existence et y évoluer ? Ne lui serait-il pas
« possible de gagner des régions où esprit et matière
« coexistent, se confondent, et ne soient plus séparés, comme
« nous les séparons arbitrairement sur la Terre ?

« Il est vraisemblable que là où il y a matière, il y a en
« même temps esprit, puisqu'ils sont probablement les deux
« faces d'une même substance, la matière finissant au com-
« mencement de l'esprit et l'esprit commençant à la fin de
« la matière. »

Autant de questions accessoires qui se résolvent par l'état intermédiaire, avec sens intermédiaire, et qui préparent *une deuxième mort, celle-là psychique,* nouveau degré dans l'évolution.

LA PENSÉE SANS MOTS

Nous avons dit qu'il était extrêmement difficile à un être humain de penser sans le secours des phrases, elles-mêmes composées de mots, eux-mêmes composés de lettres, celles-ci étant constituées (écriture ou impression) par des caractères matériels.

Et nous vous avons demandé de faire la tentative presque surhumaine de penser sans formuler, même mentalement, aucun mot. Supposez que, pour mieux y parvenir, vous réduisiez vos idées à la conception la plus simple, celle du bien-être, de l'euphorie, du non-désir. C'est là un état passif qui ne demande que le minimum de pensée, puisqu'il traduit une sorte d'abandon, de laisser-aller instinctif.

Or, vous ne pourrez prendre conscience de cet état qu'en pensant, par exemple : « Je suis heureux », ce qui constitue une phrase cérébrale. Si vous essayez de penser sans phrases, vous évoquerez l'idée de satisfaction physique et intérieure et vous vous attacherez mentalement à l'idée de « Bien » ou de « Repos », qui sont tout de même des mots.

Tout ce que vous tenterez dans ce sens sera inclus dans un certain nombre de lettres, en vertu du conformisme plusieurs fois millénaire qui ne permet aux hommes de se parler, *même en eux-mêmes,* que littéralement.

Et ne croyez pas que la culture mentale rende une évasion hors de la lettre plus aisée. Au contraire, plus on est intellectualisé, plus il est difficile de penser sans mots. Alors que, plus on est fruste, simple, ingénu, plus cela devient facile. Le vieux berger de la montagne qui dispose d'un vocabulaire de cent à deux cents mots est dans l'impossibilité de traduire verbalement des états d'âme compliqués. Et l'on aurait tort de penser que, parce que l'homme de la nature et de la solitude est illettré, la poésie des choses et l'émotion sentimentale lui sont inaccessibles. Libéré, comme il est, de la civilisation et de ses artifices, il abrite souvent un grand lyrisme passif. Il ne sait pas pourquoi il est bien, ni pourquoi son cœur est content, mais ne s'en soucie. Il ignore de même pourquoi il est triste et n'éprouve nul désir de l'exprimer.

Il nous faudrait, pour retrouver la simplicité perdue, revenir à l'état du tout petit enfant, quand celui-ci rit encore « aux anges ».

Nous avons connu la préposée d'une garderie parisienne, fort au courant des lois du monde enfantin. Parlant des innocents de quelques mois qui formaient sa clientèle ordinaire, elle disait : « Je n'arrive pas à les comprendre. Mais ils se comprennent fort bien entre eux. »

Ce stade de communication entre le petit homme et le ciel ne dure que peu de temps. Dès les premières années de vie, l'image se substitue à la pensée profonde et, sur cet univers d'images, l'enfant base les processus d'imagination.

Selon toute vraisemblance, les hommes *entrancés* (tels que médiums, clairvoyants, etc.) sont à cheval sur les deux modes de pensée, la verbale et la non-verbale. L'efficacité de leur don repose sur l'intelligence et la fidélité de leur traduction. Or, la plupart de ces interprétations sont inintelligentes et infidèles, ce qui a pour résultat de mettre en garde contre eux.

Mais il ne suffit pas de pouvoir penser sans mots, il faut pouvoir penser sans images, sinon la pensée est encore une expression sensible du monde matériel.

L'imagination, si on la considère seulement comme la faculté de coordonner cérébralement des images, n'a pas plus de durée que la matière dont elle se sert.

Il nous faut donc rechercher s'il est humainement possible de penser sans mots, sans paroles, sans images, bref, sans la moindre *représentation*.

Nous pouvons affirmer que, même dans la vie du corps, cette prouesse n'est pas impossible. Le Yoga réalise la pensée sans verbe au moyen d'un entraînement.

CONTROLE DE LA SYMBOLISATION

L'orientaliste et occultiste Kerneiz, dans *Le Yoga de l'Occident*, a dit là-dessus ce qu'il faut dire, dans le passage où il conseille de dissocier la pensée du langage, à la façon des Extrêmes-Orientaux :

« Cette partie de l'entraînement est, en général, très négli-

« gée et même complétement omise. Il en résulte des diffi-
« cultés qui paraissent incompréhensibles, souvent des
« échecs, particulièrement chez les Occidentaux, dont la
« culture *est essentiellement verbale*... La dissociation de la
« pensée et du langage est une tâche que l'on doit compren-
« dre... et poursuivre... car lorsque la dissociation est
« complète, lorsqu'on atteint *la pensée sans symboles,* on
« touche au but final.

« Nos idées participent en leur essence de la nature du
« mental : pour nous en servir...nous sommes obligés de les...
« masquer... d'une réalité sensible : *nous les habillons de*
« *symboles.* Ces symboles sont presque toujours empruntés
« à... la vue, l'ouïe, le toucher...

« ... L'homme civilisé pousse plus loin la symbolisation :
« il remplace les images par des mots correspondants, ou
« plutôt par des images de mots : visuelles, auditives,
« musculaires. »

Toutes les idées susceptibles de désintégration sont de la
sorte symbolisées par des mots, et le système de représentation, qui varie d'un individu à l'autre, est rarement le même
dans le sommeil et l'état de veille.

« C'est, poursuit Kerneiz, la raison pour laquelle nous
« oublions généralement nos rêves au réveil. C'est encore
« pour la même raison qu'un sujet hypnotisé revenu à l'état
« normal ne se rappelle ni de ce qu'il a fait, ni ce qu'il a
« dit... C'est pour cela que nous ne nous rappelons pas plus
« la période de notre existence qui a précédé l'acquisition
« du langage que nous ne nous rappelons nos existences
« antérieures.

« Dans la vie courante, nous faisons pour le langage ce
« que l'avare fait pour l'or et les billets de banque. Il oublie
« que l'or et les billets n'ont de valeur que comme objet
« d'échange pour des biens réels. Il leur attribue une valeur
« propre, il les aime et les thésaurise pour eux-mêmes.

« Ainsi, oublions-nous que les mots ne sont que les symbo-
« les des idées. *Nous prenons les mots pour les idées elles-mêmes,*
« et bientôt nous ne pensons plus qu'avec des mots...

« ... Vous ne pourrez pas être le maître de votre person-
« nalité... tant que vous ne serez pas maître de votre système
« de symboles. En réalité, *là est la clef de bien des mystères*...
« Le grand but à atteindre, c'est l'union avec le Moi
« primordial... »

Et Kerneiz, après avoir indiqué les moyens pratiques de
contrôle de la symbolisation, conclut ainsi :

« Enfin — après combien d'efforts et de vicissitudes ? —
« vous découvrirez le langage du Logos. A ce moment, vous
« serez au seuil du grand but, là où il n'y a plus de symboles
« *parce que le sujet pensant se confond avec le sujet pensé.* »

LA NON-FORMATION D'IMAGES
ET LA NON-FORMATION DE PENSÉE

Le mysticisme pur arrive exactement aux mêmes conclusions. Jean d'Avila écrivait, en effet, le 12 septembre 1568,
à sainte Thérèse :

« Quant à la façon d'instruire les âmes sans images, sans
« paroles intérieures, elle est sûre et je ne vois pas en quoi
« elle peut errer ; d'ailleurs, saint Augustin en dit grand
« bien. »

Comment en serait-il autrement ? L'hérésie ne peut être
que verbale. Et tous les extatiques du monde communient
dans l'irrationnel.

Que propose, à son tour, l'avant-garde scientifique de ce
temps ? Voici les paroles de René Sudre[1] :

« Dire que la pensée est une vibration du cerveau est aussi
« grossièrement faux que de dire qu'elle en est une sécrétion.
« Il y a une pensée qui ne fait appel ni aux images, ni à
« la parole intérieure, qui se différencie, par conséquent, à
« la fois du souvenir et du langage. La psychologie des
« conduites est ici impuissante parce qu'elle ne veut juger
« que du dehors et ne rencontre aucun signe sur la face du

---

1. *Les Nouvelles Enigmes de l'Univers* (Payot).

« penseur... Quand Janet déclare que la pensée est une
« "conduite du secret", il ne fait que proclamer avec
« humour, et peut-être une pointe de dépit, la faillite de la
« psychologie objective. »

Et plus loin :

« ... La vieille théorie anglaise selon laquelle la pensée ne
« serait qu'une combinaison infiniment changeante d'images
« de choses et d'images de mots ne résiste pas à l'expérience.
« On a reconnu qu'il y avait une pensée sans images et que
« l'association des idées, loin d'être automatique, était subor-
« donnée à des états de conscience effectifs... »

Le *Bardo Thodol*, ainsi que nous l'avons vu ailleurs, va
encore plus loin et, dépassant la pensée non symbolisée, pré-
conise, dans le *Chonyid Bardo*, la « non-formation de pensée ».

« Ceci, explique le commentateur, est atteint dans le
« Samâdhi-Yoga. Cet état, considéré comme l'état primor-
« dial de l'esprit, est illustré par la comparaison suivante :
« aussi longtemps qu'un homme reste passivement immo-
« bile à la surface de l'eau, il flotte et est porté sur le courant ;
« mais s'il essaie de saisir un objet fixé dans l'eau, l'équili-
« bre et la tranquillité de son mouvement naturel sont
« rompus. Ainsi la formation d'une pensée arrête le courant
« de l'esprit. »

A cette sublimation passive, nous autres Occidentaux
opposons une sublimation active.

La pensée sans verbe est une impression, un état d'âme.
Il y a un royaume état d'âme sans parole, sans image, sans
symbole. Le verbe et l'imagination ne sont indispensables
que pour créer la substance objective : astre, pierre, plante ou
chair.

INCOMMUNICABILITÉ DE L'EXTASE

Mais la Pensée elle-même est très au-dessus de la parole,
comme la Cause est au-dessus du moyen. Elle a donc le pouvoir d'être sans s'exprimer et c'est à quoi le pur mysticisme

s'emploie, dans cet état de l'extase qui est une communion sans mots avec Dieu.

Lorsque sainte Catherine de Sienne prétend rapporter des phrases divines de ses extases, elle adultère celles-ci par cérébralisation du concept Divin. Aussi les résultats de cette traduction du langage céleste sans mots en phrases humaines littérales sont-ils d'une extrême pauvreté. Théologiquement, le *Dialogue* de la sainte avec Dieu est correct et c'est bien ce qui le condamne, car la théologie est un procédé d'homme et *Dieu est incapable d'un raisonnement.* En un mot, *l'extase ne se communique point.* Elle est *indicible,* intraduisible. En outre, elle constitue une grâce *individuelle* que nul, en dehors de l'extatique, n'est admis à partager. Toute tentative effective en vue de ramener dans l'imparfait ce qui a été saisi dans le parfait est non seulement stérile, mais condamnable, parce que la restitution impuissante à laquelle on aboutit, bien loin de constituer un hommage à la Pensée pure, n'est qu'irrévérence et infidélité.

LE MONDE SURHUMAIN DES SONS

Il est toutefois des privilégiés, autrement nombreux que ceux de l'extase et qui, par des voies indirectes, aboutissent à de hautes communions.

Déjà, certains contacts physiques ou immatériels peuvent se passer du secours des mots. Les parfums ont une éloquence sans paroles. Enfin, la musique introduit les hommes dans un monde presque surhumain.

Il est déjà significatif que la musique, comme d'autres formes de l'art, est d'emblée internationale. Elle constitue un moyen d'universelle communication.

Mais sa compréhension peut aller fort au-delà des frontières matérielles et il est peu de domaines où il soit aussi aisé de passer de l'objectif au subjectif.

Déjà, dans l'ordre des couleurs, nous savons qu'il existe un monde infrarouge et un monde ultraviolet, inaccessibles à notre rétine et qui, vraisemblablement, constituent des échelles vers d'autres étages de compréhension. Mais le cubisme le plus audacieux s'est borné au remaniement des seules couleurs perceptibles et n'a pas osé s'aventurer dans le domaine qui est au-delà de l'œil.

La musique, elle, n'a pas craint d'enjamber la barrière des ultrasons et même d'autres limites sensorielles, mais cette réalisation de grande classe n'a été permise qu'aux musiciens orientaux.

Certaines musiques sont réellement un trait d'union entre le visible et l'invisible. Pour ceux de nos lecteurs que ce domaine intéresse, nous ne résistons pas au désir de citer des passages d'une pénétrante étude sur l'Inde et la musique[1] due à M. Humbert Sauvageot.

Après avoir indiqué que « la musique hindoue échappe « peut-être, comme Dieu, à toute description », l'auteur hausse encore le ton :

« Ce rapide aperçu de l'évolution musicale de l'Inde ne « peut que nous définir ses contours matériels ; il reste « maintenant à exprimer son sentiment musical, tel qu'il « s'incorpore, tel qu'il s'incarne, pourrait-on presque dire, « dans la vie, en harmonie étroite non seulement avec les « "élans" humains, mais aussi avec les modulations du temps « et de la nature. »

LA PEUR DU « GRAND LARGE »

Après avoir justement observé que les « arts occidentaux « sont généralement envisagés comme éléments extérieurs « à la vie quotidienne » et « devenus des ornements que l'on « accroche ou décroche à volonté dans un coin de notre exis- « tence », après avoir souligné aussi que nos prises occidentales de contact avec la musique sont précaires, inégales et que nos grands concerts « témoignent souvent d'une extraor-

---

1. *Message actuel de l'Inde* (Cahiers du Sud).

« dinaire incohérence dans leur déroulement », M. Sauvageot poursuit :

« Et nous voilà inconsciemment déroutés, déçus, faute
« d'avoir jamais soupçonné[1] que la magie qui émane de la
« musique obéit à une loi essentielle, *celle de l'opportunité*.
« Cette loi est à la base même non seulement du sentiment
« de l'esthétique et du besoin d'expression qui obsède le
« monde indien, mais aussi de ce qui rythme son existence et
« le relie à la Nature ainsi qu'au Cosmos.

« Il est dit aux Indes qu'aussitôt que l'entendement
« humain a pu *être conscient des Présences Divines*, des sons
« et des rythmes lui ont été révélés. »

Les célèbres Ragas hindous, pliés à des règles infiniment
complexes, ont « une individualité et un comportement qui
leur est propre ». Chacun est un véritable monde avec sa
société et sa cour.

« Là où notre oreille ne perçoit que douze intervalles dans
« un octave, la proverbiale finesse auditive des Hindous leur
« a fait découvrir quarante-huit divisions parfaitement dis-
« tinctes dans le même espace. C'est au long de cette échelle
« subtile que les degrés du Râga sont disposés.

« Mais ce ne sont pas seulement des sentiments humains
« qui s'expriment par telle ou telle forme d'élans inscrits
« dans le comportement même du Râga, mais... aussi des
« pouvoirs de la Nature qui sont appelés *par les secrètes cor-*
« *respondances existant entre les vibrations musicales et les élé-*
« *ments*. Cela non pas par masses sonores, comme dans
« d'autres civilisations, mais par de mystérieuses similitu-
« des révélées par les dieux ; non seulement pour émouvoir
« le cœur humain, mais pour que la nature et l'humanité
« sentent leur interdépendance.

« ... Nous avons oublié la religion... du son... Nous n'avons
« pas senti comment le son et le temps peuvent être une
« seule et même source de richesses et d'accomplissements.
« Il suffit, pour en être convaincu, de voir avec quelle étrange

---

1. Sauf les Egyptiens. Voir le chapitre IV du présent livre.

« hâte, après l'audition d'une œuvre, même magistrale, nous
« *cassons* le silence qui devrait la prolonger, comme si nous
« avions peur du *grand large* et craignions de manquer le train
« de banlieue de nos préoccupations mesquines. »

VOYAGE DANS L'INAUDIBLE

« Pour l'Hindou, la musique est la manifestation concrète
« de sonorités qui s'expriment à la seconde précédente, *dans*
« *l'inaudible*, et qui doivent y retourner dès que nous nous
« interrompons. C'est pour cette raison que la fin de l'inter-
« prétation d'un Râga glisse dans le silence et *nous donne si*
« *souvent l'impression de ne pas finir*, ce qui est inexact pour
« l'Hindou qui essaie d'en poursuivre le développement *à*
« *l'aide de ses sens internes*, quand ses perceptions physiques
« sont dépassées...
« Pour les peuples trans-himalayens, l'émission du son est
« un acte religieux. Du son *muet* naît le Verbe qui crée et
« anime l'univers visible. C'est aussi par le son muet, qui a
« son origine dans l'éther, lorsqu'il est médité et *intensément*
« *pensé* avant son émission, que l'un des cinq centres vitaux
« qui animent l'homme est mis en vibration...
« Tandis que nous exigeons de nos instruments des sons
« purs, les Hindous sont hantés par les interférences et
« les vibrations des *harmoniques*. Nombreux sont leurs
« beaux instruments qui possèdent jusqu'à quinze cordes
« uniquement destinées à entourer chacun de leurs sons
« fondamentaux d'un halo de vibrations immatérielles. Tou-
« jours et encore la poursuite des correspondances ! »
M. Sauvageot termine ses remarques en faisant observer
que « tout art est une voie d'accès et non pas une fin en
« soi, ce qui impliquerait que sa mission est une limite ».
Et il couronne son exposé comme il suit :
« Chaque Hindou sait que... la pensée fait le monde et la
« nature, que les sons créent les formes... il sait surtout...

259

« qu'il lui faut *dépasser* les mondes sensibles... s'il veut attein-
« dre Ce qui Est. »

LES CHEMINS DE L'INEXPRIMABLE

Bien que l'occultisme oriental cherche à se dégager de son
corps émotionnel, les émotions n'en sont pas moins les premières marches de l'escalier invisible, puisque, pour naître,
elles n'ont pas absolument besoin d'une représentation cérébrale et n'empruntent des véhicules sensibles que lorsqu'elles
désirent se manifester. Euphorie et malaise moral, enthousiasme et indignation, joie et dépression peuvent se passer
de traduction dans les paroles et dans les actes.

Mais que penser de la foi, *qui ne raisonne pas*, de l'illumination qui est un éblouissement intime, et des autres sentiments supérieurs ?

Que dire enfin de l'Amour, cette musique divine, qui n'a
besoin pour s'exprimer ni d'instruments, ni de notes, ni de
mots, dont les correspondances sont telles, chez les autres
hommes et dans la Nature, que tout est alerté et mis en marche par la seule idée de l'Amour ?

Les formes les plus vulgaires de l'amour humain sont elles-
mêmes intraduisibles. Et les plus passionnés des amants se
désespèrent de l'indigence des mots. Le geste seul semble
devoir étreindre l'amour, mais l'amour s'évanouit à mesure
qu'on l'embrasse parce qu'il n'est au pouvoir d'aucun organisme physique de circonscrire avec la chair ce qui est au-
delà du charnel.

Quant aux puissances mystiques de l'Amour, elles échap-
pent à toute analyse. Unies à la pensée pure, elles sont une
expression de divinité.

Pour atteindre les hauteurs de l'Amour Universel ou pour
en tenter seulement l'escalade, il faut que l'homme s'élève
en lui-même par une série d'élans successifs. Aucun symbole
ne le sépare plus alors du Divin, qu'il identifie et qu'il épouse
en lui-même.

Dès lors, comme l'Hindou de M. Sauvageot, il peut vivre « les bonheurs sans forme et les joies sans cause » parce que ses yeux de chair sont fermés.

CHAPITRE XXIII

MÉMOIRE ET SUPERMÉMOIRE
CONSCIENCE ET SUPERCONSCIENCE

Le désir de définir et d'étiqueter l'homme réel a poussé les théologiens et les occultistes, les philosophes et les visionnaires à lui assigner certaines divisions.

Les Egyptiens, par exemple, le morcelaient en *BA*, âme spirituelle, *SAHU*, âme humaine et *XAIBIT*, âme animale ; les juifs kabbalistes en *NEPHESCH, RUACH et NESCHAMAH*.

On connaît le périsprit des spirites, les corps éthérique, astral, mental, causal des théosophes ; le corps vital, du désir, l'intellect et les esprits humains, vital, divin des Rose-Croix, qui ont poussé les uns et les autres à l'extrême la dissection des principes supérieurs.

Il serait également possible d'imaginer l'homme organique, cellulaire, atomique, l'homme gazeux, fluidique, magnétique, électrique, ondique, vibratoire et radiant.

On peut supposer un monde passionnel, mémoriel, intuitionnel, imaginaire, un corps de l'idée, de la pensée, du sentiment.

Or ce sont là classifications artificielles, donc viciées dans leur essence. Il n'y a pas plus d'étages *formels* dans l'homme que dans Dieu ou dans l'Univers. Tout au plus existe-t-il des attitudes différentes, des étapes dans le dense et dans le subtil.

L'ensemble est UN et ne peut être divisé par l'analyse philosophique, pas plus que les limites de nos organes internes ne peuvent être précisées par l'anatomie ainsi que l'a démontré le Docteur Carrel.

« En fait, écrit ce dernier, l'hétérogénéité de l'organisme
« est produite par la fantaisie de l'observateur... A l'anato-
« miste, les reins apparaissent comme deux glandes distinc-
« tes. Au point de vue psychologique, cependant, ils sont
« un seul être. Si l'on extirpe l'un d'eux, l'autre s'hypertro-
« phie. Un organe n'est pas limité par sa surface. Il s'étend
« aussi loin que les substances qu'il sécrète... chaque glande
« se prolonge par ses sécrétions dans le corps entier. Suppo-
« sons que les substances déversées dans le sang par les tes-
« ticules soient bleues. Le corp entier du mâle serait bleu.
« Les testicules seraient colorés de façon plus intense. Mais
« leur couleur spécifique se répandrait dans tous les tissus
« et tous les organes, même dans les cartilages des extrémités
« des os. Le corps nous apparaîtrait alors comme formé d'un
« immense testicule. En réalité, l'étendue spatiale et tem-
« porelle de chaque glande est égale à celle de l'organisme
« entier... Quand on réduit le concept d'une glande à celui
« de sa charpente fibreuse, de ses cellules, de ses vaisseaux
« et de ses nerfs, on ne peut pas comprendre l'existence de
« l'organisme vivant. En somme, le corps est fait d'une hété-
« rogénéité anatomique et d'une homogénéité physiologi-
« que. Il agit comme s'il était simple. Mais il nous montre
« une structure complexe. *Cette antithèse est fabriquée par*
« *notre esprit,* qui se représente l'homme comme construit
« de la même façon qu'une machine... »

Rien de ce qui précède qui ne puisse être appliqué aux régions fluidiques et à celles de l'esprit.

L'anatomie des éléments de l'âme est arbitraire et constitue un jeu uniquement cérébral.

Cet amour cartésien de la classification dans un domaine inclassable, de la logique dans un domaine illogique, n'est, en vérité, qu'un trompe-l'œil.

C'est pourquoi nous nous garderons, dans la mesure du possible, d'utiliser pour la présente étude une terminologie trop précise et l'étiquetage minutieux des états de l'Après-Mort.

Nous adopterons donc, lorsque nous ne pourrons pas faire autrement, les dénominations les plus banales et les plus simples pour faire comprendre l'incompréhensible, dans la limite des phrases et des mots.

Il arrivera même un moment où nous ne serons en mesure de continuer la démonstration ni avec des mots ni avec des phrases et il appartiendra au lecteur (comme à l'auditeur de la musique hindoue) de poursuivre son écoute dans l'inaudible, au-delà de la perception cérébrale et à l'aide des sens cachés.

Pour l'instant, nous redescendrons de la Pensée abstraite à la Pensée concrète et nous nous efforcerons d'entrevoir le mécanisme grâce auquel le Principe Conscient est transmis de l'état de vie à l'état de mort.

LE JACQUES DE VOLTAIRE

Cette curiosité n'est pas spéciale à notre époque. Elle est de tous les temps.

Voltaire avait résumé le débat dans son *Traité de métaphysique* à sa manière habituelle :

« Ce qui constitue la personne de Jacques, ce qui fait que
« Jacques est soi-même, et le même qu'il était hier à ses
« propres yeux, c'est qu'il se ressouvient des idées qu'il avait
« hier, et que dans son entendement il unit son existence

« d'hier à celle d'aujourd'hui ; car s'il avait entièrement
« perdu la mémoire, son existence passée lui serait aussi
« étrangère que celle d'un autre homme ; il ne serait pas
« plus le Jacques d'hier, la même personne qu'il ne serait
« Socrate ou César. Je suppose que Jacques, dans sa dernière
« maladie, a perdu absolument la mémoire, et meurt par
« conséquent sans être ce même Jacques qui a vécu ; Dieu
« rendra-t-il à son âme cette mémoire qu'il a perdue ? Créera-
« t-il de nouveau ses idées qui n'existent plus ? En ce cas,
« ne sera-ce pas un homme tout nouveau, aussi différent du
« premier qu'un Indien l'est d'un Européen ?

   « Mais on peut dire aussi que Jacques ayant entièrement
« perdu la mémoire avant de mourir, son âme pourra la
« recouvrer de même qu'on la recouvre après l'évanouis-
« sement ou après un transport au cerveau. Car un homme
« qui a entièrement perdu la mémoire dans une grande
« maladie ne cesse pas d'être le même homme lorsqu'il a
« recouvré la mémoire ; donc l'âme de Jacques, s'il en a une,
« et qu'elle soit immortelle, par la volonté du créateur,
« comme on le suppose, pourra recouvrer la mémoire après
« sa mort, tout comme on la retrouve après l'évanouissement
« pendant la vie ; donc Jacques sera le même homme. »

LA MÉMOIRE SURVIT-ELLE AU CERVEAU ?

La conscience est la prise de contact avec les événements,
les phénomènes et les êtres du plan sensible.

Mieux encore : elle est le moyen de reconnaître les autres
consciences et de communiquer avec elles par le truchement
des personnalités.

Nous avons plusieurs consciences ou, pour parler plus
exactement, plusieurs aspects de conscience, mais les uns
et les autres sont si bien enchevêtrés qu'on ne peut les séparer. Ils s'expriment tous à la fois, avec une puissance différente, selon que les sentiments qui nous agitent sont
physiques, cérébraux, émotionnels ou imaginatifs.

Mais à quoi nous servirait cette conscience, même complexe, même pénétrante, si elle se bornait à l'enregistrement pur et simple du présent ? Une conscience suivie de nos actes et une continuité de nos pensées ne sont possibles qu'au moyen d'une faculté de conservation et de reproduction.

La mémoire est donc la faculté qui est donnée à l'homme de relier son expérience passée à son expérience présente, mais cette mémoire est imparfaite puisqu'elle est basée sur le temps. Dans un autre ouvrage sur la N^{me} Dimension, nous verrons ce qu'il faut penser du Temps, qui abolit pour nous la mémoire du futur et nous rive exclusivement au passé, c'est-à-dire ne nous permet qu'une vision imparfaite de la Chose Universelle.

Bergson avait, dès 1896, séparé le cerveau de la mémoire en expliquant que le premier n'était qu'un producteur de réflexes et de mouvements volontaires, les phénomènes de mémoire *étant indépendants de lui*. D'où sa division de la mémoire en deux zones : la mémoire motrice, presque animale, et la mémoire psychologique des souvenirs.

Le philosophe allait plus loin dans sa théorie. Il estimait que la mémoire du cerveau peut être endommagée, comme il arrive dans l'amnésie, ou détruite par la mort. Au contraire, les *souvenirs ne pourraient être ni endommagés ni détruits parce qu'ils sont hors du champ physique*. On voit les conséquences incalculables de cette discrimination.

Nous ne pousserons pas plus loin l'étude de la mémoire consciente en tant qu'elle se rattache au fonctionnement du cerveau.

Ce qui nous intéresse, c'est ce que devient la mémoire après la mort et, par conséquent, la conscience, car nous ne pensons pas que la survivance de l'intelligence se limite aux souvenirs.

La mort est le début d'un long processus d'épuration psychique par désagrégation successive des psychismes inférieurs.

Cette mort psychique ou seconde mort est beaucoup plus importante que la mort organique. Elle en est d'ailleurs indépendante puisqu'elle peut, en certains cas, précéder celle-ci.

L'une des premières éliminations psychiques de l'Après-Mort est celle de la mémoire ordinaire, appelée à céder la place à une autre mémoire d'ordre supérieur. C'est la raison profonde pour laquelle l'homme qui meurt, après une flambée rapide de sa mémoire vitale, sombre presqu'aussitôt dans l'immémoire sous forme de sommeil profond.

Au réveil, il lui faut se reprendre à vivre, non pas en quelques secondes comme le dormeur réveillé, mais en quelques jours ou quelques semaines de notre langage, parce qu'il est plus difficile de s'éveiller de la mort.

RESTITUTION DU SOUVENIR
ET DE LA CONSCIENCE

Cette préoccupation était déjà celle des Egyptiens. Le chapitre XX du « Livre des Morts » fait dire à l'âme du défunt cette phrase curieuse : « Rends-moi ma bouche », c'est-à-dire donne-moi la permission de parler.

Une illustration saisissante de ce désir est fourni par le chapitre XXIII où certains illustrateurs de la vieille Egypte montrent le prêtre vidant le cerveau du mort et lui ouvrant la bouche à l'aide du *Nou*.

L'âme dit alors à peu près ceci : « Ammon-Ptah, délivre « ma bouche de l'entrave... Ma bouche fonctionne... elle a « été ouverte avec la lame de fer. »

Or, pourquoi le mort a-t-il tant besoin que sa bouche soit ouverte ? Parce que, maintenant qu'il a retrouvé le souvenir dans la Région Inférieure Divine, il a besoin d'exprimer sa nouvelle vie et de libérer son cœur.

Les Tibétains ont édifié les rites du Bardo-Todol en vue d'assurer le transfert du Principe Conscient dans les conditions les meilleures.

L'état visé par le Lama, au chevet du mort, est celui de la libération. Par là, il entend projeter dans l'autre vie le défunt « conscient et alerté ».

Non seulement alors la perception ne serait pas affaiblie,

mais elle serait accrue puisque le Livre dit de la conscience dans le *Sidpa Bardo* :

« Depuis qu'elle est sans support, elle va immédiatement
« où la dirige l'esprit... Il est facile de la diriger... la mémoire
« est neuf fois plus lucide qu'avant... Même si l'on était
« stupide, à ce moment, par le travail du Karma, l'intellect
« devient excessivement clair et capable de méditer sur tout
« ce qui vient de lui être enseigné. »

MÉMOIRES EXTRA-CERVICALES

Il est de plus en plus évident que le cerveau ne produit pas la mémoire. *Il apparaît même qu'il est le plus grand obstacle à son fonctionnement.* La mémoire totale est réellement immense. La faible portion de cette mémoire qui réussit à passer à travers le cerveau s'exprime *malgré lui.* Et non seulement le cerveau ne la génère pas, mais encore il la rétrécit et la déforme d'une manière si efficace qu'il ne subsiste d'elle qu'un moyen d'expression tronqué.

Il n'est pas difficile de prouver ce que nous venons de dire. Chacun sait que notre mémoire superficielle, autrement dit consciente, suppose une mémoire profonde, dite inconsciente, et dont le champ est illimité. Des quantités de choses sont enregistrées dans l'inconscient et y demeurent enfouies jusqu'à ce qu'une circonstance extraordinaire ou un procédé supranormal en fasse remonter le souvenir dans le conscient.

Bien mieux, certaines des notions enregistrées par la mémoire consciente tombent, à notre insu ou non, dans la trappe de l'inconscient. Et le commandement cérébral le plus puissant est incapable de les faire surgir de l'inconscience, où elles vivent d'une vie indépendante hors de la tutelle du cerveau.

LE DIEU « INCONSCIENT »

Avec la notion d'inconscient ou de subconscient, nous abordons l'un des ridicules de la science moderne. Celle-ci, en général rationaliste, écarte d'emblée tout ce qui dépasse le cerveau. Aussi les phénomènes anormaux ont, de tout temps, éveillé sa méfiance, mais, au cours du dernier siècle, ceux-ci se sont multipliés avec une telle ampleur et affirmés avec une telle puissance que les savants ont été de plus en plus gênés pour les nier.

Heureusement, les cerveaux dits « conscients » ont imaginé de désigner ce qu'ils ne comprenaient pas au moyen d'un terme de leur vocabulaire et ils appliquent à la région illogique et inexplicable de l'homme les noms de « subconscient » ou « d'inconscient ».

Maurice Magre [1] a raillé agréablement cette solution verbale :

« Dans l'horreur, écrivait-il, de ce que les gens d'une cul-
« ture scientifique englobent sous le nom de *croyance supers-*
« *titieuse,* on a inventé une divinité nouvelle à laquelle on
« a attribué des pouvoirs plus étendus que ceux des dieux
« de la mythologie grecque ou des anges chrétiens. On l'a
« appelé l'*Inconscient.* Et aussitôt la foi naïve, longtemps com-
« primée dans le cœur des savants professeurs et membres
« de toutes les académies, a fait faire à ce Dieu des miracles
« d'une nature beaucoup plus merveilleuse que ceux qu'a
« jamais faits saint Antoine de Padoue. »

Cet humour, indispensable pour nous détendre, dans une discussion aride, ne nous fait pas perdre de vue que le soi-disant « inconscient » est, en réalité, le seul « *conscient* ». Ce qui est inconscient ou très faiblement conscient, c'est ce que nous appelons, par dérision sans doute, notre conscience claire, c'est-à-dire la région fumeuse et confuse qu'est censé administrer le cerveau.

Ce qui, de la mémoire, est lié au cerveau et n'a de valeur

---

1. *Les Interventions surnaturelles* (Fasquelle, éditeur).

que par lui, périt avec lui. Il est très vraisemblable, en effet, que toute notion mémorielle qui n'a pas de racine dans la mémoire profonde ne nous survit pas et se dissipe au moment de la mort.

Là, sans doute, est l'une des raisons de l'oubli des morts, incapables — et il faut s'en réjouir — de se remémorer les mille incidents de la vie physique, sauf en ce qui les rattache à la vie véritable de l'Au-delà.

LE CERVEAU PSYCHIQUE MEURT AUSSI

Ce qui vient d'être dit du cerveau physique serait également applicable au cerveau psychique. Celui-ci, bien qu'infiniment plus perméable à la mémoire profonde que le cerveau physique, n'en constitue pas moins, lui aussi, un obstacle à la mémoire supérieure et à son épanouissement total. Après avoir vu mourir son cerveau physique, l'homme assistera plus tard à la mort de son cerveau psychique, et c'est privé de plexus, même inorganiques, qu'il pénétrera dans le Spirituel.

Donc, à la mort, il semble que nous perdions la mémoire purement cérébrale, mais il existe une super-mémoire que le cerveau ne peut plus occulter.

Là, également existe une accommodation, une adaptation que l'homme mort physiquement ne réalise pas tout de suite et la rapidité de ces accommodation et adaptation varie selon la lucidité et l'entraînement spirituel des individus.

A chaque nouvelle adaptation correspond une phase d'engourdissement et d'inconscience, ordinairement suivie d'un plus net réveil et d'une plus grande lucidité. Mais à la condition que l'être en cours d'évolution, qui passe d'un état dans l'autre, se prête intégralement au phénomène qui le dépouille en même temps qu'il l'enrichit. Celui qui ne s'adapte pas à ce double jeu de décantation et d'élévation se met en travers du courant spirituel et, par conséquent, il souffre. D'où la nécessité inéluctable de comprendre à temps les phases de l'Après-Mort.

HAUTE ET BASSE MÉMOIRE

Ainsi donc il existerait chez l'homme une mémoire cérébrale imparfaite, qui lui sert à conduire sa vie physique, mais un peu comme le mors et les œillères servent à la conduite du cheval. L'animal, habitué à ne circuler qu'avec les œillères et le mors, se montre, quand il en est privé, d'abord incapable de se diriger sans frayeur sur la route. Il ne faut qu'un peu d'exercice à nu dans la prairie pour lui rendre le sens de l'aise et de la liberté.

En outre, l'homme dispose d'une mémoire extra-cérébrale où sont déposés non seulement les souvenirs de l'instinctif et des périodes de vie inconnues, mais encore *les souvenirs du présent,* même à distance (télépathie) et les *souvenirs du futur (prophétie et prémonition).*

De la mémoire extra-cérébrale le cerveau humain, organe inférieur, ne peut disposer. Il n'a aucun droit de regard sur elle. Quand des fragments de notre mémoire remontent, pendant la vie physique, à la surface de notre conscience cérébrale, c'est en lui faisant violence et en se heurtant à son incompréhension.

La mémoire supérieure de l'homme contient nécessairement sa mémoire inférieure et n'attribue, au surplus, à celle-ci que la faible importance qu'elle a.

La mémoire inférieure, sauf dans certains cas exceptionnels, ignore la mémoire supérieure, comme la racine ignore l'arbre et comme la cellule ignore le corps.

Les limites de la petite mémoire sont étroites et en rapport avec l'exiguïté de la vie humaine. Elles sont proportionnées à la faible ampleur de l'homme apparent.

Les bornes de la haute mémoire sont, par contre, inaccessibles puisque, de palier en palier, elles reculent à mesure qu'on se rapproche du réel.

L'ÉTHER-RÉFLECTEUR DES ROSE-CROIX

Max Heindel[1] fait allusion à une mémoire de la nature :
« Tous les événements du passé, écrit-il, ont laissé dans
« l'éther-réflecteur une image ineffaçable. De même que les
« fougères géantes de l'enfance de la terre ont laissé leur
« empreinte dans la houille, de même que les mouvements
« d'un glacier d'une époque préhistorique peuvent être
« retrouvés grâce aux stries dont il a sillonné les roches le
« long de son parcours, de même les pensées et les actions
« des hommes sont imprimées par la nature d'une manière
« indélébile sur l'éther-réflecteur où l'œil expérimenté du
« clairvoyant peut lire toute leur histoire. »

L'auteur rosicrucien ajoute d'ailleurs que cette mémoire
elle-même est d'une sorte inférieure et ne constitue que la
réflexion d'une mémoire plus élevée dont la prospection ne
comporte aucune chance d'erreur.

L'AKASHA DES THÉOSOPHES

Cette manière de voir est partagée par Mme Blavatsky
et par les milieux théosophiques :
« Le registre éternel, écrit la première, n'est pas un rêve
« fantastique, car nous rencontrons les mêmes annales dans
« le monde de la matière grossière. Comme dit le docteur
« Draper : Une ombre ne tombe jamais sur un mur sans y
« laisser une trace permanente qu'on pourrait rendre visi-
« ble en se servant d'un procédé approprié... Sur les murs
« de nos appartements les plus privés, là où nous nous flat-
« tons que le regard ne peut entrer, où nous croyons que
« notre intimité ne peut être profanée, il existe les vestiges
« de nos actes, les silhouettes de tout ce que nous avons fait. »

Et, plus loin, le même auteur dit, à propos des archives
archaïques :

---

1. *Cosmogonie des Rose-Croix* (Libr. Leymarie).

« Nos existences sont innombrables, mais l'Ame ou l'Esprit
« qui nous anime durant le cours de ces myriades d'exis-
« tences ne change pas et, bien que le *recueil du cerveau physi-*
« *que* puisse oublier des événements dans le cours d'une seule
« vie terrestre, l'ensemble des souvenirs collectifs ne peut
« jamais abandonner l'Ame Divine qui est en nous. »

Déjà, les Druides celtiques reconnaissaient que la conscience inconnue garde en réserve toutes les mémoires laten-
tes, ces mémoires n'étant d'ailleurs pas limitées à une seule
vie, ce qui amorçait, dans un temps où la réincarnation était
mal connue, l'existence de corps de transition.

LA HAUTE CONSCIENCE QUI SE PASSE
DE RAISONNEMENT

Mais au service de qui ou de quoi est donc cette mémoire
primordiale qui fait litière des mémoires individuelles et
momentanées pour aller au-delà de l'espace et du temps ?

La super-mémoire est un apanage de la super-conscience
ou conscience divine qui habite chaque homme en particulier.

Dans plusieurs de nos livres précédents [1], nous nous sommes efforcé de dégager la notion de cette Haute-Conscience
que, pour plus de simplicité, nous avons nommée le JE, individualité divine de l'homme, par opposition au MOI, sa terrestre personnalité.

Nous avons dit plus haut que la conscience était la prise
de contact avec les autres consciences au moyen de leurs
personnalités. De même la surconscience est la prise de
contact avec les autres surconsciences au moyen des indivi-
dualités.

Cette Haute-Conscience n'est ni définissable ni analysa-
ble à l'aide de notre conscience basse. Tout ce qu'il est per-

---

1. Notamment dans *La Clé* et dans *Je et Moi.*

mis de faire, c'est d'essayer d'en prendre connaissance par les moyens extra-cérébraux dont nous disposons. Dans la manière de penser de l'Après-Mort, il est bien certain que la logique et le raisonnement cartésien n'existent plus. Il en doit être de même dans la Haute-Conscience et celle-ci n'a que faire pour s'exprimer de l'aide infirme des mots.

Bien qu'il soit certain que tout fait partie de l'Intelligence et de la Vie, Vie et Intelligence n'ont pas, aux différents étages de la chose créée, la même fréquence de vibrations. Celles-ci sont presque insensibles dans la pierre et lentes dans la plante, mais déjà rapides dans l'animal.

L'homme est lui-même le siège des plus fréquentes vibrations dans le monde organique. Et ceci explique le degré de conscience qu'il a atteint dans l'Univers créé. Mais cette conscience lui confère, en même temps qu'une extrême sensibilité, une responsabilité centuple. Il le sait, et c'est pourquoi, dans les trois règnes de la Nature, il est celui qui souffre le plus physiquement et moralement.

C'est lorsque sa superconscience le rapproche du Divin qu'il constate l'indignité de sa prison charnelle sans en méconnaître l'utilité. Mais alors il mesure exactement la distance qui sépare la vie du corps de la vie purement spirituelle et aspire à quitter le plus bas domaine pour accéder au plus élevé.

Seulement, quand l'homme passe de la connaissance sensorielle à la connaissance non sensible et de la conscience à la supra-conscience, il sort des frontières du cerveau. Hors du cerveau, il ne peut utiliser la logique cérébrale car, parvenue à ce que les Orientaux nomment « *l'Ouverture du Sushumnâ* », *la pensée se trouve à des hauteurs qu'en aucun cas le raisonnement ne peut atteindre.*

Swami Vivekananda a donné cette explication à propos de l'état supérieur de *Samâdhi* : « La raison humaine se « meut dans un cercle étroit qu'elle ne peut pas franchir. « Toute tentative dans ce but est vaine et c'est pourtant *en* « *dehors de ce cercle* que se trouve tout ce que l'humanité a « de plus cher. Y a-t-il une âme immortelle ? Dieu existe-t-

« il ? Une intelligence supérieure dirige-t-elle l'Univers ?
« *Toutes ces questions sont en dehors du domaine de la raison.*
« La raison ne saurait y répondre. Que dit-elle ? Elle dit :
« je suis agnostique ; je ne sais dire ni oui ni non. Et pour-
« tant ces questions sont importantes pour nous ! Et si l'on
« n'y répond pas comme il le faut, la vie humaine est impos-
« sible. Toutes nos théories éthiques, tous nos principes
« moraux, tout ce que la nature humaine contient de bon
« et de grand sont la conséquence des réponses *d'au-delà les*
« *limites de ce cercle.* Il est donc de toute importance que nous
« puissions répondre à ces questions... »

Mais la super-conscience ne peut être réalisée sans danger dans son intégralité pendant la vie physique à cause de
la médiocrité de l'intermédiaire qu'est notre cerveau. Les
prophètes et les hommes de génie y sont parvenus cependant, mais partiellement et avec de grands risques. La plupart d'entre eux, en effet, côtoient l'aliénation mentale et
tombent dans l'excentricité. Chez beaucoup le « fusible »
a sauté, parce que le courant spirituel à haut voltage se
déchaîne avec une puissance que la cervelle humaine peut
rarement supporter. Ceux qui ont affronté le domaine super-
conscient, durant l'incarnation, sans en éprouver les conséquences redoutables, étaient des êtres à demi libérés de leur
enveloppe et parvenus à l'état de sainteté. Les autres ont
souvent déchaîné des maux affreux sur la terre, soit chez
les autres, soit chez eux.

Ceci explique également les périls de la clairvoyance, du
départ en astral, de la médiumnité. Bien loin d'être des
saints, la plus grande partie des supranormaux sont des individus médiocres ou ordinaires que rien n'abrite du coup du
foudre des Hauteurs.

En revanche, lorsque l'organisme physique est anéanti et
que le cerveau psychique et le corps astral ont disparu à leur
tour, aucun obstacle ne s'oppose plus à la haute connaissance, si bien qu'on peut avancer qu'il est plus aisé pour
un savetier mort que pour un héros vivant d'affronter les

réalités essentielles. L'Après-Mort libère les consciences en même temps qu'elle détruit les cerveaux.

Le génie confirme cette manière de voir, car il est une manifestation-éclair de l'Intelligence Divine, qui se produit à travers des êtres inégaux, en rupture d'équilibre, mais qui servent de fanaux.

Infiniment rares sont les génies dans l'Avant-Mort. Beaucoup plus fréquents, semble-t-il, dans l'après-Mort, où les portes d'accès ne sont plus hermétiquement fermées, surtout pour ceux des hommes qui ont franchi les premiers stades et se sont évadés de l'astral.

L'INTUITIF

Par quelles voies est-il donc permis à l'homme incarné dans la chair de s'ouvrir sans risque un passage vers la Haute-Conscience ?

Il en est une qui n'exige ni pouvoirs anormaux ni dérèglement de la sensibilité, ni magie, ni génie, ni sainteté, et qui est l'Intuition.

L'homme a été créé intuitif comme il a été créé instinctif et il dépend uniquement de lui d'exploiter l'un ou l'autre domaine en donnant la préférence soit à l'intuition, soit à l'instinct.

Nous ne surprendrons personne en disant que la presque unanimité des hommes s'abandonnent à leurs penchants instinctifs. L'animal, qui prédomine dans l'homme de chair, cherche à résoudre ses problèmes organiques, fût-ce au détriment de l'esprit. Mais celui-ci garde toujours une faculté d'évasion à chaque époque de sa vie, sorte de cheminée vers l'inconnu supérieur. C'est du fond noir d'un puits qu'on aperçoit le mieux les étoiles, même à l'heure de midi.

La rareté des moyens de communication avec l'Intelligence incorporelle conditionne précisément l'efficacité de ceux-ci.

L'Intuition est le chemin direct vers l'Absolu, qu'elle n'atteint point évidemment, mais vers quoi elle s'efforce sans cesse. Elle est comme le projecteur qui promène son pinceau de lumière dans le ciel.

Les grands inspirés ont tous utilisé cette arme de choix dans leur conquête spirituelle. Les philosophes l'ont pressentie depuis longtemps. Locke reconnaissait, au-delà de la sensation et de la réflexion, « une connaissance intuitive, « irrésistible certitude qui nous est accordée lorsque notre « raison découvre, sans être obligé de comparer à une troi- « sième, la concordance ou l'antinomie de deux idées, aussi « clairement que notre œil perçoit la lumière dès qu'il se « tourne vers elle. »

Swedenborg a le mérite d'avoir entrevu que « les anges « et les esprits des bienheureux jouiront, dans une vie future, « d'une connaissance analogue à notre intuition ».

L'homme, déclare Swedenborg dans *les Principia*, a en lui « un sanctuaire sacré ». Les relations entre la créature humaine et l'Infini ne sont point rompues. L'homme revient par l'intuition, « à l'âge d'or de son intégrité ».

Mais Swendenborg fait erreur lorsqu'il place ses facultés dans le cerveau, et bien qu'il distingue *l'anima* du *mens*, la localisation cérébrale de l'intuition est en contradiction inévitable avec sa propre thèse, puisque l'intuition lui semble être la marque de la pensée sans corps et que le cerveau périt avec ce dernier.

Tel est l'aspect de l'Intuition considérée à partir de l'intuition elle-même. Mais il n'est pas sans intérêt d'imaginer l'expérience mystique, considérée à partir de la raison.

Reprenons le livre du docteur Carrel, savant déniaisé par l'expatriation et par une curiosité supérieure :

« Grâce à une certaine activité de sa conscience, écrit-il, « l'homme tend vers une réalité invisible qui réside dans « le monde matériel et s'étend au-delà de lui. Il se lance dans « la plus audacieuse aventure qu'il soit possible d'oser. On « peut le considérer comme un héros ou comme un fou. Mais « il ne faut pas se demander si l'expérience mystique est vraie « ou fausse, si elle est une autosuggestion, une hallucina- « tion, ou bien si elle représente un voyage de l'âme en

« dehors des dimensions de notre monde et sans contact avec
« une réalité supérieure. Nous devons nous contenter d'avoir
« d'elle un concept opérationnel. *Elle est efficace en elle-même.*
« Elle donne ce qu'il demande à celui qui la pratique. Elle
« lui apporte le renoncement, la paix, la richesse intérieure,
« la force, l'amour, Dieu. Elle est aussi réelle que l'inspira-
« tion esthétique. Pour le mystique comme pour l'artiste,
« la beauté qu'il contemple est la seule vérité.»

CHAPITRE XXIV

AU ROYAUME DES PENSÉES-VIVANTES

Lorsque l'enfant s'éveille à la compréhension des sens, puis lorsque, au moyen de la raison, il associe les phénomènes, toute une découverte du monde s'opère en lui. Il ne s'agit là, évidemment, que d'un monde de la forme, basé sur la notion des objets sensibles. Ce n'en est pas moins l'univers dans lequel il doit vivre, celui où il est jeté.

Il doit donc, bon gré mal gré, se plier à la règle du jeu et tenir pour exacte la conception qu'il a des choses et des êtres. S'il y répugne, la vie physique l'élimine. S'il l'accepte, la vie physique l'adopte et l'incorpore en entier.

Il n'en est pas autrement dans l'Après-Mort, car la mort est une vraie naissance. Le soi-disant défunt s'éveille dans un ordre nouveau.

Sa première surprise est de n'avoir point de corps. Plus précisément, il n'a plus de corps physique. Mais le support qui lui reste suffit à lui donner l'illusion d'un corps. Aussi se cramponne-t-il d'instinct à cette illusion et s'acharne-t-il

279

à vivre d'une vie corporelle en dépit des différences que comportent l'ancien et le nouvel état.

APPRENTISSAGE DE L'APRÈS-MORT

Nous avons appris que les premières sensations de l'Après-Mort étaient à ce point semblables aux sensations de la vie que nombre de défunts ne veulent pas admettre qu'ils sont morts. Ces défunts sont évidemment les plus grossiers, ceux dont les vibrations spirituelles sont presques nulles et qui, ayant fait des choses sensibles le but suprême de leur vie, ont tout rapporté à l'existence organique et fait un dieu de leur corps.

Parvenus dans l'Après-Mort, ils demeurent d'abord dans un état de rêve, avec des réveils de conscience partiels et hésitants. Ils ne sont plus, à la vérité, dans le corps physique qu'ils ont perdu, mais ils sont toujours dans ce que l'occultisme appelle le corps-de-pensée et comme ils voient celui-ci avec les yeux de la pensée, rien ne semble le différencier de l'ancien corps.

Il faut bien se pénétrer de ce que les morts à la terre, qui sont des nouveau-nés à l'autre monde, arrivent dans ce dernier cuirassés d'autosuggestion. Leur corps est mort, mais leurs tendances sont vivantes. Comment la conscience ne réagirait-elle pas d'abord de la même manière qu'auparavant ?

L'homme apporte dans l'Au-delà son bagage intégral de conceptions avec le dessein de s'en servir. Mais ce dessein, qui se justifiait, en partie du moins, au cours de l'expérience physique, n'est ni acceptable, ni admis de l'autre côté de la mort.

Le défunt ordinaire devra donc apprendre à reconnaître son nouvel état, puis à se servir de son nouvel organisme. Il y rencontrera les mêmes difficultés et les mêmes jouissances que lorsqu'il tâtonnait dans le monde terrestre avec ses gestes d'enfant.

Il n'est pas autre chose, en effet, qu'un enfant, c'est-à-dire un apprenti de la vie, dont l'éducation et l'instruction sont à faire dans un milieu différent.

Toutefois, il y a un abîme entre l'existence dans la chair et l'existence dans la pensée. La pensée jouait bien son rôle dans la vie physique, mais presque uniquement en fonction des sens. Le monde objectif était le principal ; la pensée n'était que l'accessoire. Et voilà qu'il faut renverser les rôles et restituer à la pensée sa primauté.

A L'ÉCOLE DE LA PENSÉE

On voit la difficulté pour ceux dont la vie a été exclusivement matérielle. On imagine l'aisance de ceux dont la vie cérébrale avait acquis un grand développement.

Nous ne parlons même pas ici de la valeur spirituelle qui conditionne toute l'après-vie, après avoir conditionné toute l'avant-mort. Nous prenons l'homme moyen, celui qui s'est servi de sa pensée, non pour la pensée elle-même, mais pour les conséquences matérielles qu'il en obtenait.

L'ingénieur qui réalisait dans son cerveau l'aménagement d'une industrie, l'architecte qui élaborait les plans d'une villa, le savant qui poursuivait un phénomène nouveau ne travaillaient qu'en vue de la réalisation de leur pensée dans la matière. Ceci était conforme à leur logique cérébrale et la recherche ne leur semblait justifiable que par sa traduction dans les choses et dans les faits.

Ils meurent : il n'y a plus de choses ni de faits. Il ne reste que de l'idée pure. Comme ils sont incapables d'utiliser cette idée dans le seul monde des idées, ils cherchent à l'exprimer dans la forme comme au temps où ils vivaient. Or, si inattendu que cela soit, cette manifestation n'est pas psychologiquement impossible. L'ingénieur, l'architecte, le savant défunts ont perdu leurs mains, leurs pieds, leurs yeux, leurs voix, mais non leur imagination.

Ce qu'ils ne peuvent réaliser comme ils le faisaient à l'état

281

de veille, ils le réaliseront comme ils le faisaient à l'état de rêve. Et non seulement leurs moyens d'édifier des formes ne seront pas diminués, mais encore ils seront démesurément accrus.

L'ingénieur mettra debout une usine monstre, sans ouvriers, sans contremaître, avec cette facilité dérisoire qui caractérise les opérations du seul esprit. L'architecte créera d'emblée des matériaux par génération spontanée et n'éprouvera pas plus de difficulté que l'ingénieur pour édifier un gratte-ciel. Le savant résoudra intantanément les plus redoutables équations, réussira les plus extraordinaires mélanges, trouvera sans les chercher des formules d'un intérêt capital.

L'invraisemblance des résultats ne les choquera ni les uns ni les autres. Et ils s'attarderont à ces constructions imaginaires tant qu'ils n'en auront pas compris l'inanité. Puis ce jeu puéril les lassera. Ils prendront, petit à petit, connaissance de leurs limites. Ils cesseront (malgré leur répugnance) d'être qui un ingénieur, qui un architecte, qui un savant. Ils deviendront des hommes seulement, non plus tels qu'avant, mais autrement, avec des sens nouveaux, des possibilités nouvelles. Et ils connaîtront d'autres êtres, d'autres milieux, d'autres plans.

La situation de l'homme spirituellement évolué sera entièrement différente. Encore plus dissemblable la condition de l'ascète. Encore plus inégale celle du saint.

Sur terre, le saint ne faisait rien que dans un but spirituel. Il passait généralement pour un imbécile. Dans l'Après-Mort, c'est la revanche de l'imbécile, car, ayant tout conçu dans l'ordre de la pensée, celui-ci ne s'aperçoit même pas de l'absence de son corps.

Que disons-nous ! L'abolition des sens est une délivrance et ce que les morts ordinaires considèrent comme une amputation, *il le voit comme un agrandissement.*

LES TENTACULES ÉMOTIONNELS

Cette possibilité de créer dans la pensée ne se limite pas aux anciennes apparences. L'homme passé dans le domaine d'outre-tombe y retrouve la contre-partie des actes, paroles, pensées, effectués, émis, générés par lui durant qu'il vivait. A ces manifestations viennent se joindre les prolongements des sentiments des autres, la racine astrale des phénomènes terrestres et celle des événements.

L'homme moyen éprouve alors la confusion d'un indigène océanien qui s'éveillerait en pleine cité occidentale, dans les clameurs de la Bourse ou les galeries d'un grand magasin. Avec cette différence toutefois que, dans le royaume des *Pensées concrètes*, tout est multiplié, à la fois en diversité ou en nombre et en intensité d'interprétation. Il semble que tout y est vu au moyen de verres grossissants qui déforment les proportions ordinaires et les agrandissent démesurément.

C'est exactement ce que dit l'enseignement du Bardo tibétain sous une forme plus imagée lorsqu'il montre le défunt en tête-à-tête avec ses propres formes-pensées, les bonnes comme les mauvaises lui apparaissant comme autant de monstres qui lui inspirent surprise et effroi.

Même le prolongement astral de ses propres vertus lui semble terrifiant tellement il est hors de mesure avec la conception mentale qu'il en avait durant sa vie. Ce sont pourtant les Déesses Paisibles et Tutélaires dont parle le texte oriental. Que sera-ce lorsqu'il sera confronté avec le prolongement de ses vices ? Ceux-ci qui, dans l'existence physique, lui semblaient à peine indésirables, lui apparaîtront sous la forme des « Buveuses de sang ».

On comprend qu'aucune apparence précise ne puisse être assignée à ces monstrueuses formes-pensées et que leur aspect diffère avec l'imagination de chaque individu. Aux morts vifs et corrompus viendront les spectres les plus terrifiants. Au devant des morts justes et héroïques accourront les visitations célestes.

Mais les méchants et les justes devront reconnaître ces apparitions comme provenant d'eux-mêmes et sans autre réalité que celle qu'ils leur conféreront.

LES GROUPES DE PENSÉES

Cela ne veut pas dire, comme ont tendance à le croire les bouddhistes tibétains, que tout est illusion dans l'Après-Monde. L'Après-Monde est aussi réel que ce monde-ci. Il est vrai que l'enseignement hindou dénie toute substance vraie au monde de la forme. Celui-ci n'en existe pas moins, *par rapport à nous-mêmes, puisque nous l'interprétons.*

De même les morts, après avoir interprété la vie physique, interprètent la vie extra-physique, à faux d'ailleurs, le plus souvent. Mais c'est précisément leur erreur d'interprétation qui conditionne l'état de leur âme, et fait d'eux les bienheureux ou les damnés d'un paradis ou d'un enfer intérieurs.

La manière de voir habituelle et les enseignements reçus pendant la vie terrestre ont façonné d'avance le corps-de-pensée à ce point que celui-ci ne change guère dans l'Après-Mort.

Il paraît probable — et ceci est confirmé par maint clairvoyant — que le chrétien se réveille chrétien, que le musulman se réveille musulman, que le bouddhiste se réveille bouddhiste. Chacun cherche à reconstituer le décor de sa croyance et le climat de sa foi. D'autres désincarnés, pensant comme eux, se rapprochent d'eux par affinité sympathique. Ainsi se reconstituent dans l'Au-delà les groupements terrestres, à la façon de ces Français de Londres qui cherchent à se retrouver des compatriotes ou de ces Auvergnats qui, dans le tumulte de la ville, s'emploient à reconstituer l'atmosphère du Plateau Central.

Même les matérialistes évitent de rester seuls. Ils s'agglomèrent instinctivement avec des défunts de même sorte et, faute de retrouver la vie physique, stagnent dans le jour diffus d'une sorte de Chéol rationnel.

LE MONDE DES VIBRATIONS

C'est surtout dans le Bas-Astral, c'est-à-dire dans la région immédiate de l'Après-Mort, celle dont les êtres à vibrations élevées s'éloignent au plus vite, que la puissance imaginatrice de la pensée s'exerce avec le maximum d'ampleur. La matière astrale est infiniment plastique et se prête à toutes les combinaisons possibles. La truelle de la pensée la pétrit, la maçonne ou la modèle à son gré. Une simple vibration la met en mouvement ou l'immobilise, la groupe ou la disperse, la condense ou l'éclaircit. Le moindre sentiment, la plus petite émotion soulèvent des vagues de matière astrale et les mettent à la disposition du Désir.

C'est pourquoi l'Astral a été appelé le Monde du Désir. Celui-ci n'a qu'à se formuler ou seulement à prendre conscience de lui-même pour déchaîner aussitôt d'astrales réalisations. Or, il faut bien se dire que, dans ce milieu, à demi subjectif mais aussi à demi objectif, imagination et réalité se chevauchent de si étroite manière qu'il n'y a aucune possibilité de les distinguer. La réalité astrale est donc aussi perceptible par les créatures astrales que la réalité physique par les créatures physiques. Mais les sensations astrales dépassent de loin les sensations physiques, ce qui est explicable puisque les dernières ne sont valables que si elles sont estampillées par l'esprit.

Il en est de même dans ce qu'on pourrait appeler conventionnellement le Haut-Astral, autrement dit la région astrale la moins dense. Toutefois, les vibrations, au lieu d'être heurtées et inégales, se plient à des lois rythmiques qui font pressentir l'approche du Divin.

Max Heindel, dans *L'Homme et la méthode d'évolution*, a parlé de ce prélude harmonieux de la « musique des sphères » :

« Pendant notre vie terrestre, dit-il, nous sommes telle-
« ment immergés dans les sons et les bruits insignifiants de

« notre entourage limité que nous sommes incapables d'en-
« tendre la musique des orbes dans leur course, mais l'occul-
« tiste scientifique l'entend. Il sait que les douze signes du
« Zodiaque et le sept Planètes forment la table d'harmonie
« et les cordes de la lyre d'Apollon. Il sait que si une seule
« discordance venait à troubler l'harmonie céleste de ce sub-
« lime instrument, "la destruction de la matière et la débâ-
« cle des mondes" s'ensuivraient.

« Le pouvoir rythmique des vibrations est bien connu de
« tous ceux qui ont prêté la moindre attention à ce sujet.
« Par exemple, les soldats qui passent sur un pont (suspendu)
« reçoivent l'ordre de rompre le pas, car autrement leur
« cadence rythmée briserait la construction la plus solide.
« L'histoire biblique de l'écroulement des murs de Jéricho
« est loin d'être absurde aux yeux de l'occultiste. Des phé-
« nomènes analogues se sont produits, dans certains cas, sans
« que le monde ait souri d'un air supérieur d'incrédulité.
« Il y a quelques années, un orchestre jouait près du mur
« très solide d'un vieux château ; à un certain passage du
« morceau se trouvait un accord très prolongé et perçant.
« Au moment où cet accord résonna, le mur du château
« s'écroula soudainement. La vibration tonique du mur avait
« été atteinte et soutenue assez longtemps pour causer sa
« destruction. »

Ce qui est possible des vibrations sonores l'est aussi des
vibrations lumineuses. Nous croyons même que, passé un
certain domaine, les unes et les autres se confondent en une
même sorte de vibration.

A ce stade, le maniement des hautes vibrations n'est pas
laissé à la portée des consciences inexpertes. Il est déjà redoutable que des hommes vivants ou morts puissent les utiliser
à de mauvaises fins.

L'astral ne doit permettre que le jeu des vibrations diffé-
renciées et c'est de la combinaison de celles-ci, au moyen
de la pensée posthume, que résultent les créations presque
immatérielles dont il est parlé plus haut.

LA RACINE DES VERTUS ET DES VICES

Mais en dehors des prolongements vibratoires dus aux couleurs et aux sons combinés dans le monde terrestre, le monde incorporel enregistre d'autres prolongements vibratoires encore plus subtils.

Il n'existe aucun sentiment de l'homme incarné qui n'ait sa contre-partie supra-terrestre. La contre-partie des vices s'ordonne presque uniquement dans l'astral. La contre-partie des vertus s'étage dans les hauteurs célestes. Et l'ensemble des qualités et défauts humains constitue une immense échelle qui unit les univers subjectifs.

Paresse, orgueil, envie, gourmandise, etc., s'érigent comme autant de champignons géants dans les champs de l'Invisible. La flamme des colères et des luxures se tord dans le bas Astral.

Bonté, douceur, patience, tolérance, compréhension, foi, courage, espérance, érigent leurs colonnes secrètes là-haut, par-dessus les mondes, et vont épanouir leur cintre terminal dans le Ciel.

Ou encore on pourrait dire que les grottes de l'Après-Mort se hérissent de concrétions incessantes : stalactites des vertus, la pointe en bas, stalagmites des vices, la pointe en l'air.

Les hommes morts ne sont donc plus en contact avec les sentiments de la Terre, mais ils vivent au contact des prolongements de ceux-ci. Et ils agissent sur eux, les nourrissent et les attisent. Et le feu des passions humaines, comme celui des fours d'une haute cheminée, s'embrase à l'appel d'en-haut.

AMES DE VERRE

Nous avons dit déjà que dans l'Après-Mort l'âme n'a plus de secrets. Dépouillée du masque de chair et de sa personnalité mensongère, elle s'ouvre à tout venant. La pensée sort de l'homme exactement comme elle est, sans possibilité de déguisement ou de parure. Chacun lit dans l'autre à ciel ouvert.

Ici-bas, l'homme sincère qui pense loyalement et parle comme il pense devient la proie de ceux qui parlent contre leur cœur. Ce qu'on appelle le « succès matériel » est souvent accordé aux fourbes et aux hypocrites, parce que la plupart des hommes, eux-mêmes hypocrites et fourbes, ne jugent que par le dehors.

Quel renversement dans l'Astral, plan de la nudité spirituelle où l'on apparaît comme on est ! Combien le trouble des menteurs est grand puisqu'ils n'ont, pour tromper autrui, ni visages, ni paroles, et que l'agitation de leurs sentiments est visible à travers eux !

La faculté de mensonge, nous l'avons dit, n'est pas abolie par la mort, chez les pervers, et le trouble évident de leurs pensées les dénonce. Aussi, incapables d'en imposer à ceux du même plan qu'eux, parce que leurs pairs les voient et les jugent, ils vont réchauffer leur vilenie aux geysers des prolongements astraux.

Le mensonge *terrestre* ne sert pas seulement à tromper les hommes terrestres, il sert aussi, par le moyen de sa contrepartie astrale, à réchauffer la faculté de mensonge chez les morts. Le trompeur défunt ranime et fortifie sa tromperie et la renvoie aux hommes vivants.

LES CHAMPS INVISIBLES

Sur terre, l'homme révèle à peine ses sympathies et ses antipathies. Personne, hors de rares clairvoyants, n'aperçoit les champs fluidiques, ondiques, magnétiques des autres êtres qui viennent à lui.

Après la mort, tous ces champs se font perceptibles. Chaque âme se déplace avec ses prolongements vibratoires et opère à distance ses contacts. La sensibilité des réactions individuelles en est considérablement accrue. Dès que la présence des zones étendues de la créature humaine devient apparente, les sentiments changent à leur endroit.

Nous avons l'habitude de vivre impunément et sans répugnance dans un air que nous savons pourtant rempli de poussières en suspension. Mais ces poussières nous ne les voyons pas dans les conditions habituelles. Il faut un rayon concentré de soleil dans une pièce obscure pour que le pullulement du moindre centimètre cube nous soit objectivement révélé. Dès lors, il nous en coûte de respirer, de brasser en nous cette agitation et cette vie qu'une minute avant nous ignorions.

Dans l'Astral, la poussière des sentiments grouille et vit au soleil des morts. Les passions s'y affrontent en mêlée confuse. Et, au début de sa vie posthume, le cœur de l'homme y est perdu.

Puis les êtres vils s'organisent dans ce grouillement, comme la populace dans un champ de foire, tandis que les êtres nobles se soustraient au tourbillon.

Les premiers s'enfoncent dans le plus épais, les êtres nobles s'envolent dans le plus subtil, tandis qu'hésitants et moyens, à l'intersection des courants contraires, s'interrogent et fluctuent, selon les remous de l'astral.

LE MONDE A L'ENDROIT

Les hommes astraux communiquent entre eux sans parler par la seule voie des pensées. Mais ces pensées elles-mêmes n'ont aucun besoin de s'exprimer.

Il suffit qu'elles soient. Dès qu'elles naissent, elles sont captées. Leur nature est indéchiffrable pour l'homme terrestre, qui ne peut même pas l'imaginer.

Le seul fait d'être mort à la vie mentale prive l'homme, petit à petit, de la faculté d'évoquer des images habituelles et, dès lors, le langage symbolique n'a plus de sens. Il n'y a plus ni coordination cérébrale, ni ordonnance logique. Les règles terrestres de la pensée demeurent sans signification et sans emploi.

Quelque chose qui est peut-être ce que nous nommons l'intuition, ou qui lui ressemble, remplace l'idéation ancienne et le laborieux travail du mental.

Le jaillissement de la pensée est instantané, comme l'éclair intuitif. Il revêt, *ipso facto*, un aspect de certitude. Et l'intui tion sans oreilles le recueille et le saisit.

Là encore, les conditions de communication entre les êtres sont absolument bouleversées. Celui qui ne pense rien ne peut, comme sur la terre, masquer le néant de sa pensée sous le déluge des mots. L'homme vide apparaît vide. L'homme d'une idée est éclairé par la veilleuse de son idée. L'homme de mille idées est un feu d'artifice permanent.

Un tel état constitue un véritable enfer pour les rhéteurs, sophistes, ratiocineurs et même pour les maîtres de la logique qui, transposés hors de celle-ci, sont comme des enfants perdus dans les bois. Les raisonneurs mentaux avaient édifié de toutes pièces dans le monde mental un système où tout semblait s'emboîter raisonnablement et dont ils démontaient avec orgueil le mécanisme. Et voilà que, dans l'autre vie, aucun de leurs outils ne s'adapte plus. Leurs conventions n'étaient valables qu'à la condition d'être admises par leur propre monde. Et voici qu'un autre monde leur est révélé, qui n'admet rien de leurs procédés.

Ainsi la vie astrale déconcerte les plus « intelligents », si tant est que l'intelligence dépende de la gymnastique cérébrale. Leur faculté d'interprétation du monde s'abolit en même temps que leur cerveau.

Il leur faudra se remettre à l'école maternelle du sentiment, épeler l'abécédaire de l'intuition, avant de se reconnaître dans la pensée nue qui est le partage de tous.

L'inégalité des conditions est proprement renversée. Les simples, que n'entrave pas un bagage formel, sont les grands penseurs de l'Au-delà.

La coutume de penser en phrases logiques est, au regard des mondes célestes, une infirmité évidente puisque, après la disparition de la logique et du langage, l'homme n'est plus obligé de penser *limitativement*.

Une fois ces obstacles abolis, et seule la mort est capable de nous en défaire, la pensée ne trouve plus d'obstacles et s'épanouit harmonieusement. Elle n'est plus contrainte d'adapter son idéal à un cadre rétréci, ni de subordonner ses possibilités à une expression mesquine. Elle est comme un oiseau captif dont on a ouvert la cage et qui ne sait d'abord comment mouvoir ses ailes avant de s'envoler dans le Ciel.

CHAPITRE XXV

LES MORTS S'OCCUPENT-ILS
DES VIVANTS ?

Nous avons fait allusion, dans le précédent chapitre, à l'action du mensonge sur les morts. La même répercussion astrale est le fait de tous les sentiments humains terrestres dont il n'est aucun, si faible qu'il soit, qui ne retentisse de l'autre côté.

La réciproque n'est pas moins vraie, bien qu'elle s'exerce d'une autre manière. L'influence des soi-disant morts est considérable sur les soi-disant vivants.

La vie dans l'Au-delà est d'abord une vie émotionnelle où tout désir tend à se réaliser. Faute de pouvoir être réalisés matériellement dans l'astral, les désirs se réalisent astralement, c'est-à-dire d'une manière presque illusoire, avec une petite quantité de fluide et une grande quantité d'imagination. Les hommes terrestres réalisent leurs désirs d'une manière analogue, avec cette différence qu'ils y emploient une grande quantité de matière et une petite quantité d'imagination.

Le désir, en effet, s'ensemence par l'imagination, puis s'efforce de se manifester dans la matière, plus particulièrement dans la partie dense de celle-ci. Telle est la vertu du désir, qui est d'amener l'homme à se manifester dans un milieu dense pour qu'il prenne conscience de lui-même avant de s'épurer et de s'élever. Tel est le danger du désir, parce que, moyen et non but, il est souvent pris pour le but lui-même. Et l'homme s'y complaît et s'y attarde au détriment de sa progression.

L'homme astral n'échappe pas à ce péril. Il tend à réaliser sa pensée dans la matière et, trouvant la substance astrale trop fluide, il cherche l'occasion de se rapprocher du monde matériel.

Pour cela, il a deux moyens : celui d'agir directement sur les hommes de la terre et celui de se réincorporer.

TERRITOIRES DE L'ASTRAL

Nous nous contenterons, dans ce chapitre-ci, d'examiner l'influence des créatures de l'astral sur les créatures de la terre. Celles-ci ne sont pas livrées sans défense aux entités du monde invisible, mais elles ont, en certains cas, à se défendre contre leur action. Le monde invisible dont il s'agit interpénètre le monde visible. Il ne lui est ni superposé ni juxtaposé. Il existe en lui, à travers lui et en fonction de lui. En fonction d'autres mondes aussi qui ne sont pas moins invisibles pour le monde astral que celui-ci n'est invisible pour le monde physique. Mais tous ces mondes sont subtilement emboîtés les uns dans les autres sans qu'on puisse leur assigner de limitations.

On a imaginé le grossier exemple suivant. Supposons une bouteille remplie de grains de blé. On pourra y introduire des grains de pavot qui boucheront les interstices, puis de la farine qui s'infiltrera entre les grains de pavots. Enfin, le plein peut être fait avec de l'eau qui, elle aussi, trouvera place. Cette eau pourra être sucrée, alcoolisée, colorée, c'est-à-dire que de nouveaux états pourront être manifestés. Le comportement de toutes ces matières sera distinct. Chacune gardera son autonomie. Et cependant, elles réagiront les unes sur les autres. Et l'ensemble, sans l'une d'elles, ne serait plus le même qu'avant.

Cette comparaison ne donne qu'une faible idée de l'inter-pénétration des différents mondes de l'homme, puisque ceux-ci comportent les impondérables de la pensée et du sentiment. La séparation et l'intimité des mondes spirituel et matériel n'est ni démontrable ni décelable. Elle est ainsi uniquement parce qu'elle est.

Toutefois, il existe des « ponts » destinés à faciliter le contact d'un monde avec l'autre. Parmi tous les « champs » de l'homme dont nous avons parlé plus haut, le plus visible, tout au moins pour la clairvoyance, est l'auréole naturelle ou *aura*. L'auréole exceptionnelle des saints n'est que le résultat d'une concentration aurique à ce point intense qu'elle finit par s'extérioriser visiblement, surtout chez les ascètes, qui ont dominé leur corps.

Cette aura, qui est le partage de tous les hommes, constitue un moyen de protection naturel contre l'ingérence astrale en raison d'une organisation spéciale combinée avec le jeu spirituel des plexus. C'est aussi, comme nous allons le voir, une porte d'invasion, dans certains cas maléfiques où l'homme terrestre a persévéramment et délibérément ouvert sa barrière à l'ennemi.

LE BAS-ASTRAL

Le docteur Curtiss, que nous avons déjà cité, et auquel nous emprunterons dans le chapitre qui suit de bien curieuses pages, a donné les précisions suivantes sur le Bas-Astral :

« Les corps astraux de ceux qui demeurent dans la quatrième région de l'astral, sont plus lourds, plus denses, plus

« matériels et impurs que les corps de ceux qui habitent en
« n'importe quelle autre région du Monde astral. Cette
« région, dans nombre de ses aspects, enveloppe la région
« de réflexion, mais bien qu'elles soient toutes les deux pro-
« ches de la terre et influencées par des appétits terrestres ;
« la Région du Désir renferme les désirs les plus grossiers,
« les plus dégradés. C'est donc dans cette région que l'on
« trouve ceux qui furent sur terre des meurtriers, des vicieux,
« des dégénérés, des toxicomanes, etc. Il s'y joint ceux qui,
« secrètement, désiraient donner libre cours à leurs passions
« sans avoir pu le faire, non par bonté ou pureté, mais parce
« qu'ils y étaient contraints par leur position sociale. Dans
« la Région du Désir ils ne sont retenus par aucune de ces
« considérations et y trouvent les possibilités d'une licence
« effrénée s'ils peuvent s'assurer les moyens nécessaires à
« l'expression de leurs mauvais instincts.

« La connaissance de cette partie du Monde Astral aboutit
« à la condamnation radicale de la peine capitale, car l'exé-
« cution d'un meurtrier ou criminel quelconque ne fait que
« supprimer, avec son corps physique, ses possibilités de
« nuire (par voie directe) ici-bas. La destruction du corps
« de chair *met l'assassin en liberté dans le Monde Astral,* où il
« demeure plein d'amertume contre la société des hommes.
« Dès lors, brûlant de haine et altéré de vengeance, il est
« capable d'exercer sa force sur tout esprit ouvert à ses sug-
« gestions. Il cherche donc, à la fois, à assouvir ses rancunes
« et à satisfaire ses désirs en obsédant autant de sensitifs
« qu'il le peut, et notamment tous ceux dont les *auras* sont
« assez perméables à son influence pour lui permettre
« d'entrer dans leur inconscient...

« Toutefois, si les sensitifs en question n'offrent aucun
« caractère commun avec celui de l'entité obsédante, celle-
« ci ne peut pénétrer dans leurs auras ni, par suite, les
« influencer. Mais qu'une ouverture ait lieu et que l'intro-
« duction s'effectue, alors, l'obsesseur contraint sa victime
« à véhiculer les idées de vengeance dont il est rempli. Aussi,
« tandis que, dans la chair, il ne pouvait comparativement

295

« commettre qu'un petit nombre de crimes, une fois dans
« le monde astral, il peut inciter des douzaines ou des cen-
« taines d'hommes vivants à des actes criminels. Les meur-
« tres commis sous l'empire de telles obsessions sont préci-
« sément ceux dont les meurtriers ne peuvent donner aucune
« explication, soit parce qu'ils n'en ont gardé aucun souve-
« nir, soit qu'ils y aient été contraints par une ''impulsion
« irrésistible'' ou par une ''voix'' qui leur ordonnait de tuer.
« *Souvenez-vous, par conséquent, que les pensées de colère, de*
« *haine, de vengeance, contre qui que ce soit, même si vous esti-*
« *mez que le premier tort ne vient pas de vous-même, ouvrent*
« *votre aura à ceux qui, dans le Monde Astral, ont les mêmes*
« *pensées que vous.* Dès qu'ils auront pénétré dans votre
« esprit, ils attiseront et augmenteront votre haine et ils vous
« inciteront à exécuter des actes infiniment plus terribles
« que vous ne les auriez imaginés vous-même. »

LES ALCOOLIQUES SONT DES OBSÉDÉS

Les alcooliques et les drogués défunts constituent une des
plus importantes catégories dans le Royaume du Désir, car,
privés des moyens charnels de satisfaire leurs penchants, ils
cherchent à exprimer leur désir à travers les vivants susceptibles de se prêter à leur influence. Une longue expérience
de l'ivrognerie invétérée conduit à la conclusion que presque tous les cas de cette nature sont le résultat d'une
obsession.

Le monde médical commence déjà à se pénétrer de cette
vérité et nous en trouvons la preuve dans un article du docteur T.-D. Crothers... paru dans le *Medical Record* du 6 jan-
vier 1917 : « Les laboratoires, dit ce dernier, ont signalé
« l'action spécifique de l'alcool sur les cellules et les tissus
« et leurs conclusions ont littéralement mis à néant les
« théories du passé et ouvert les portes d'un nouveau monde,
« qui n'est d'ailleurs que partiellement découvert. Au-delà
« de celui que nous connaissons, il y a un autre monde, une

« région des causes où surgissent de nouvelles forces *physio-*
« *logiques et psychologiques,* qui sont pratiquement inconnues.

« ... Ce travail part de la conviction qu'il y a des causes
« distinctes, tant physiques que psychiques, qui précèdent
« le penchant à l'alcool, et régissent sa naissance comme son
« déclin... Quelle est la cause de l'intempérance habituelle ?
« Pourquoi beaucoup de braves gens se mettent-ils à user
« immodérément des spiritueux pendant quelques jours ou
« quelques semaines, puis s'arrêtent et reprennent leurs habi-
« tudes de tempérance ?

« Ces inexplicables "tempêtes nerveuses" se produisent
« à des périodes régulières ou irrégulières. Dans certains cas,
« la chronicité est de règle et le retour des accès peut être
« prédit d'avance sans aucune considération pour les efforts
« que tente l'intéressé en vue de s'y soustraire. Le libre inter-
« valle entre ces crises de boisson est marqué par une
« conduite exemplaire et les accès alcooliques sont de même
« caractérisés par une sorte de folie et par des actes imbéci-
« les. On voit des cas de ce genre dans toutes les classes de
« la société et très souvent parmi les plus respectables tra-
« vailleurs intellectuels et les meilleurs hommes d'affaires...
« Un autre exemple est celui de personnes qui, après une
« vie passsée jusqu'alors dans la sobriété et la tempérance,
« commencent soudainement à faire usage de spiritueux, puis
« renoncent à se corriger et finissent par sombrer dans la
« misère et la mort...

« Quelle anomalie du cerveau et du système nerveux pré-
« dispose donc à ce vice et favorise ce désir excessif des bois-
« sons alcooliques ? On l'ignore.

« Apparemment, elle semble résulter soit de succès ou de
« triomphes, soit de désespoirs, de pertes ou de désappoin-
« tements, mais, de toute évidence, il existe, *au-delà de ces*
« *raisons, d'autres raisons qui expliquent l'anomalie.* Pour
« l'observateur superficiel une seule explication : *l'alcool* ;
« mais *celle-ci se dérobe* quand on procède à un examen minu-
« tieux. Les lacunes de l'explication uniquement alcoolique
« sont nombreuses et complexes, comme pour indiquer

« qu'au-delà de la question il existe *d'autres causes et d'autres*
« *forces.* En réalité, phénomènes et symptomatologie ne sont
« que des effets provenant de causes qui sont *derrière eux.* »

LES GAINES PROTECTRICES

Les auteurs de *La Voix d'Isis* écrivaient déjà, au commencement du dernier siècle :
« Le corps humain est le Temple du Dieu Vivant. Dans
« celui-ci se trouvent certains centres vitaux comparables aux
« portes qui donnent accès dans le sanctuaire intérieur. Uti-
« lisant ces centres comme points de contact, les forces de
« vie venant des plans supérieurs s'écoulent dans le corps
« physique à travers eux comme un courant électrique à
« travers son fil...

« Ces centres ou portes sont normalement protégés par
« la Nature au moyen de gaines ou enveloppes onctueuses
« (composées de matière à la fois astrale et physique) qui
« permettent l'écoulement normal des forces de vie et protè-
« gent celles-ci de toutes les autres. Ces portes ne seraient
« ouvertes que par une purification graduelle ou par le déve-
« loppement des gaines protectrices. Normalement, cela se
« présente comme une croissance naturelle résultant d'une
« vie de pureté mentale et corporelle et d'une intense aspi-
« ration spirituelle. Il ne s'agirait pas d'une croissance for-
« cée ou en serre, car chaque porte doit être ouverte et close
« sous le contrôle absolu de la volonté... Quand une fois ces
« gaines sont détruites, on n'est pas plus longtemps capa-
« ble de fermer ses portes et l'on devient une proie aisée
« pour les habitants de l'astral. On devient alors la victime
« sans défense de toutes sortes de domination psychique...
« Il y a plusieurs voies anormales qui aboutissent à la des-
« truction des enveloppes protectrices et à la dislocation des
« portes : en premier lieu mentionnons l'usage de l'alcool
« et des stupéfiants. Chimiquement parlant, l'alcool ordinaire
« est un hydroxyde d'éthyle. Or, l'éthyle vibre au plus haut

« degré atteint par la matière purement physique, c'est-à-
« dire où la matière dépasse le physique pour entrer dans
« l'astral, l'éthyle exerçant effectivement son influence sur
« les deux plans. Les drogues narcotiques contiennent aussi
« un élément éthylique. Quand l'éthyle est introduit dans
« le corps, il cherche immédiatement à s'échapper dans
« l'astral, et il suit naturellement les chemins usuels de com-
« munication entre les deux plans. Mais, en s'échappant,
« il passe par les centres dans une direction opposée à celle
« des courants normaux et, petit à petit, ronge les gaines
« isolantes jusqu'à leur complète destruction, exactement de
« la même manière qu'un isolant électrique peut être brûlé
« par suite d'une interférence avec le courant normal.

« Ce désastre peut être très rapide (dans le cas d'ivrogne-
« rie habituelle et d'abus de la drogue) ou très insidieux,
« puisqu'il n'est parfois obtenu qu'au cours de plusieurs
« incarnations, mais le résultat est certain et chaque aban-
« don dans les stupéfiants et l'ivresse équivaut à une chute
« nouvelle. A la fin, les portes restent non gardées et ouver-
« tes à toutes les horreurs du plus bas plan de l'astral qui
« se rient et prennent possession du "Temple du Dieu
« Vivant", ainsi desaffecté. »

Bulwer Lytton a donné une description réaliste de
quelques-unes de ces horreurs, dans son roman occulte
Zanoni. « Dans cette histoire, l'étudiant ouvrait ses portes
« anormalement par l'usage de la drogue et, incapable de
« les fermer par suite de la peur que lui inspiraient ses
« visions, fut hanté jusqu'à la mort... C'est notre devoir de
« fournir aide et sympathie à cette catégorie de malheureux,
« car de même qu'il a fallu bien des existences pour détruire
« leurs gaines protectrices, de même une lutte pénible sera
« nécessaire pour les reconstituer. Aussi ne faut-il pas laisser
« ces infortunés perdre courage. Quel que soit le nombre de
« leurs rechutes, tout effort sincère de leur part pour se
« ressaisir favorise le travail de reconstitution...

« Les gaines ne sont pas détruites en une seule incarna-
« tion, mais comme, dans chaque incarnation, il y a tendance

« à répéter les erreurs anciennes jusqu'à ce qu'elles soient
« réformées, il y a aussi, lors de chaque incarnation, ten-
« dance à augmenter la faiblesse venue du passé jusqu'à ce
« que survienne le désastre final. La reconstruction doit
« nécessairement suivre le même processus, c'est-à-dire être
« amenée par l'accomplissement graduel d'un persistant
« effort constructif. »

UN DES PLUS HORRIBLES ÊTRES DE L'ASTRAL, SELON HATELS

En 1914, le *juge Hatels* écrivait ce qui suit dans ses « *Lettres d'un mort vivant* » :

« Désirant un jour voir la sorte particulière d'enfer vers
« lequel un ivrogne aimerait se diriger... je me plaçai moi-
« même dans un état de neutralité sympathique, de manière
« à pouvoir plonger le regard sur les deux plans... Un jeune
« homme aux yeux inquiets et au visage anxieux entra dans
« un des palais du gin... Il s'appuya sur le bar et se mit à
« boire... Et, tout près de lui, mais plus haute que lui et
« penchée sur lui, une face répugnante, gonflée et horrible, se
« tenait pressée... C'était un des plus horribles êtres astraux
« que j'aie jamais vus... Il pompait littéralement la liqueur-
« de-vie de sa victime, aspirant celle-ci et se servant d'elle
« pour satisfaire, par procuration, le besoin de jouir que la
« mort avait intensifié. Le jeune homme, qui était accoudé
« au bar dans ce palais doré du gin, semblait rempli d'une
« inquiétude sans nom et songeait à quitter la place, mais
« les bras de cette chose qui était devenue son maître l'enser-
« raient de plus en plus étroitement, la joue gluante et fan-
« tômale était pressée contre lui, la convoitise hideuse du
« vampire faisait un ardent désir dans sa victime et le jeune
« homme demandait un autre verre d'alcool. »

LE FRÈRE OBSESSEUR

Ici nous reprenons le témoignage des auteurs du *Voile d'Isis* :

« Même un buveur modéré arrive à briser graduellement
« ses portes jusqu'à ce qu'il atteigne finalement un point
« où il ne peut protéger plus longtemps son aura de l'inva-
« sion par ceux qui sont en affinité avec lui du point de vue
« de la stimulation alcoolique. Lorsque de telles entités obsé-
« dantes ont acquis un plus grand contrôle sur leur victime,
« ils poussent celle-ci à des excès de plus en plus grands.
« La bonté innée de l'obsédé, sa responsabilité et ses ten-
« dances spirituelles le font d'abord se rebeller et l'emplis-
« sent de honte, de remords et de repentir ; et la force de
« ceux-ci est assez grande pour lui permettre de résister pen-
« dant des mois à la tentation qui l'assaille. Puis son incu-
« rable faiblesse et un sentiment de fausse sécurité, en même
« temps que le penchant à renouveler l'acte funeste, l'amè-
« nent à ouvrir de nouveau la porte par où s'introduit
« l'obsession.

« Les quelques exemples qui sont venus à notre connais-
« sance personnelle servent d'illustration concrète à ce qui
« vient d'être dit.

« Un brillant et jeune journaliste d'une grande ville du
« Far West était un habitué des boissons légères, et notam-
« ment de la sorte de breuvage nommé "verre-social", qui
« est un mélange de bière et de vin, mais il se souciait peu
« de whisky, brandy, gin et autres liqueurs fortes. Or, ce
« journaliste avait un frère plus âgé, qui mourut subitement
« après une débauche prolongée. Le jeune homme était de
« tempérament vif, impressionnable, artistique et de sensi-
« bilité psychique. Peu de temps après la mort de son frère,
« il se plaignit à nous de ce que celui-ci le visitait en esprit
« et l'incitait à boire. Chaque fois qu'il éprouvait le besoin
« de boire un simple bock, le frère déclenchait en lui un
« ardent désir de brandy. Peu à peu, il cédait à ce désir crois-
« sant jusqu'à ce qu'il comprît où on le conduisait et qu'il

« résistât à son envie. Alors, disait-il, commençaient d'infer-
« nales batailles, qui duraient parfois des heures et des jours
« et pendant lesquelles il tentait d'empêcher son frère de
« l'obséder totalement. A la fin, usé par cette lutte inces-
« sante, il cédait encore "pour une fois". Puis il tentait de
« ne plus boire brandy, whisky, gin, qu'il finissait par pren-
« dre en aversion véritable. Son estomac en était venu à se
« cabrer si fort devant les liqueurs fortes que parfois il ne
« réussissait qu'au troisième ou au quatrième verre à le gar-
« der. Mais la volonté du frère obsesseur était si puissante
« que le cadet était contraint de persister à boire de l'alcool
« jusqu'à ce que son estomac pût le retenir. Et l'infortuné
« continuait ainsi pendant une ou deux semaines. Quand il
« était complètement épuisé, son obsesseur le quittait pour
« un certain temps jusqu'à ce qu'il eût récupéré assez de
« forces pour commencer une nouvelle débauche...
    « Beaucoup de buveurs modérés sont de "braves garçons"
« non dépourvus de pouvoir affectif et même capables
« d'amour véritable pour autrui, mais qu'une tendance natu-
« relle à l'égoïsme ou au contentement de soi-même amène
« à boire, soit pour satisfaire leur désir de bien-être, soit en
« guise de stimulant. Ils négligent la véritable satisfaction,
« qui vient de ce que les vibrations intérieures sont en har-
« monie avec un idéal spirituel et l'action du Divin en soi.
« Ils croient n'avoir qu'un contact fugitif avec l'Astral mais
« la réaction de celui-ci est inévitable. »

GOURMANDS ET GOURMETS
DE L'AUTRE MONDE

Pour continuer cette évocation par l'exemple de la gourmandise, n'admet-on pas que gloutons et même gourmets
jetés sans corps dans la deuxième vie, cherchent inévitablement d'autres moyens d'expression. Ne trouvant pas ceux-
ci, ils tenteront de les trouver dans leur entourage.

De même que le constructeur de maisons imagine ses matériaux, ceux-ci imaginent les aliments de leur gourmandise et se satisfont provisoirement de festins subjectifs. Mais ce palliatif ne procure plus le même plaisir que celui qu'ils ressentaient dans la chair. D'où la tendance qu'ils ont à se rapprocher des plans terrestres pour y goûter l'essence des viandes et des mets. Dans *Les Clés du bonheur*, nous avons parlé des nourritures subtiles qui, doublant les nourritures grossières, servent à alimenter les parties nobles de l'humain. Les dieux anciens ne procédaient pas autrement lorsqu'ils exigeaient de leurs fidèles des sacrifices bestiaux et humaient voluptueusement l'odeur et l'émanation du sang et des graisses. Dans la mythologie comme dans la Bible, les temples étaient des succursales de boucheries, où viandes, abats, issues, souillaient l'entrée du saint des saints.

Partout où le ventre est roi, partout où la bouche est excessive, les goinfres de l'astral fourmillent et volent comme des mouches dans l'atmosphère des banquets. Ce sont eux qui président invisiblement aux grandes orgies collectives et sonnent la diane des intestins.

Les plus affreuses de ces entités séjournent dans le prolongement astral des abattoirs, où le sang vivant coule des bêtes égorgées, où les esprits vitaux d'innombrables victimes s'enfuient sur les ailes de la Peur. Là s'effectue chaque jour une double et redoutable alchimie qui mêle les agonies animales aux humaines obsessions.

LES « DÉMONS » INVISIBLES DE LA COLÈRE

La colère aussi a sa contrepartie, insoupçonnée des habitants de la terre, mais à quoi s'agglomèrent les coléreux de l'astral. Une colère d'homme vivant n'est rien tant qu'elle est sa seule colère. Que vienne s'y adjoindre la haine des entités méchantes et tout l'abject courant passe dans le cerveau ! Comment expliquer, par le seul jeu des réflexes organiques, ces subites flambées de violence, ces exaspérations soudaines qui s'emparent de l'homme le plus civilisé. On a vu un seul individu, sous la poussée incroyable de la colère, tenir tête à une foule et causer d'effroyables ravages avant d'être terrassé.

Où puiserait-on cette énergie, parfois triple, parfois décuple, sinon dans les terribles influences qui chevauchent le monde matériel ? Toute pensée de colère, de vengeance, de haine sert à alimenter le foyer de la colère et de la haine universelle. Chaque fois qu'un homme voit « rouge », nous sommes en partie comptables de son crime et responsables de son action.

Il n'y aurait pas de guerres, ni de révolutions, si les êtres mauvais de l'après-mort ne poussaient à la conflagration collective qui leur procure à la fois des moyens de satisfaire leurs tendances et celui de se réincorporer.

La colère est un des leviers les plus redoutables de l'Astral, soit qu'elle éveille celui-ci, soit que celui-ci l'éveille sur la terre.

De même, envie, jalousie, calomnie, médisance déchaînent les pires sollicitations de l'Après-Mort. Jadis, le populaire identifiait ces laideurs avec les démons, censés personnifier tous les défauts et les vices. Ceux-ci n'ont pas d'existence propre, mais en les nourrissant, nous leur donnons une forme qui les aide à se propager.

Croit-on que l'avare renonce à son vice parce qu'il est mort ? Bien loin de là. La disparition des biens l'exaspère. Harpagon essaie d'abord de reconstituer son or. Mais l'or imaginatif n'est pas de bon aloi. L'or matériel émet des radiations auxquelles l'avare défunt est encore sensible. Dès que ce dernier s'éveille à l'autre vie, il songe à se rapprocher de ses trésors. Si les héritiers les ont dilapidés, comme il arrive fréquemment par compensation automatique, l'avare se met à la recherche d'un autre avare et continue à jouir à travers lui.

Par conséquent et en vertu du même effrayant mécanisme, tout vice terrestre propage sa contrepartie dans l'astral ;

l'Astral afflue aussitôt dans cette contrepartie, accroissant ainsi la virulence du vice terrestre, qui augmente de ce fait ses prolongements dans l'Astral.

Il n'y a pas de fin à ce double courant, pas de limites aux effets de cette pompe aspirante et foulante, lorsque rien ne vient contrarier l'échange (entre deux mondes) des bas-fonds humains et astraux.

Presque toutes les catastrophes endurées par l'humanité n'ont d'autres causes véritables, en raison de l'ébranlement que ces violations continuelles donnent aux Lois.

On verra qu'il n'est pas impossible d'y remédier et que, s'il existe des poisons, il est également des antidotes. L'homme est encore mieux armé pour le bien que pour le mal.

LES RÉGIONS MAUDITES DE LA CONCUPISCENCE

Nous ne pouvons en terminer avec la dangereuse faune astrale sans faire sa part à la luxure, qui joue dans les affaires humaines un rôle si considérable et incessant.

L'influx sexuel, servi par une organisation nerveuse et glandulaire de premier ordre, est, de loin, l'outil le plus efficace qui ait été donné à l'homme pour se spiritualiser. Mais à une stricte condition : c'est que le désir ne soit pas transformé en acte. Sinon l'influx sexuel sert à nous bestialiser.

L'âme est donc d'un maniement délicat et ses deux fins sont constamment en balance. Par la spiritualisation de l'instinct sexuel, nous pouvons devenir des animaux. Pire même que des animaux, car ceux-ci ne cérébralisent pas leurs vices et, n'ayant pas conscience de leurs erreurs, ne prolongent pas celles-ci dans l'Astral.

Il n'y a pas de sentiment humain qui ait autant de répercussion dans l'Après-Mort que l'amour, même dans ses acceptions les plus basses. Mais les milieux que ces formes éveillent sont aussi différents que ceux du paradis et de l'enfer.

Pourquoi chercher ailleurs une explication de l'enfer quand on sait les effroyables impulsions que déchaîne la concupiscence ?

Tous ceux des morts qui ont abandonné la vie terrestre en état d'abaissement charnel se retrouveront épris des mêmes bassesses après la mort. Ce sont principalement ces êtres dévoyés qui créent en imagination les formes délirantes dont est hanté le Bas-Astral. Quand un esprit juste et pur traverse l'Astral, il ne voit même pas ces entités et ces formes, qui sont d'un ordre opposé au sien. Tout au plus, par manque de syntonisation, d'harmonie et de résonance avec elles, éprouve-t-il un malaise indéfinissable durant qu'il traverse les bas plans. Mais son ascension est si prompte et sa préoccupation des buts spirituels si intense que l'horreur du passage lui échappe presque entièrement.

Il n'en est pas de même pour le défunt ordinaire qui hésite entre le vice et la vertu. La rencontre des monstres astraux l'emplit de dégoût et d'épouvante. Il voudrait s'y soustraire, mais ses erreurs passées l'enchaînent aux apparitions affreuses jusqu'à ce qu'il ait épuisé son ancien *karma*.

Mais les plus pervertis n'ont pas seulement de l'effroi. Ils sont entraînés dans le tourbillon des vices de l'Après-Mort comme fétus de paille. A peine défunts, encore à demi inconscients, la ronde infernale des appétits les subjugue et les plonge dans l'élément maudit.

Ces esprits lourds, plus vils que les plus vils animaux, se rassemblent dans les mauvais lieux où le vice de l'homme se donne carrière. Les maisons de prostitution sont le carrefour habituel, le rendez-vous permanent des forces perverses de l'Astral. Tout ce que l'Avant et l'Après-Mort renferment d'ignoble et de dangereux afflue dans ces régions d'ignominie d'où sort, à jet continu, le crime sous tous ses aspects. On ne saura jamais les démences multiples qui sont nées d'un contact, même occasionnel, avec cette atmosphère de stupre, où les plus hideux des morts se penchent sur les plus abjects des vivants.

LES GRANDES EAUX DES VERTUS

Mais à quoi bon prolonger ces inquiétants aperçus auxquels l'homme noble est avide de se soustraire ? Si nous avons évoqué ces régions et ces âmes troubles, c'est pour authentifier la réalité de l'enfer subjectif.

S'il n'y avait que les vices, l'humanité courrait bien vite à sa perte. Heureusement, la prolifération, l'accroissement, la propagation des vertus obéit rigoureusement aux mêmes lois.

La tempérance, elle aussi, a son prolongement astral. Et elle attire à elle, dans l'astral, les sollicitations de même nature. Toute tendance éparse à la sobriété trouve un écho qui lui répond. D'où agglomération dans l'Astral de toutes les idées de tempérance. D'où aussi déversement de ces mêmes idées et influences sur la terre par les canalisations des prolongements. Mais il y a mieux : alors que les tendances à l'intempérance fuient les tendances à la tempérance, qui les gênent, les contrarient et les détournent de leur objet, les tendances tempérantes sont naturellement sollicitées par le voisinage des tendances intempérantes, qu'elles investissent, enkystent, atténuent et même parviennent à abolir.

C'est grâce à ce prosélytisme instinctif et par le moyen de cette gendarmerie inconsciente que l'ivrognerie des classes inférieures est en continuelle régression. L'intempérance des classes dites supérieures et qui, parfois, constituent seulement l'élite du vice, offre moins de prise aux antitoxines astrales, parce que l'erreur du corps est doublée par une erreur de l'esprit. Le « péché » des gens instruits devient intelligent, ce qui accroît sa perversité et sa virulence.

Douceur, Patience, Bienveillance ont une immense contrepartie dans l'Après-Mort. Sans doute leur territoire commence au-dessus du bas-astral et, tandis que, pareil à l'oxygène, gaz de vie, leur pouvoir ascensionnel les hisse vers la zone élevée, la densité des forces contraires, pareilles à l'acide carbonique, gaz mortel, retient l'Impatience, l'Intolérance, la Brutalité au voisinage du sol.

Dans la vie physique où les plus nobles sentiments nous sont voilés par l'interposition des corps, nous n'avons connaissance que par le raisonnement des hautes vertus humaines. Il nous faut, le plus souvent, pour les identifier chez autrui, un effort spécial d'intuition. Ces vertus supérieures existent cependant, à des degrés divers, chez presque tous les hommes. Pour nous en assurer, il suffit de regarder en nous-mêmes, sans l'obstacle d'une paroi de chair.

Si imparfaits que nous soyons, veille en nous une lampe de justice. Quel que soit notre égoïsme, un feu de pitié brûle en nous. Même dans la vie la plus mesquine et la plus rétrécie, il existe des zones d'indignation contre le mal et des zones d'enthousiasme pour le bien. Le plus indigne n'a pas été sans voir germer en soi la fleur rouge du sacrifice, ne fût-ce que pour une idée, pour un ami, pour un enfant, pour un chien. Tout être humain, à un moment donné, fait secrètement, et pour rien, le don entier de sa personne, parfois en dépit de lui-même et poussé par on ne sait quelle intuition.

Les sentiments de charité, de dévouement ont une contrepartie invisible qui dépasse les plans immédiats de l'Après-Mort. Leurs rejaillissements astraux sont fougueux, leurs ricochets vibratoires innombrables. Certains ressemblent à de hautes fumées ou à des nuées lumineuses. D'autres balaient le brouillard des sentiments vils comme un ouragan.

Mais rien ne saurait donner la moindre idée des météores du Sacrifice. Les flamblées d'Amour pur ont l'intensité d'immenses éruptions. Ou bien l'Amour Universel soulève de prodigieux raz-de-marée dont la houle submerge à grande distance les territoires de l'Astral. Et tandis que leurs vagues de flamme et d'eau retombent en pluie bénie sur la terre, des vapeurs prodigieuses et subtiles montent jusqu'au plafond du ciel. Il n'y a point de limite à la puissance de l'Amour-Sacrifice. Il brûle les racines du Mal partout où il passe et porte à l'incandescence l'éblouissement de la Vertu.

CHAPITRE XXVI

LA COLLECTIVITÉ DANS L'APRÈS-MORT

Dès que plusieurs individus sont réunis, sans même échanger leurs impressions, une interpénétration réciproque de toutes leurs zones auriques, magnétiques, fluidiques, radiantes, vibratoires, émotionnelles, etc., se produit.

On assiste à ce brassage dans une salle d'attente, une antichambre de médecin ou de politicien, un autobus, un train, etc. Et cela est toléré sans souffrance par des gens qui ne supporteraient pas d'être dans le même bain que d'autres personnes mais qui acceptent de mêler leurs ondes personnelles (c'est-à-dire le plus intime d'eux-mêmes), ce qui est autrement gênant que de confondre ses effluves et ses respirations.

Le mélange de zones invisibles, mais hypersensibles, ainsi réalisé fortuitement, et en apparence arbitrairement, révolte les êtres délicats, les sensitifs, les clairvoyants qui « sentent » littéralement l'*impalpable contact* des prolongements humains.

L'AME GRÉGAIRE

A peine le brassage est-il fait qu'une âme grégaire s'établit : l'âme de la salle de théâtre ou d'attente, l'âme de l'antichambre du médecin, l'âme de l'autobus, du train, etc., et chacune de ces âmes commence à vivre d'une vie indépendante de celle des organismes individuels qui la composent, avec un sens de solidarité, de sauvegarde, d'intérêt, de revendication, de peur, qui lui est propre et dont les réflexes — démesurés comme tous ceux des foules — sont prêts à contredire les réflexes particuliers et même à s'y substituer.

Cette âme grégaire se condense et s'approfondit lorsqu'une intervention individuelle la prend en main et lui assigne une direction donnée. L'âme grégaire d'une foule, d'une assistance, d'une assemblée concentre alors un extraordinaire dynamisme, dont l'inconscience est alimentée par cent ou cent mille inconscients personnels. L'initiative du chef, de l'orateur, du général, de l'acteur, etc., donne peu à peu ou soudainement à cette âme collective la conscience d'elle-même qui lui manquait avant qu'elle fût ordonnée. A partir de ce moment, elle est comme un bélier colossal que l'homme qui la manie dirige où il veut. Qu'importe si les tendances de l'âme grégaire s'opposent directement et absolument aux sollicitations de l'âme individuelle ! Celle-ci, en dépit d'elle-même, est entraînée dans le tourbillon.

L'âme grégaire déchaînée par un tribun a la puissance d'un maelström, d'un cyclone. Elle emporte tout, submerge tout, et ne s'arrête qu'après s'être effondrée d'elle-même, brisant parfois sous les débris son conducteur.

Celui-ci n'est alors, comme l'apprenti-sorcier qui manie l'arrosoir divin sans connaître les formules, ou l'apprenti-électricien qui se sert familièrement du fluide sans en connaître ni l'origine ni la constitution. Au-dessus, ou au-delà, ou en dehors, ou en dedans du déclencheur humain, les Puissances Intelligentes régissent les zones invisibles et, par de savants coups de pouce, orientent nos destins.

LES FORCES SYNTHÉTIQUES

Mais, si extraordinaire que paraisse cette superposition des forces collectives terrestres aux forces individuelles de l'homme sur la terre, elle n'est rien à côté de l'action directe des forces collectives de l'Après-Mort. C'est dans les vies de l'Au-delà que s'opère, à ciel ouvert, le brassage des inconscients et subconscients de tous les hommes, aussi bien les morts que les vivants. La division entre la vie et la mort n'est qu'apparente. En réalité, tout s'amalgame et se confond. Grâce aux prolongements astraux et à la contrepartie céleste, aucune région de la vie n'est indépendante des autres. Visible et invisible sont solidaires ou, pour parler plus exactement, font partie de l'organisme total.

N'en est-il pas déjà ainsi de notre organisme humain, dès cette existence ? Et ne sommes-nous pas un alliage étroit de matière pondérable et d'impondérable esprit ? Ne semble-t-il pas qu'il y ait d'abord incompatibilité entre nos fonctions organiques les plus grossières et les manifestations les plus subtiles de notre âme ? En vertu de quel ciment cohésif l'homme unit-il dans la même personne la matérialité la plus basse et la plus haute spiritualité ? Héroïsme et abnégation ne cohabitent-ils pas avec lâcheté et goinfrerie ? Ne sommes-nous pas capables du pire comme du meilleur ? L'administration de ce domaine illimité des sentiments n'est pas laissé à la seule individualité humaine. Des interventions récapitulatives les additionnent à leur profit. Toutefois, ce qui n'a lieu qu'à des rythmes lents sur le plan des vibrations terrestres précipite son activité dans le domaine de l'Après-Mort.

Celui-ci est d'abord le monde des désirs, des illusions, des émotions inférieures. Les individus s'y agglomèrent-ils encore comme sur la terre et y forment-ils des ensembles sociaux ?

Dans l'affirmation, non seulement les conditions de la vie sociale ne seraient pas améliorées, mais encore elles se verraient empirées, car la folie collective sans organes physiques doit être encore plus intense que la folie collective dans les corps organisés.

A la vérité, dans l'Après-Mort, le soin du corps a disparu et la suppression du besoin de manger et de se vêtir physiquement a résolu le plus criant des problèmes sociaux. Mais, soulagé de ce soin, l'esprit humain, en proie au monde des désirs, doit se livrer à des spéculations insensées et engendrer collectivement de monumentales illusions.

INDIVIDUS COLLECTIFS

De quelle nature sont ces illusions et imaginations ? Nous ne le saurons sans doute jamais exactement, sauf peut-être quand nous y participerons nous-mêmes, et rien ne prouve qu'alors nous le ferons consciemment.

Yram le clairvoyant, parlant des occupations normales des habitants des cercles de l'Après-Mort, a dit : « Tous ceux « qui les ont mentionnés sont unanimes à les déclarer incom- « préhensibles pour l'homme. »

Malgré cette opinion, tout porte à croire que, sur une autre échelle et à un autre diapason, il en est dans les mondes invisibles comme dans les mondes visibles et que l'agglutination ou l'agglomération des individus transforme ceux-ci en autre chose de plus fort et de plus violent qui pourrait bien être un immense et nouvel individu superposé aux autres et capable de s'agglomérer à son tour avec des individus de même étendue pour la constitution d'une expression encore plus vaste, sans qu'on puisse assigner à ce processus aucune fin.

Si, selon l'adage occulte, tout est en haut comme en bas et en bas comme en haut, nous sommes fondés à induire de notre propre assemblage d'atomes, puis de cellules, puis d'organes, puis d'individus, puis de peuples, puis d'humanité, puis d'on ne sait quoi, que chaque *eggrégore*[1] consti-

---

1. Assemblage évolutif d'influences.

tué dans le monde tend naturellement à s'aggréger à d'autres eggrégores lorsqu'il est avec eux en affinité.

Cette question des liens invisibles mais tout-puissants qui unissent les êtres entre eux comme les parties des êtres entre elles est une des plus importantes du problème de la vie des collectivités, aussi bien que des individus, étant admis que tout individu fonctionne comme étant lui-même une collectivité et toute collectivité comme étant elle-même un individu. Exemple : l'homme, l'animal, la plante, le minéral, mondes apparemment séparés, à la fois collectifs et individuels, mais tendant sans cesse à évoluer par réalisations alternées : un échelon dans le collectif, un échelon dans l'individuel.

Il en est de même dans le démesuré et dans le microscopique. L'individu Terre fait partie de l'individu Soleil. Celui-ci fait lui-même partie d'un Individu Sidéral encore plus énorme et les systèmes d'étoiles les plus étendus font eux-mêmes partie de l'Individu Univers.

Tout semble objectivement séparé et tout est subjectivement lié. Il y a division dans le plus dense comme aussi union de l'apparemment dispersé.

UNE HYPOTHÈSE SAISISSANTE

Quels sont les liens subjectifs qui rattachent les divers organismes les uns aux autres ? Nous les sentons, les devinons sans pouvoir les amener sous le contrôle des sens corporels. Les « clairvoyants » parviennent à « voir » certains rapports grâce à leurs sens astraux, mais les hommes ordinaires ne peuvent que former des hypothèses.

L'une des plus dramatiques en même temps que des plus grandioses est due à celui qui porta le plus avant son scalpel dans la physiologie et dans la psychologie modernes, nous voulons dire le Dr Carrel.

Qu'a donc écrit cet homme de laboratoire, mais aussi de réflexion, et que la pratique de l'analyse n'a pas découragé de faire de la synthèse ?

« Si nous pouvions apercevoir les liens immatériels qui
« nous attachent les uns aux autres et à ce que nous possé-
« dons, les hommes nous apparaîtraient avec des caractères
« nouveaux et étranges. Les uns dépasseraient à peine la
« surface de leur peau. Les autres s'étendraient jusqu'à un
« coffre de banque, aux organes sexuels d'un autre individu,
« à des aliments, à certaines boissons, à un chien, à une mai-
« son, à des objets d'art. D'autres nous sembleraient immen-
« ses, ils se prolongeraient en de nombreux tentacules, qui
« iraient s'attacher aux membres de leur famille, à un groupe
« d'amis, à une vieille maison, au ciel et aux montagnes du
« pays où ils sont nés. Les conducteurs de peuples, les grands
« philanthropes, les saints seraient des géants étendant leurs
« bras multiples sur un pays, un continent, le monde entier. »

Il est impossible de ne pas être frappé par cette description et nous sommes surpris qu'il ne se soit pas trouvé un
peintre de génie pour traduire objectivement ce subjectif.

Oui, nous sommes au milieu d'innombrables prolongements, aussi inextricables que les lianes d'une forêt vierge
et où, pourtant, chaque herbe, chaque arbre a sa raison
d'être, sa racine, son faîte, sa croissance et son évolution.
Mais l'ensemble forme aussi un tout, qui est à la fois la forêt
elle-même, où s'infiltrent les autres règnes, du minéral à
l'oiseau. Placée sous le ciel qui l'éclaire et la domine, la forêt
est au-dessus de la terre dont elle tire ses éléments fécondants.

Superposition, juxtaposition, agrégation, interpénétration,
interdépendance, tout se combine et se confond pour réaliser la Vie Une dans sa multiplicité.

De même, l'Avant-Mort et l'Après-Mort sont le prolongement l'une de l'autre, leur raison inverse, leur complé-
ment. De même les morts « agissent » les vivants et les
vivants « agissent » les morts, dans un rythme d'incessante
marée, de perpétuel échange et d'inlassable reflux.

DUALITÉ DES PUISSANCES

Dans *Je et Moi*, nous avons fait ressortir la dualité de l'homme, partagé entre sa personnalité (son MOI) et son individualité (son JE). Il a été indiqué que l'opposition du MOI égoïste et du JE divin n'était pas seulement personelle et individuelle, que les MOI se combinaient entre eux ainsi d'ailleurs que les JE. Nous soulignions qu'il existait des MOI collectifs (familiaux, nationaux, raciaux, religieux, politiques, économiques, philosophiques, artistiques, etc.), fédérés pour des buts exclusivement personnels, donc égoïstes. Et nous ajoutions qu'il y avait, en regard des JE collectifs de tendance idéale, mais altruistes ceux-ci, parce que fédérés pour des buts exclusivement impersonnels.

Cela aboutit à la conception d'un MOI des MOI que l'on a vêtu d'apparences diaboliques et qui, allégorisation du Mal, n'est que la traduction de l'égoïsme de l'Univers.

Cela aboutit également à la conception d'un JE des JE, promu Dieu en dépit d'un certain anthropomorphisme et qui, allégorisation du Bien, n'est que la traduction de l'Amour dans l'Univers.

Ces puissances élevées que nous atteignons par l'intuition et au voisinage desquelles nous avons peine à nous maintenir par la pensée terrestre deviennent déjà plus accessibles à la compréhension dans l'Après-Mort. La plus grande partie de leur mystère demeure entier mais déjà certaines fenêtres nous sont ouvertes et, par comparaison avec l'aveugle du monde physique, le borgne de l'astral est roi.

Et ceci nous amène à envisager le problème du Mal et celui de l'évolution humaine et de formuler ainsi la conclusion de cette recherche. N'est-ce pas la répugnance des esprits élevés à se rapprocher des plans astral et terrestre qui laisse l'humanité organique en proie aux basses puissances, surtout dans le domaine matériel ?

Et, par contre, dans le « subjectif humain », les hautes puissances ne sont-elles pas à l'aise et « chez elles », alors que les entités grossières ne se plaisent que dans l'« enfer objectif » ?

La dualité de l'homme se poursuit après la mort, mais alors la partie spirituelle tend à prendre le dessus, même si l'expérience terrestre a été médiocre. Toutefois, chez beaucoup de défunts, c'est la matière qui l'emporte et son poids entraîne infailliblement les âmes à se réincorporer.

On ne peut être surpris, dans ces conditions, de la lenteur et des difficultés de la progression humaine, puisque ce sont presque toujours (nous l'avons dit plus haut) les moins bons qui se réincarnent, tandis que les meilleurs s'en vont sur de meilleurs plans.

Il n'en reste pas moins, sur terre, des organismes collectifs, véritables agrégats de charité humaine, d'où fuse un esprit collectif de sacrifice et de renoncement. Il est des prières de foules, des oblations nocturnes de religieux, des chœurs mystiques à bouche fermée qui propagent dans le monde vulgaire des trombes de foi, des cyclones d'espérance et des torrents de charité.

Tout cela agit puissamment, non seulement sur l'astral, mais sur les plus hautes régions intérieures. C'est la clef physique du monde spirituel.

INTERPÉNÉTRATION DE L'UNIVERS

L'homme de l'Après-Mort a autant besoin de l'homme de l'Avant-Mort que celui-ci a besoin de son prolongement dans l'autre monde. Ils s'influencent constamment et se conditionnent, de sorte qu'on peut dire valablement que guerres, révolutions, maladies sont d'abord astrales avant d'être terrestres et que les cataclysmes géologiques sont seulement l'écho des cataclysmes astraux. Mais l'astral n'est lui-même ébranlé que par l'accumulation, dans le bon ou le mauvais sens, des pensées émises dans le monde physique, qui est le seul monde de la manifestation.

Cette interaction n'a pas échappé à Sédir [1], à qui l'on doit la page suivante :

« Le dogme est quelque chose par soi-même, et le rite
« contient par lui-même une vertu ; si, en plus, le prêtre est
« un saint, cette vertu augmente. Mais... il faut se rendre
« compte, pour s'expliquer l'influence qu'une prière litur-
« gique peut avoir sur un phénomène physique, que le cer-
« cle collectif d'une église embrasse plus que les hommes
« qui en font partie. L'Eglise catholique, par exemple, ne
« comprend pas seulement les prêtres et les fidèles morts
« et vivants, elle enrégimente beaucoup d'êtres visibles et invi-
« sibles ; ce sont d'abord les génies des nations qui la re-
« connaissent et les génies subordonnés qui leur obéissent.
« Elle comprend une certaine portion d'esprits infernaux et
« d'esprits célestes ; des esprits des sciences et d'arts pro-
« pres à ces nations ; les esprits des villes, des villages, des
« rivières, des montagnes, des forêts, des champs qui dépen-
« dent des esprits nationaux éthniques ; les esprits des ins
« titutions politiques, civiles, intellectuelles, des machines,
« des maisons et des palais ; bref, les esprits de toutes les
« variétés d'êtres et de formes matérielles, construits par la
« force de la nature ou la volonté des hommes, qui ont donné
« leur foi au maître de cette religion...

« ... Si, dans la communauté sociale, la cellule chargée de
« représenter la fonction de prière, le prêtre, demande quel-
« que chose, selon les formes à lui indiquées par la tradi-
« tion, c'est-à-dire par la chaîne des prêtres ancestraux
« jusqu'au fondateur de ladite religion, une telle demande
« a d'abord un écho chez les autres membres de ladite col-
« lectivité ; de même, quand ton cœur prie, le reste de ton
« corps en ressent quelque chose, le reste de la collectivité,
« tant visible qu'invisible, entend cette prière et, à cause du
« nom de Dieu qui y est invoqué, les parties de cette collec-
« tivité qui ne sont pas d'accord avec la loi, arrivent, de gré
« ou de force, à s'y conformer...

---

1. *Initiatives* (Legrand, Edit.).

« ... Toutes les parties de l'Univers sont perpétuellement
« en relation ; elles baignent les unes dans les autres... »
La Vie, en effet, ne distingue pas entre la vie et la mort.
Elle anime tout de son perpétuel dynamisme. Et quand les
êtres et les choses sont transformés par elle, nous pensons
que les choses meurent et que nous aussi, nous mourons.
En réalité, rien ne meurt jamais et, bien plus, rien ne meurt
jamais à soi-même de ce qui fut, *une seule fois*, conscient.

Nous sommes donc transportés tout vifs dans la mort, et,
morts, transportés dans une nouvelle vie, c'est-à-dire des fau-
teuils d'orchestre sur la scène où de spectateurs nous deve-
nons acteurs.

LA MUTILATION DES GÉNIES

Ce n'est pas que nous n'exercions déjà sur l'Après-Mort
une constante influence, mais celle-ci parfois nous dépasse
et même s'exerce en dépit de notre volonté. Sans nous en
douter, nous mettons en branle des forces supérieures, nous
déclenchons des conséquences imprévisibles dont le choc
en retour nous revient de l'astral avec une extrême brutalité.
M. Sauvageot, que nous avons déjà cité à propos de ses
curieuses remarques sur la musique hindoue, souligne cette
gaucherie humaine et ses répercussions dans l'Au-delà.

« Les légendes, écrit-il, racontent aussi que lourde est
« l'ignorance des hommes, et que bien souvent l'exécution
« défectueuse d'un Râga[1] trouble puissamment les mondes
« invisibles. Un Râga mal interprété et voici le ciel devenu
« un champ de bataille où gémissent, les membres cassés,
« les corps torturés, Gandharvas, Kinnarras, Naras et Apsa-
« ras, mortellement blessés par les fausses vibrations des
« mauvais musiciens. Seule une observance parfaite des lois
« modales en temps opportun peut rasséréner le ciel et res-
« susciter les génies de l'air. Les musiciens traditionnalis-

---

1. Voir chapitre VII.

« tes ajoutent également qu'une exécution correcte d'un Râga
« hors du temps auquel il est destiné sème une perturba-
« tion non seulement dans l'être humain mais aussi dans
« l'atmosphère. »

Nous ignorons si c'est de l'Inde que le populaire d'Occident tient l'expression que le mauvais chanteur « fait pleu-
voir ». En tout cas, il est vraisemblable que l'atmosphère
même de l'Au-delà doit être fâcheusement influencée par
les dissonances et les inopportunités que les assemblées
humaines émettent sans arrêt.

Le monde, en effet, est une immense discordance à la
recherche de sa concordance. C'est aussi une immense
concordance à la recherche des discordances qui lui permettront de s'authentifier. Le Créateur l'a sorti, non du néant,
mais du chaos, autrement dit non du silence mais de la cacophonie. Il a mis l'ordre dans le désordre et la lumière dans
l'obscurité.

LES DESSUS ET LES DESSOUS
DE LA BATAILLE POSTHUME
D'APRÈS CURTIS

La plupart des sentiments individuels qui jaillissent de
l'homme poursuivent leur vie individuelle et vont provo-
quer dans le monde des éveils successifs.

Mais il existe certainement, parmi les hommes, et au-
dessus d'eux, des êtres plus intelligents qu'eux-mêmes et
capables d'additionner les sentiments des hommes pour s'en
servir.

Il y a certainement des chefs d'orchestre invisibles dont
la baguette déclenche et ordonne les sentiments collectifs
à son gré.

Les idées de patrie, de religion, de parti, d'école, etc.,
représentent des leviers de première grandeur dont la pesée
ébranle l'humanité tout entière vers plus de bien ou plus
de mal.

Ces armes à deux tranchants, ces dynamismes doubles sont, dirait-on, à la merci de l'Invisible qui les utilise pour des buts que, présentement, nous ignorons.

Les mobiles secrets des grands politiques, des grands généraux, des grands hommes d'affaires sont cachés à notre compréhension cérébrale et, sans doute aussi, à la leur.

La plupart des manieurs de foules ne sont que des instruments, d'inconscients robots un peu plus vaniteux que les autres hommes, mais dont l'Histoire nous montre qu'ils sont eux-mêmes les jouets du Destin.

L'Après-Mort ouvre les yeux de ceux qui sont détachés de la Terre, surtout quand ce détachement est spirituel.

Alors, les véritables fins des actions collectives humaines se montrent à l'observateur posthume non telles qu'elles désirent paraître, mais telles qu'elles sont réellement.

Les Curtiss, sur le témoignage des clairvoyants, au cours de la guerre de 1914-1918, ont écrit à ce propos des pages évocatrices[1] :

« En cas de mort violente, soit par accident, soit au cours « d'une guerre, alors que l'esprit est empli par le désir de « la vie et l'intense excitation du combat, la conscience, « lorsqu'elle revient, donne aux soldats l'impression qu'ils « viennent de se réveiller soudainement après avoir sombré « dans le sommeil à leurs postes et ils regardent autour d'eux « avec surprise ce qu'ils croient encore être le champ de « bataille habituel. Le grand calme, après le fracas de la « mêlée, frappe leurs âmes de terreur.

« Chez ceux qui meurent dans une explosion ou sont victi- « mes de l'éclatement d'un obus, le corps astral est dispersé « aussi bien que le corps physique. Dans ce cas, un certain « temps s'écoulera avant que la puissance d'attraction et de « cohésion du principe de vie puisse rassembler les atomes « astraux autour de lui et reconstruire l'assemblage primi- « tif. Durant cette période, l'âme reste inconsciente. En « pareille occurrence, la première sensation au réveil est tout

_____

1. « Realms of the living dead ».

« à fait semblable à celle qui accompagne le retour de la
« conscience après l'anesthésie, avec le même sentiment de
« faiblesse et d'épuisement, qui disparaît d'ailleurs bientôt.
    « Certains soldats tués, après avoir dépassé la période de
« silence et de solitude et lorsqu'ils commencent à
« reconnaître d'autres soldats autour d'eux, sont tout joyeux
« de retrouver des camarades, ceux-ci fussent-ils leurs enne-
« mis. Car, à ce moment, l'attitude réelle de l'homme infé-
« rieur est seule apparente et ceux dont la nature ou les
« idéaux sont semblables s'attirent instinctivement les uns les
« autres, quelle que soit leur position respective sur la terre.
    « Toutefois, lorsqu'ils commencent à se reconnaître eux-
« mêmes avec leur ancien état terrestre, leur ancienne person-
« nalité, etc., ils comprennent qu'ils appartiennent à des
« nationalités différentes. Chez quelques-uns, la force des
« vieilles antipathies et des pensées hostiles peut les pous-
« ser, pendant un moment, à attaquer "l'ennemi". Alors,
« de tout l'élan de leur pensée-force, ils retournent à la
« bataille sur le plan physique. Mais une fois là, les condi-
« tions du combat leur paraissent changées du tout au tout.
    « Tandis qu'ils étaient encore dans la chair, il leur était
« facile de savoir de quel côté ils combattaient ; amis et adver-
« saires pouvaient être facilement distingués par leurs uni-
« formes. A présent, tout est différent, car la vision astrale
« ne fait plus apparaître les corps physiques, mais bien les
« forces réelles du dessous de la guerre (celles du bien et
« celles du mal).
    « L'aura de chacun de ceux qui combattent sincèrement
« et héroïquement pour un principe, même s'ils se trompent,
« est illuminée par la lumière de ses aspirations. Et cette
« lumière varie en couleurs et en clarté selon la force et la
« pureté de son idéal.
    « Tandis qu'au-dessus de chaque homme habité par la
« cruauté, la haine et le désir du meurtre, le soldat mort peut
« voir les formes hideuses par quoi se manifestent les pen-
« sées du mal qui les ont engendrées. Ces formes semblent
« entourer leurs victimes comme des serpents monstrueux

« qui s'agitent à l'intérieur et à l'extérieur de leur corps et
« surtout par le cœur ou le plexus solaire, par la bouche ou
« par la tête. Et, sur le tout, planent des nuées de fantômes
« mauvais, aux faces d'indicible cruauté et d'effroyable
« luxure qui prennent l'aspect des vivants.

« Si l'âme du soldat tué appartient à l'armée du Mal, il
« joint instinctivement ses forces à celle de la troupe mons-
« trueuse et, comme un fou furieux, se rue au combat, deve-
« nant ainsi lui-même, en raison de sa désincarnation, un
« démon obsesseur parmi les autres. Pourtant, s'il a en lui,
« ne serait-ce qu'une étincelle de bonté (et combien peu en
« sont complètement dépourvus !), tôt ou tard, il comprendra
« son erreur et ralliera la bonne cause.

« Car il y a des millions d'aides invisibles sur les champs
« de bataille et dans les tranchées qui essaient de faire com-
« prendre aux âmes des morts leur condition véritable et leur
« montrer ce contre quoi ils se battent réellement.

« Toutes les forces d'égoïsme, tous les diables des concu-
« piscences, qui sont les causes réelles de la guerre, appa-
« raissent sous leur vraie et hideuse forme, qui personnifie
« les bas désirs, la haine, la violence, l'ambition, etc. On voit
« ces entités du mal accourir en foule à la ronde, se mêler
« aux combattants des deux parties et les inciter à donner issue
« à leur cruauté et à leurs viles passions. Mais ils n'ont de
« succès qu'auprès de ceux dont l'esprit est ouvert aux sol
« licitations mauvaises. C'est pourquoi des centaines de mil
« liers de soldats astraux, provenant de toutes les nationali-
« tés, combattent côte à côte contre les démons de
« l'obsession. »

Que l'observation des clairvoyants soit exacte dans tous
les détails, nous ne le pensons pas, car la clairvoyance est
encore plus interprétation que vision, et la traduction de
celle-ci en langage clair est la pierre d'achoppement de la
connaissance supra-normale. Mais la description ci-dessus
paraît correspondre avec les intuitions de toute espèce qui
se rattachent aux circonstances de l'Astral.

La guerre existe dans l'Invisible avant de se déclarer dans

le Visible. Les mêlées terrestres les plus furieuses ont été précédées par des mêlées astrales d'un rare acharnement. Nous contribuons à les alimenter, tant dans le domaine de l'Après-Mort que dans celui de la vie organique, par nos actes et par nos pensées qui font le bien et le mal.

CONCLUSION

A la mort, l'homme ne change pas d'état. Les hautes parties de lui-même qui sont confinées dans l'Invisible continuent à vivre la Vie Supérieure de leurs différents paliers. L'Homme-Corps meurt, mais l'Homme-Esprit reste. L'homme matériel s'abolit, mais l'homme spirituel reste plus vivant que jamais. La disparition du corps renforce les possibilités de l'esprit. Celui-ci est allégé du poids qu'il traînait après lui depuis la naissance.

L'homme organique, l'homme raisonnant, en un mot, ne sont que l'accessoire, les dépendances de l'homme intégral dont ils procèdent.

L'homme apparent n'est que l'ombre de l'Homme Véritable et sert à démontrer l'existence de la Lumière et du Soleil.

La preuve que l'être humain est double nous est fournie par la mort. Seuls les plus évolués d'entre les hommes réussiront à se dédoubler pendant leur vie, tandis que tous les hommes se dédoublent à l'heure de la mort.

La mort est une succession de détachements plus qu'une série de ruptures.

La dissociation s'opère graduellement, d'abord par élimination organique, puis mentale, puis fluidique, puis magnétique et sans doute alors reste-t-il de l'homme apparent quelque chose d'intraduisible qui ne meurt pas tout à fait.

La désagrégation progressive des étages supérieurs de la personnalité est de moins en moins évidente, jusqu'au voisinage de l'Individualité. Là, d'ailleurs, cesse le pouvoir de la mort et l'immortalité commence.

★ ★ ★

En outre, la mort physique ne vient pas *par le corps*, mais se manifeste en dernier lieu *dans le corps*, après avoir été décidée dans le spirituel, d'où la décision se transmet dans le magnétique, dans le fluidique, puis dans le physique.

La mort commence dans l'Invisible avant de se manifester dans l'apparent.

L'état extérieur de santé n'y fait rien. On a vu dans *Les Clés de la santé* que toute maladie organique est la conséquence d'une altération fluidique ou magnétique, elle-même engendrée par une défection persistante du spirituel.

L'accident en est la démonstration foudroyante. Il est inscrit d'avance dans l'esprit. Comme nous l'avons montré à propos du « rêve du guillotiné », tout se passe comme si l'événement était antérieur à la notion qu'on en a, le prétendu fait objectif ne constituant que la « prise de connaissance » de la conscience avec la chose survenue.

De même la mort du corps, psychique avant d'être organique, est le résultat d'une délibération de l'esprit qui transmet l'ordre aux plans subalternes. Quand cet ordre est donné, aucune intervention physique (médicale, magique, etc.) ne peut l'empêcher d'être exécuté. Seule une action directe de l'Esprit sur l'esprit (d'ailleurs exclusivement réservée aux grands Etres) permet d'interrompre ou de retarder cet inexorable processus.

★ ★ ★

L'homme retrouve, de l'autre côté de la mort, les images qu'il s'est faites pendant la vie et les êtres qu'il s'est représentés.

Il n'y est momentanément poursuivi que par les formes qu'il a créées lui-même. Ceux qui ne voient que mal et crime autour d'eux se retrouvent dans le crime et le mal. Ceux qui voient tout en bien et en beau se retrouvent dans la bonté et la beauté célestes.

Mais les fausses hiérarchies de l'Au-delà, édifiées par les chapelles humaines, déçoivent bien souvent les fidèles parvenus dans le territoire de l'Esprit. Néanmoins, tout se reconstitue à peu près dans l'ordre où cela fut imaginé sur la terre, c'est-à-dire que les croyants en une Vierge maternelle et en un Christ d'amour demeurent en tête-à-tête avec ces images bienfaisantes et que ceux qui croient en un diable ou en un dieu vengeur sont aux prises avec ces entités à leur mesure, jusqu'à ce qu'ils soient revenus de leur peur

Comme sur terre et bien plus effectivement que sur terre, dans l'existence sans corps, on ne vit que par ses pensées, dans un monde qu'on s'est créé.

La famille, telle qu'elle est de ce côté-ci, n'existe plus dans l'autre monde. La parenté du sang s'est évanouie avec la décomposition de la chair.

Seules demeurent les affinités spirituelles et les sympathies morales. Tous les liens physiques sont dissipés.

La mère peut tout aussi bien devenir la fille ou le fils devenir le père. L'acquis seul indique la priorité et l'ascendance. L'enfant spirituellement supérieur à ses parents est le père et la mère de ceux-ci. La parenté dans l'Au-delà équivaut à un degré supérieur d'évolution. On ne voit plus, comme sur terre, des corps enfantins abriter des âmes très vieilles ni des âmes étourdies se retrancher dans de vénérables corps.

Les parents ne sont pas nécessairement les mêmes que ceux de la vie terrestre. Des familles que nous avons aimées et dont nous nous sommes séparés avec douleur, lors de notre naissance, nous attendent peut-être dans l'autre état.

De nouveaux liens se révèlent, en effet, dans l'Après-Mort,

non plus fondés sur l'association provisoire de deux cellules, mais basés sur l'harmonie profonde de deux esprits. Des amis et même des étrangers, dont les corps ne se sont jamais vus, reconnaissent leur parenté dans le monde de la pensée sans voiles. Ils s'identifient et se fondent comme si leur union n'avait jamais cessé. En fait, il n'y a pas eu interruption. Le contact rompu dans la matière s'est maintenu dans les sphères supérieures, et c'est comme après un sommeil peuplé de rêves que chacun de ces frères d'âme retrouve son *alter ego* dans le ciel.

L'union conjugale terrestre n'a plus aucune signification dans l'autre vie. Une forme élargie et plus parfaite y est substituée, qui se passe de contrats et de sacrements. L'absence de corps fait disparaître la cohabitation ; l'ubiquité permet une présence durable. L'amour spirituel peut nous lier à beaucoup d'âmes que, dans l'état larvaire où nous sommes, nous ignorons.

Fidélité, monogamie, obéissance sont des règles corporelles dont les vivants de la nouvelle vie sont déliés. Bien loin d'en être diminué, leur amour s'agrandit à mesure qu'il étend ses ondes. Il augmente en se partageant.

Les amants exclusifs de la terre qui transportent dans l'Au-delà leur autarcie sentimentale sont dans l'impossibilité d'exercer leurs sentiments exclusifs. Force leur est donc de se réincorporer pour trouver dans la limitation charnelle ce qu'ils y ont abandonné.

* * *

La loi de Vie, dans l'avant comme dans l'Après-Mort, est une loi de travail et de lutte. Aucune progression n'est possible sans l'effort.

Voyez l'épi d'orge que les enfants appellent voyageur. Placé dans la manche d'un homme inerte, il demeure lui-même immobile. Placé dans la manche d'un homme actif, il utilise chaque attitude de celui-ci. Le plus petit mouvement accentue sa progression, grâce à ses barbes orientées, qui le dirigent obstinément et infailliblement dans une seule direction.

Au même titre que le Désir, mais à l'étage au-dessus, l'Effort est une des racines maîtresses de la vie.

Cet effort ne cesse jamais. Il persévère inlassablement après la mort. Un certain Yoga prétend, bien à tort, que la vie agissante, consciente et *méritante*, serait la vie objective et que seules ses expériences compteraient pour la progression. Il y aurait donc, selon lui, impossibilité pour l'âme d'évoluer sans le corps et, pourtant, celui qui échappe à la Roue des renaissances entre dans la vie majeure.

Origène, sans doute le plus lucide de tous les docteurs chrétiens, enseignait, depuis le troisième siècle, que l'épreuve de purification commencée par l'homme sur la terre se poursuit au-delà même de la mort. Car « la flamme de leur propre feu », les « tortures de leur propre conscience » amènent infailliblement la rédemption des méchants.

Il n'y a pas le moindre doute, non seulement que le processus de perfection de l'homme se continue dans le monde astral, mais encore que l'évolution spirituelle s'accélère à mesure qu'il découvre de nouveaux mondes célestes. Et cette ascension, comme celle de tous les êtres de Dieu, est éternelle, c'est-à-dire *qu'elle n'a jamais de fin*.

Par contre, il devient de plus en plus évident que l'ascension vers les hauteurs n'est pas nécessairement directe et que, seuls, sont admis à la poursuivre dans l'esprit pur les êtres qui se sont dégagés suffisamment de la matérialité.

D'où l'impérieuse obligation, sentie par beaucoup de sages du vieux monde, d'effectuer un retour ou des retours dans la vie organique pour affranchir leur âme et la libérer.

★ ★ ★

Dans la Première Partie, nous avons, au chapitre de la Renaissance, envisagé les possibilités de celle-ci.

A ce moment, nous n'avons pas conclu, laissant au lecteur le soin de se faire une opinion définitive entre le concept extrême-oriental (Inde et Thibet), pour lequel la réincarnation est inéluctable en même temps que pratiquement indéfinie, et le concept extrême-occidental (Amérique), pour lequel le retour dans la vie organique n'est même pas envisagé.

Nous croyons que des jugements aussi absolus s'éloignent de la vérité l'un et l'autre. Une longue étude du problème nous conduit à de moins formelles convictions.

Sans la réincarnation, la plupart des choses de la vie et de l'évolution seraient inexplicables, aussi bien du point de vue physique que du point de vue spirituel. Sans la réincarnation, la notion de Karma s'effondre d'elle-même et pourtant nul système philosophique ne comporte autant d'équité.

Avec la réincarnation, l'Avant et l'Après-Mort reprennent leur éclairage. Une part du brouillard invisible se dégage. On commence à apercevoir le relief du subjectif.

Mais de même que les non-réincarnationnistes, en niant systématiquement la renaissance, se privent d'un moyen de progression remarquable, de même aussi les réincarnationnistes vont trop loin en contraignant les êtres à une renaissance universelle et automatique, sauf en des cas exceptionnels.

La réalité, comme toujours, est entre les affirmations opposées. Et la raison comme l'intuition peuvent l'atteindre quand elles sont débarrassées de toute passion.

* * *

La réincarnation de l'âme du mort dans un corps organique nouveau semble bien être la règle, tant pour les défunts grossiers ou vulgaires que pour la plupart des défunts moyens.

Mais la non-réincarnation n'est pas le privilège exclusif des héros et des saints. Elle est la conséquence naturelle du détachement des choses physiques que tout homme, quand il le veut, peut réaliser.

La grande affaire est de s'adapter au nouvel état, au nouveau milieu de l'Après-Mort.

Certains s'y accommodent d'emblée comme s'ils retrouvaient leur véritable atmosphère et le climat qu'ils avaient perdu.

D'autres ne s'accommoderont jamais (du moins tant que subsistera leur attachement terrestre) et seront en proie à un tel malaise qu'ils aspireront à un immédiat retour dans la chair.

Celui qui a un beau et robuste corps et qui a l'habitude de s'en servir ou d'en tirer vanité est désorienté par la mort physique. Il cherche le corps qu'il a perdu et reste en contact avec le plan matériel. Il est malheureux, il souffre et ne peut se consoler de sa désagrégation organique. Il est réellement amputé.

Celui qui habite un corps contrefait, malade ou torturé éprouve, après l'avoir quitté, une impression de soulagement, puis d'aise grandissante. Il lui semble avoir retrouvé la jeunesse et acquis des ailes. Il est réellement délivré.

★ ★ ★

Quand on ne souffre plus d'être sans moyens physiques, on éprouve enfin les bienfaits de la liberté. On est soustrait à la pesanteur, à la localisation, à la limitation, à la soif, à la faim, à la fatigue, à la douleur physique.

Quand on pâtit d'être privé de moyens d'expression physique, on ne pense qu'à retrouver des instruments de jouissance dans le monde de la chair.

Chacun n'est heureux dans l'Au-delà et n'y peut demeurer qu'en raison inverse de son attachement à la vie terrestre.

Le défunt récent n'est pas seulement esprit, il est encore matière subtile. Il finira, lui aussi, par n'être plus qu'esprit. Selon que sa pensée sera d'ordre bas ou élevé, il tendra à reprendre un corps ou à s'éloigner définitivement de la matière.

La grande erreur, à notre sens, des réincarnationnistes est

de mettre fin par une renaissance charnelle périodique à des paradis spirituels prolongés.

Nous croyons à l'évolution constante et progressive des êtres, avec des cas, fort rares, de régression. Il semble, et ceci est en opposition avec la doctrine théosophique, qu'un séjour de plusieurs siècles dans l'état bienheureux du *Déva-chan*, ne permette plus la réincarnation, sauf en cas de sacrifice volontaire et de mission spéciale d'un Etre bon parmi les imparfaits.

★ ★ ★

L'homme est sans doute un composé d'âme et de corps. Les deux, sous une forme plus ou moins subtile, sont, même après la mort, et pour un temps, au moins, inséparables. S'il y a résurrection ou réincarnation, le corps subtil continuera à servir de support. Mais l'homme, image de Dieu, se soustraira de plus en plus à la matière pour se fondre définitivement dans l'Esprit. Tant qu'il renaîtra avec un corps, celui-ci fût-il de « gloire », il lui faudra renoncer à se fondre en Dieu et, par conséquent, renaître physiquement

Autrement dit, il y a corps astral, corps de désir, corps glorieux ou corps occulte des spirites, théosophes, théologiens et hermétistes tant que l'homme terrestre contient de l'égoïsme, car le corps intermédiaire n'est fait que de cela. *Mais s'il n'y a plus de désir de la vie formelle, si l'homme est épuré par la résignation et le sacrifice, il n'a plus de corps intermédiaire, ou si peu qu'après la mort il s'en sépare aisément et monte au plus haut du ciel.*

Donc toutes les écoles ont raison, sans savoir exactement pourquoi. Chacune, en effet, a entrevu un aspect de la vérité sans voir la Vérité tout entière. Nous-même ne cherchons point à ériger ici un système, mais à proposer des éléments de recherches, à l'aide de matériaux anciens et à l'aide de matériaux neufs.

Monobie et polybie sont donc aussi acceptables l'une que l'autre. Il n'y a véritablement qu'une seule Vie et il y a véritablement plusieurs vies, l'une contenant les autres et les autres s'absorbant dans le Tout.

★ ★ ★

Quelle est donc ou quelle doit être l'attitude de l'Homme dans l'Avant-Mort et comment l'Après-Mort doit être préparée ?

La réponse se trouve en partie dans l'un des plus grands livres du monde, la Bhagavad-Gita :

« Ceux qui adorent les êtres Radieux vont vers les Dévas
« (divinités) ; ceux qui adorent les ancêtres vont vers les
« ancêtres ; ceux qui adorent les élémentaux vont vers les
« esprits de la nature ; mais ceux qui m'adorent, dit le
« Seigneur, viennent à Moi...

« Quoi que tu fasses, quoi que tu manges, quoi que tu
« offres, quoi que tu donnes, quelque effort d'austérité que
« tu fasses... fais-le comme une offrande que tu Me fais. »

Que dit encore le chant du Seigneur béni ?

« Humilité, modestie, incapacité de nuire, pardon, recti-
« tude, service de l'instructeur, pureté, stabilité, maîtrise de
« soi, détachement des objets des sens et aussi d'égoïsme,
« compréhension intuitive de la souffrance et du mal de la
« naissance, de la mort, de la vieillesse et de la maladie,
« absence d'identification avec le fils, la femme ou le foyer,
« et équilibre constant du mental au milieu d'événements
« désirés et redoutés, dévotion exclusive envers Moi sans
« autre objet, penchant pour la retraite et la solitude, absence
« du plaisir dans la société des hommes, constance dan. la
« sagesse du soi, compréhension de l'objet de la vraie
« sagesse ; voilà ce qui est déclaré comme étant sagesse ;
« tout le reste est ignorance. »

Que dit enfin le Seigneur d'En-Haut ?

« Si à l'heure de la mort, c'est l'harmonie qui prédomine,
« alors l'homme va dans le monde pur des grands sages.

« Si c'est le mouvement qui prédomine à l'heure de la
« mort, alors l'homme renaît au milieu de ceux qui sont

« attachés à l'action ; si c'est l'inertie qui prédomine, il
« renaît dans le sein de ceux qui sont dénués de raison... »

★ ★ ★

Leibnitz écrivait en 1696 à Morel[1]
« Je trouvai un jour (dans les ouvrages de sainte Thérèse)
« que l'âme doit concevoir les choses *comme s'il n'y avait*
« *que Dieu et elle dans le monde.* »
En réalité, sainte Thérèse a dit ceci :
« Dans le principe, l'âme doit viser par-dessus tout à ne
« s'occuper que d'elle-même et *à se représenter qu'il n'y a*
« *que Dieu et elle sur la terre.* Voilà ce dont elle a besoin...
« Ce qui importe avant tout, c'est *d'entrer en nous-même pour*
« *y rester seul à seul avec Dieu...* que l'âme se retire donc
« au-dedans d'elle-même avec son Dieu. »
Croire en Dieu, vivre en Dieu n'est rien tant qu'on n'en est
pas conscient. Avoir conscience de la présence de Dieu en
soi et de soi en Dieu, c'est vraiment s'unir à lui par adhésion
intelligente. C'est collaborer avec le Divin au lieu de le subir.
L'homme n'est pas extérieur à Dieu. Il en fait intégralement partie. Comment Dieu châtierait-il une part de lui-
même ? Comment se renierait-il partiellement ?
Tout se passe en soi : l'enfer, la douleur, la peur sont en
soi. Le paradis, le bonheur sont en soi. La contemplation
béatifique est en soi. Car Dieu ne peut être vu, senti et adoré
qu'en soi.

★ ★ ★

Pourquoi sommes-nous sur la terre, séjour apparent de
l'injustice et du mal, *sinon pour aider Dieu à faire évoluer
la terre en même temps que nous, humanité,* ce pour quoi nous
sommes composés de corps et d'âme, d'esprit et de matière ?
Là est la riposte à l'hypothèse tragique de la science matérialiste, selon laquelle Dieu nous ignorerai ‚comme nous-
mêmes nous ignorons les cellules de notre corps.

Dans *Les Interventions surnaturelles,* Maurice Magre, qui consacra la plus grande part de sa vie à cette recherche, se 1epond victorieusement à lui-même :

« Quand, dit-il, on a *longtemps considéré* l'absurdité de
« l'existence humaine, la cruauté de la loi divine, l'absence
« de pitié de la nature et qu'on s'est répété que l'essentiel
« était d'échapper à cette horreu1 .mmense, il vient, par le jeu
« naturel des choses, une pensée simple au point d'être
« enfantine, qui a une grande force.

« Même si cette planète est .n séjour de mal... il est
« invraisemblable que nous nous y trouvions revêtus d'un
« organisme d'une complication inouïe, avec notre conscien-
« ce et sa lumière, n'ayant d'autre tâche que d'en repartir le
« plus vite possible. *Notre seule présence et l'effort créatif*
« *qu'elle comporte indiquent que nous avons quelque chose à*
« *faire, un but à réaliser.*

« Le Bouddha et Jésus ne se sont pas trompés, Ils ont
« insisté seulement sur le devoir le plus pressant, *le déta-*
« *chement des choses terrestres.* Mais nous sommes liés les uns
« aux autres, liés d'abord à tous les hommes, mais aussi à
« tous les êtres. Notre parenté est physique autant que
« psychique, car au cours des transformations durant les âges,
« nous avons fait partie de toutes les familles, de tous les
« règnes. S'il y a une libération, elle ne doit pas être soli-
« taire. *Nous devons entraîner avec nous toutes les créatures,*
« *même celles qui se tiennent sur le dernier échelon des espèces*
« *animales.* S'il y a une spiritualisation, la matière doit être
« spiritualisée en même temps que l'homme *pour une fin*
« *immense que nous ignorons.*

« *Peut-être notre rôle est-il plus grand que nous le pensons ;*
« *peut-être y a-t-il une croissance spirituelle divine qui ne s'exerce*
« *que par le développement de l'homme et des créatures qui lui*
« *sont supérieures.* »

Et Shri Aurobindo a écrit :

« L'âme divine se reproduit en d'autres âmes libérées,
« semblables à elle, comme la vie se reproduit dans la simi-
« litude des corps. Une seule âme qui se libère permet à la

« Divine conscience de soi de s'étendre en d autres âmes sur
« la terre et peut-être — qui sait ? — au-delà de la terre. »
Et c'est du même grand sage asiatique que nous viendra
l'ultime conclusion :
« Agir en Dieu et non dans l'ego. D'abord choisir l'action,
‚ non par rapport aux besoins et aux principes personnels,
« mais en obéissance aux commandements de la plus Haute
« Vérité Vivante au-dessus de nous. Ensuite, dès que nous
« nous sommes suffisamment établis dans la conscience
« spirituelle, *ne plus agir avec notre propre volonté ou notre*
« *mouvement séparé, mais de plus en plus permettre à l'action*
« *de se produire et de se développer sous l'impulsion et la direction*
« *d'une Volonté divine qui nous surpasse.* »
Tel est, personnellement, notre but, tel est l'objet profond
et constant de notre œuvre depuis tant d'années. Tel est le
sens véritable de l'Avant, puis de l'Après-Mort.

TABLE DES MATIÈRES

Première partie

L'APRÈS-MORT
selon
la Révélation et l'Occultisme

Deuxième Partie

L'APRÈS-MORT
selon
l'Intelligence et l'Intuition

Dans la même collection

Achevé d'imprimer en juin 1990
sur presse CAMERON,
dans les ateliers de la S.E.P.C.
à Saint-Amand-Montrond (Cher)

Éditions du Rocher
28, rue Comte-Félix-Gastaldi
Monaco

Dépôt légal : juin 1990.
N° d'Édition : CNE section commerce et industrie
Monaco 19023.
N° d'Impression : 1367.

Imprimé en France